SŁYNNE UCIECZKI POLAKÓW

Andrzej Fedorowicz

Słynne ucieczki Polaków

Fronda

Okładka i strony tytułowe
Mariusz Kula

Redakcja i korekta
Agnieszka Pawlik-Regulska

Zdjęcia wykorzystane w książce pochodzą z zasobów Wikipedii, a także Narodowego Archiwum Cyfrowego. W rozdziale *„Specjaliści od ucieczek" wymykają się z pruskiej twierdzy* umieszczono zdjęcia dzięki uprzejmości Piotra Giertycha

Dyrektor projektów wydawniczych
Maciej Marchewicz

Skład i łamanie
TEKST Projekt

ISBN 978-83-8079-455-9

Wydawca
Fronda PL, Sp. z o.o.
ul. Łopuszańska 32
02-220 Warszawa
tel. 22 836 54 44, 877 37 35
faks 22 877 37 34
e-mail: kontakt@wydawnictwofronda.pl

www.wydawnictwofronda.pl
www.facebook.com/FrondaWydawnictwo
www.twitter.com/Wyd_Fronda

Dofinansowano ze środków Ministra
Kultury i Dziedzictwa Narodowego
pochodzących z Funduszu Promocji Kultury

SPIS TREŚCI

WSTĘP

Statkiem, konno, samochodami, pociągami lub na własnych nogach. Tygodnie, miesiące, a czasem lata pełnych śmiertelnych niebezpieczeństw wędrówek. Tysiące kilometrów pokonanych w jednym celu – by udowodnić, że Polak nigdy nie będzie niewolnikiem.

Bohaterami tych niezwykłych historii kierowały różne uczucia i motywacje. Wanda Pawłowska uciekła z Kazachstanu, bo tęskniła za synkiem. Maurycy Beniowski był dumnym polskim szlachcicem, któremu honor nie pozwalał pogodzić się z myślą o niewoli gdzieś na zapomnianym przez Boga i ludzi krańcu świata. Kazimierz Piechowski postanowił udowodnić, że można pokonać nieludzki system i uciec z miejsca, którego nazwa do dziś budzi grozę – Auschwitz. Wiara, miłość, determinacja i poczucie obowiązku napędzały tych, którzy, ryzykując życiem, dokonali rzeczy, wydawałoby się, niemożliwych.

Ale aby plan się powiódł, potrzebna była też wiedza i inteligencja. Opisy przygotowań do ucieczek z twierdzy Srebrna Góra czy KL Auschwitz to gotowe scenariusze sensacyjnych filmów; trudno uwierzyć, że do tej pory takie nie powstały. Czasem oprócz sprytu potrzebna była też wola walki. Maurycy Beniowski i jego towarzysze zesłania, żydowscy więźniowie obozu śmierci w Sobiborze czy akowcy-jeńcy sowieckiej NKWD ze Skrobowa musieli wzniecić zbrojne bunty i odnieść zwycięstwa, zanim znów mogli zakosztować smaku wolności.

Każda z tych ucieczek była inna. Rufin Piotrowski samotnie pokonał pięć tysięcy kilometrów z Syberii. Bronisław Szeremeta i Ferdynand Ossendowski mogli liczyć na wsparcie jednego lub kilku towarzyszy. Wywiezienie z Polski we wrześniu 1939 roku ogromnego skarbu – wartych dziesiątki milionów dolarów zapasów złota – wymagało z kolei zakrojonej na wielką skalę, skoordynowanej akcji wielu osób.

A jednak wszystkie opisane zdarzenia coś łączy. To głęboka wiara, że bycia Polakiem nie da się pogodzić z biernym fatalizmem. Bohaterowie tej książki to zaledwie niewielka garstka spośród ogromnej rzeszy ludzi, którzy dla wolności gotowi byli na największe poświęcenie i ryzyko. Jednym się udało, innym nie, ale warto wiedzieć, że naszą historię pisali również słynni uciekinierzy.

Naprawdę, trzeba było mieć pecha, żeby dostać do pilnowania Polaka...

CZĘŚĆ I
Z DALEKIEJ SYBERII...

SKRADZIONYM OKRĘTEM Z TAJNYMI AKTAMI Z KAMCZATKI DO EUROPY

Maurycy Beniowski, 1771–1774

21 września 1771 roku na wodach przy półwyspie Makau u wybrzeży Chin pojawił się tajemniczy trójmasztowiec pod nieznaną nikomu banderą. Gdy miejscowa forteca powitała go dwunastoma zwyczajowymi strzałami, wpłynął do portu Guia, głównej bazy morskiej portugalskiej kolonii. Statek nosił nazwę „Święty Piotr i Paweł", a jego dowódcą był młody człowiek podający się za szlachcica. Nazywał się Maurycy Beniowski, był polskim zesłańcem politycznym, a statek porwał w odległym o niemal sześć tysięcy mil porcie Bolszereck na półwyspie Kamczatka. Wcześniej wszczął tam zbrojne powstanie zakończone zabiciem miejscowego gubernatora. Przez niezbadane dotąd przez Europejczyków wody kilku mórz buntownicy z Kamczatki żeglowali ponad cztery miesiące.

Równie niesamowity jak rejs statku był jego ładunek: złoto, perły i tysiące skór zwierząt o ogromnej wartości. Jednak tym, co natychmiast uaktywniło obecnych w Guia szpiegów kilku krajów i kompanii handlowych, było jeszcze coś innego – tajne rosyjskie archiwa z dokumentami i mapami opisującymi plany ekspansji tego kraju w Azji i Ameryce Północnej. Historia ucieczki trzydziestoletniego Polaka i jego załogi z końca świata błyskawicznie rozniosła się po Makau, budząc niebywałą sensację. Kim był ten trzydziestolatek, który nagle pojawił się w portugalskiej enklawie w Chinach z wielomilionowej wartości ładunkiem?

* * *

Jest wrzesień 1770 roku, niespełna rok przed zawinięciem „Świętego Piotra i Pawła" do portu w Makau. Eskortowana przez oddział Kozaków kibitka wiezie na dalekie zesłanie Maurycego Beniowskiego, jednego z dowódców konfederacji barskiej. Ten zbrojny związek szlachty polskiej utworzony w mieście Bar w 1768 roku w obronie wiary katolickiej i niepodległości Rzeczypospolitej domagał się zniesienia ustaw narzuconych podupadającej Polsce przez Rosję. Konfederacja barska, uważana dziś przez wielu historyków za pierwsze polskie powstanie narodowe, szybko przerodziła się w krwawą wojnę o niepodległość. Wzięło w niej udział sto tysięcy ludzi; kilkadziesiąt tysięcy zginęło, a czternaście tysięcy zostało zesłanych w głąb Rosji, gdzie mieli pozostać do końca życia. Jednym z takich zesłańców był Maurycy.

Urodził się na Węgrzech, w Werbowie, jako syn Samuela Beniowskiego, generała w służbie austriackiej, i węgierskiej baronówny Róży de Ravay. Nauki pobierał w Wiedniu, najpierw w kolegium, a potem w szkole wojskowej. Jako zaledwie piętnastolatek w randze podporucznika brał udział w swojej pierwszej wojnie – z Prusami. Mając siedemnaście lat był już weteranem cesarskiej armii i wtedy też postanowił opuścić ją na wieść, że mieszkający na Litwie bezdzietny stryj przepisał na niego majątek. Był rok 1758, kiedy Maurycy poczuł w sobie polską krew. Jego rodzina zawsze była wielonarodowa, ale to właśnie z Polską młodzieniec zaczął identyfikować się najmocniej.

Na wiadomość o śmierci ojca wrócił jednak na Węgry, by przejąć część należnych sobie dóbr. Kiedy spotkał się z oporem ze strony szwagrów, postanowił rozwiązać problem staropolską metodą – po prostu urządził zajazd. Odzyskanym majątkiem nie

Maurycy Beniowski na portrecie
z XVIII wieku.

cieszył się jednak długo, gdyż na skutek intryg austriacki rząd go skonfiskował. Wrócił więc do Polski, by gospodarować na dobrach odziedziczonych po stryju, jednak niespokojny charakter nie pozwolił mu długo cieszyć się życiem ziemianina.

Były to czasy wielkich oceanicznych wypraw. Floty Wielkiej Brytanii, Holandii czy Francji pokonywały ogromne odległości, nawiązując nowe handlowe kontakty z odległymi krajami i dokonując geograficznych odkryć. Polsko-węgierski szlachcic, starosta na Litwie, też chciał wyprawić się do dalekich krajów. Nie spodziewał się jednak, że marzenie to spełni się w tak dramatycznych okolicznościach.

Gdy dwudziestoparoletni Beniowski postanowił zostać żeglarzem i pojechał do Gdańska, by zdobyć teoretyczną wiedzę oraz odbyć morska praktykę, Rzeczpospolita stawała się państwem coraz bardziej uzależnionym od Rosji. Słaba politycznie i militarnie nie była w stanie przeciwstawić się ingerencjom w swoje wewnętrzne sprawy ze strony dworu Katarzyny II ani obecności na swoim terytorium coraz liczniejszych obcych wojsk. Kiedy więc Maurycy Beniowski zdobywał morskie szlify w czasie rejsów do Hamburga, Amsterdamu czy Plymouth, które miały poprzedzić planowaną przez niego wielką podróż do Indii, w kraju dojrzewało polityczne przesilenie. Znalazło ono swój wyraz w zawiązanej 29 lutego 1768 roku w Barze na Podolu antyrosyjskiej konfederacji. Mimo że król Stanisław August Poniatowski wyraził zgodę, by stłumiły ją wojska rosyjskie wraz z wojskami Rzeczypospolitej, do szlacheckiego sprzysiężenia przyłączały się kolejne województwa prowincji małopolskiej, a wkrótce objęła ona także Wielkopolskę i Litwę. Doszło do pierwszych starć.

Wiadomość o wybuchu walk zastała Beniowskiego na Spiszu, gdzie znalazł się, wracając z Węgier po kolejnej bezskutecznej próbie odzyskania majątku po ojcu. Gdy w drodze powrotnej zachorował, gościny udzielił mu szlachcic Heński, ojciec trzech córek. W jednej z nich, Zuzannie, Maurycy się zakochał i nie namyślając się długo, wziął z nią ślub. Nie minął jednak miesiąc miodowy, jak Beniowskiego znaleźli na Spiszu wysłannicy konfederacji i w imię posłuszeństwa władzom sprzysiężenia wezwali do zbuntowanego Krakowa, pod który nadciągały już rosyjskie wojska.

Kolejny rok w życiu Maurycego to podjazdowa wojna z Rosjanami toczona ze zmiennym szczęściem. Dowodzone przez niego oddziały atakowały rosyjską armię, nie pozwalając jej odciąć Krakowa od dostaw broni i żywności, napadały na konwoje wiozące pieniądze dla króla z żup solnych w Wieliczce, prowokowały rosyjską armię do pościgu, pozwalając w tym czasie przejąć inicjatywę innym konfederackim oddziałom. Mijało już dziesięć lat, od kiedy Beniowski, z własnego wyboru, postanowił zostać Polakiem i teraz bronił ojczyzny, płacąc za to siedmioma ranami od kul, szabel i pik. W końcu po roku wojaczki fortuna przestała mu sprzyjać. 19 maja 1769 roku został w jednej z potyczek ranny w bok odłamkiem kartacza i dwukrotnie szablą. Tak trafił do niewoli.

Pierwszym miejscem zesłania był Kazań, dawna tatarska stolica nad Wołgą. Dla takiego doświadczonego partyzanta jak Beniowski ucieczka stamtąd nie stanowiła problemu. Niestety po schwytaniu nie mógł już liczyć na łagodne traktowanie. Kolejnym miejscem zesłania dla niepokornego Polaka miała być odległa o ponad dziewięć tysięcy kilometrów Kamczatka.

* * *

Podróż do miejsca zesłania zajęła Beniowskiemu prawie rok. W styczniu 1770 roku grupa więźniów eskortowana przez oddział siedemdziesięciu Kozaków ruszyła z Tobolska na wschód. Z powodu ostrej zimy konwój posuwał się powoli. Do Tary nad Irtyszem zesłańcy dotarli dopiero pod koniec marca. W Tomsku z powodu roztopów spędzili prawie trzy tygodnie, wyruszając 11 maja do Krasnojarska, do którego przybyli po siedemnastu dniach podróży. Stamtąd czekała ich kilkumiesięczna podróż do Jakucka, skąd we wrześniu wyruszyli do Ochocka. W tamtejszym porcie 23 listopada zakuto ich w kajdany i wysłano statkiem na wyspę Sachalin, z której przez Morze Ochockie popłynęli do leżącej na zachodnim wybrzeżu Kamczatki osady Bolszereck. Maurycy Beniowski trafił tam 4 grudnia 1770 roku.

Bolszereck składał się z jednej długiej ulicy, wzdłuż której stało około 500 domów zamieszkanych w większości przez Kozaków. Stanowili oni największą grupę osadników na tym odludnym, liczącym 1200 kilometrów długości półwyspie, a ich obecność była dowodem na rosyjskie panowanie na Kamczatce. Za osadą znajdowała się forteca z pięcioma bastionami, po pięć armat w każdym, która była jednocześnie siedzibą miejscowego gubernatora, pułkownika Niłowa, i koszarami dla 280 rosyjskich żołnierzy. Zesłańcy mieszkali pół mili za Bolszereckiem, pod lasem, gdzie wydzielono im niewielkie działki. Tam mieli pozostać do śmierci.

Zasady pobytu na zesłaniu były proste. Następnego dnia po przybyciu więźniowie byli wypuszczani na wolność z zapasem żywności na trzy dni, a potem każdy miał radzić sobie sam. Od rosyjskiego rządu dostawali strzelbę, proch, ołowiane kule, kilka noży i narzędzia ciesielskie, żeby samemu wybudować sobie chatę i upolować coś do jedzenia. Otrzymany ekwipunek powinni spłacić w ciągu roku za pomocą futer zwierząt o wartości stu rubli, mieli też obowiązek dostarczać określoną liczbę futer gubernatorowi. Nie wolno im było oddalać się od miejsca zamieszkania na dłużej niż dwadzieścia cztery godziny bez powiadomienia władz. Chociaż zesłańcy mogli posiadać broń i domy, nie mieli prawa do żadnej osobistej własności; żołnierze mogli w każdej chwili wejść do ich chat i wziąć, co im się podoba.

Kiedy Beniowski przybył do Bolszerecka, osadę dla zesłańców zamieszkiwało kilkadziesiąt osób, mężczyzn i kobiet, w zdecydowanej większości Rosjan. Niektórzy z nich byli na wygnaniu już dwadzieścia lat. Maurycy znalazł schronienie u zesłańca nazwiskiem Krustiew. Był on na Kamczatce już osiem lat i sprawiał wrażenie pogodzonego ze swoim losem. Kiedy gospodarz odczytał Polakowi treść ukazów dla zesłańców, wydanych jeszcze przez cara Piotra Wielkiego, ten nie wytrzymał.

– Przyjaciele, dlaczego znosicie tak długo to podłe jarzmo i nie próbujecie wyzwolić się z niego? Czyż się śmierci lękacie? Śmierć jest przecież stokroć pożądańsza od takiego upodlenia! I takie prawa wydał człowiek, którego Europa nazywa wielkim?

Wzburzony chciał mówić dalej, jednak Krustiew poprosił go, by przestał. Już przy pierwszym spotkaniu stało się jednak jasne, że przybycie Polaka zmieni życie zesłańców w Bolszerecku na zawsze.

Od pierwszych dni wykształcony, inteligentny i pełen energii Beniowski zaczął skupiać wokół siebie elitę zesłańców. Byli wśród nich oficerowie gwardii, szambelan cesarzowej Elżbiety, archidiakon, kapitan kozacki, ekksiążę, a nawet jeden Polak, starosta Kazimierz Bielski. Wszyscy byli więźniami politycznymi zesłanymi na ten koniec świata jako wrogowie stanu. Nie minęło kilka dni, jak Beniowski zaproponował założenie tajnej organizacji, której celem byłoby przygotowanie ucieczki. Zalążkiem konspiracji stała się ośmioosobowa Rada Sekretna z Maurycym na czele. Wkrótce do organizacji zostało wciągniętych kolejnych piętnaście osób. Nie minął tydzień pobytu Beniowskiego na Kamczatce, jak założone przez niego stowarzyszenie obejmowała już niemal połowę mieszkających w Bolszerecku zesłańców.

Ponieważ z Kamczatki wydostać się można było wyłącznie morzem, plan ucieczki od początku zakładał porwanie statku. Grupa spiskowców, po zgromadzeniu odpowiednich zapasów broni i żywności, miała udać się w tym celu do przystani w Czekawce i tam opanować jakikolwiek okręt, a następnie wyruszyć nim do Europy. Przed tymi z Rosjan, którym ten kierunek ucieczki nie odpowiadał, Beniowski roztoczył wspaniałą wizję. Zaczął opowiadać im o Państwie Słońca – wyspie Tabrobanie.

– Każdy, komu źle powodzi się na ziemi, może przyjechać do Państwa Słońca. Wszystkich przyjmują tam z radością, dają schronienie, jedzenie i odzież. Płynąć zaś tam trzeba przez ocean kursem na południe. Czas podróży z Kamczatki – pięćdziesiąt dni – mówił zafascynowanym słuchaczom.

Skąd wziął ten pomysł? Prawdopodobnie zainspirowała go utopijna powieść *Miasto Słońca* włoskiego teologa Tommaso Campanelli, którą czytał jeszcze w młodości, a może także opis jednej z wysp archipelagu Marianów, który poznał w czasie swojej morskiej edukacji w Gdańsku.

Jednocześnie z urabianiem zesłańców Beniowski zaczął wkradać się w łaski bolszereckiej elity – władz kamczackiej guberni. Ponieważ był człowiekiem wykształconym i znającym kilka języków, szybko zaproponowano mu pracę przy czytaniu listów i sprawozdań. Tak znalazł się w najbliższym otoczeniu gubernatora Niłowa, który szybko zaczął zabierać błyskotliwego więźnia na spotkania towarzyskie. Na jednym z nich Beniowski usiadł do partii szachów z „numerem trzy" w miejscowym rządzie, kozackim pułkownikiem Czernychem, człowiekiem, którego będzie nazywać Hetmanem. Ten po upokarzającej przegranej w pięciu ruchach z polskim zesłańcem początkowo był wściekły, szybko jednak zorientował się, że mając pod ręką tak znakomitego szachistę, może zarobić wielkie pieniądze. Zaproponował układ: Maurycy będzie grać dla niego z urzędnikami i kupcami za dziesięć procent wartości zakładu.

Polak się zgodził. Stawki z partii na partię rosły: 500, 1000, 1500 rubli... Po jednym z wyjątkowo udanych wieczorów uradowany Hetman obdarował Beniowskiego takim zapasem masła, mięsa, wódki i ryżu, że zapewniały one wyżywienie na pięć dni wszystkim zesłańcom. Towarzyskie zalety Polaka miały jeszcze jeden skutek: zakochała się w nim jedna z córek gubernatora, szesnastoletnia Afanazja. Maurycy już wcześniej był proszony przez jej matkę, by udzielać lekcji języków obcych, czytania i arytmetyki Afanazji oraz trójce jej rodzeństwa. Sprawy szybko jednak wymknęły się spod kontroli. Panna sama wyznała miłość przystojnemu Polakowi i dała mu jasno do zrozumienia, że chciałaby go mieć za męża. W roli zięcia chętnie widziała też Beniowskiego jej matka, jak się okazało – córka szwedzkiego pułkownika-zesłańca, tym bardziej, że gubernator chciał wydać Afanazję za miejscowego niezbyt dobrze wykształconego i mało kulturalnego oficera.

Teraz rozpoczęła się podwójna konspiracja. Beniowski informował o wszystkim Radę Sekretną, która doradziła mu, by dla dobra sprawy zgodził się na ślub. Żonaty już Polak wzbraniał się początkowo, wiedząc, że i tak małżeństwo będzie nieważne, w końcu jednak postanowił utrzymywać pozory. Za wiedzą matki doszło do zaręczyn Afanazji z Maurycym. Postawiony przed faktem dokonanym gubernator Niłow był początkowo wściekły, potem jednak doszedł do wniosku, że ślub córki z bystrym cudzoziemcem-szlachcicem, któremu bądź co bądź przysługiwał po matce tytuł barona, nie jest wcale złym rozwiązaniem. Aby jednak sprawa stała się w świetle prawa możliwa, trzeba było uwolnić zesłańca. Niłow zrobił to osobiście, powołując się na zasługi Beniowskiego dla rządu kamczackiej guberni i jednocześnie wystąpił do swojego zwierzchnika, gubernatora irkuckiego, z wnioskiem o nadanie Polakowi jakiegoś godnego stanowiska.

Tymczasem Maurycy grał na zwłokę, chcąc odwlec datę ślubu jak najdalej. Była wciąż zima, wody wokół Kamczatki były pełne lodu i niebezpieczne dla żeglugi, ucieczka mogła odbyć się najwcześniej w kwietniu lub maju. Beniowski postawił więc Niłowowi warunek: nie stanie przed ołtarzem, dopóki na półwyspie nie powstanie rolnicza osada, w której zamieszka również on z Afanazją. Pod pretekstem przygotowań do powstania kolonii zaczął się werbunek kolejnych uczestników spisku, których liczba wzrosła wkrótce do sześćdziesięciu, a także półlegalne gromadzenie zapasów broni, prochu i narzędzi. Dzięki temu posunięciu w posiadaniu spiskowców było wkrótce 100 pudełek z kartaczami, 60 długich noży, 16 pistoletów, 36 siekier i 200 pik. Z takim wyposażeniem można było zaczynać zbrojny bunt. Okazja do tego nastąpiła, gdy władze w Bolszerecku wpadły w końcu na trop spisku.

* * *

Nie było to trudne, gdyż konspiratorzy, coraz bardziej pewni siebie, zaczęli w końcu całkowicie ignorować zasady bezpieczeństwa.

Jako jedna z pierwszych o planie ucieczki dowiedziała się pokojówka Afanazji, której tajemnicę zdradził kochanek, jeden z uczestników spisku. Przekonana, że narzeczony chce ją porzucić tuż przed planowanym ślubem, Afanazja poszła do niego i zalewając się łzami, zażądała wyjaśnień. Beniowski w obawie, by zrozpaczona dziewczyna nie opowiedziała o wszystkim ojcu, postanowił wtajemniczyć ją w sprawę.

– Przysięgam ci, że nigdy bym stąd bez ciebie nie wyjechał – przekonywał. – Tak, chcę stąd uciec. Zamierzałem cię porwać i zabrać ze sobą.

Te słowa zrobiły wrażenie na córce gubernatora. Nie tylko wybaczyła narzeczonemu, że skrywał przed nią tajemnicę, ale obiecała, że ostrzeże go, gdyby miało mu grozić niebezpieczeństwo.

Na tę chwilę nie trzeba było długo czekać. Informacja o spisku dotarła w końcu do gubernatora Niłowa, przekazana przez naczelnika kancelarii. Pułkownik długo nie chciał wierzyć, że człowiek, o którego wolność zabiegał i któremu odczytał akt uwolnienia zaledwie kilkanaście dni wcześniej, a który miał zostać mężem jego córki, mógł zawiązać tajne stowarzyszenie wymierzone przeciwko jego władzy. W pierwszym odruchu sklął donosiciela przekonany, że oczernianie Beniowskiego jest elementem jakiejś intrygi.

– To niemożliwe, by szlachcic mógł być tak przewrotny! – krzyczał Niłow i sam poinformował Maurycego, by uważał na ludzi, którzy próbują go oczerniać.

Gdy jednak ochłonął, pewne odizolowane dotąd zdarzenia zaczęły układać mu się w niepokojącą całość. Zlecił więc dyskretną obserwację zesłańców.

Na rezultat nie trzeba było długo czekać. Wkrótce do Niłowa dotarły informacje o odbywających się u Beniowskiego spotkaniach. Wyglądało na to, że w tajnym sprzysiężeniu bierze już udział cała osada zesłańców. Nie namyślając się, pułkownik kazał wysłać do domu Polaka pięciu żołnierzy z rozkazem doprowadzenia go do twierdzy. Kiedy jednak dowódca oddziału wszedł do środka zaproszony przez Beniowskiego na kieliszek wódki, zobaczył wymierzone w siebie lufy czterech pistoletów. Wyprowadzony do innego pokoju został przesłuchany, a następnie kazano mu po kolei wywoływać stojących przed domem żołnierzy. Tych spiskowcy częstowali na początek wódką, by zaraz powalić, związać i zamknąć w piwnicy. Wiadomo było jednak, że gdy posłańcy nie wrócą z Beniowskim przed zmierzchem, gubernator rozkaże wysłać do osady większe siły wojska. Trzeba było działać, by przejąć inicjatywę.

Jest 26 kwietnia 1771 roku, gdy Beniowski na czele grupy buntowników rusza na pałac gubernatora. Już za potokiem natyka się na oddział żołnierzy; padają pierwsze strzały i pierwsi zabici. Odgłosy walki alarmują kolejnych spiskowców, którzy biegną na pomoc. Wkrótce oddział liczy już kilkudziesięciu uzbrojonych po zęby ludzi. Pułkownik Czernych-Hetman wysyła przeciwko nim żołnierzy z armatą, ci jednak zostają przepędzeni salwą i nie zdążywszy oddać żadnego strzału z działa, uciekają do pobliskiego lasu. To był błąd, który doświadczony partyzant Beniowski od razu wykorzystał. Blokując strzałami możliwość powrotu żołnierzy do twierdzy, kazał swoim ludziom zabrać armatę z powrotem do fortecy. Gdy dotarli pod nią, było już ciemno. Słysząc odgłosy toczonego działa, wartownicy wzięli buntowników za powracający oddział żołnierzy.

– Prowadzicie jeńców? – spytali.

– Tak, otwórzcie! – zawołał jeden ze spiskowców.

Po chwili zwodzony most był już opuszczony. Beniowski na czele grupy wpadł do środka, szybko rozprawiając się ze strażnikami. Wkrótce jednak rozegrał się dramat. Gdy Polak wszedł do pokoju gubernatora, prosząc go o złożenie broni, pułkownik strzelił do niego z pistoletu, raniąc w ramię, a potem rzucił się na niego i zaczął dusić. Przed śmiercią uratował Beniowskiego celny strzał jednego ze spiskowców, Panowa, który pozbawił Niłowa życia. Wszystko to działo się na oczach rodziny gubernatora, w tym Afanazji, która pod wpływem szoku zemdlała.

Jeszcze tej samej nocy Kozacy próbowali odbić fortecę, jednak przyniesione przez nich drabiny były za krótkie, a oddana

1. Port w Ochocku w XVIII w. Nawet dziasiaj Ochock to nie miasto, a właściwie tzw. osiedle typu miejskiego.

2. Artystyczna wizja życia na Kamczacce w czasach Beniowskiego. W tle widoczny czynny wulkan.

3. Słynne wulkany Kamczatki współcześnie. Na półwyspie znajduje się ich ponad 160, z czego aż 28 jest aktywnych.

4. Pola ryżowe na Madagaskarze. Stan współczesny.

przez powstańców salwa z kilku dział szybko przepędziła atakujących. Chociaż Beniowski z kompanami był bezpieczny za murami fortu, sytuacja nie wyglądała najlepiej. Żołnierze i zmobilizowani do rozprawy z buntem Kozacy z osady mogli prowadzić oblężenie miesiącami, do momentu, aż buntownikom skończą się zapasy żywności. Zamknięcie w forcie uniemożliwiało też realizację planu ucieczki z półwyspu. Trzeba było znów przejąć inicjatywę.

Beniowski, chociaż osłabiony raną, postanawia zadziałać w bezwzględny sposób. Potajemnie wysyła do miasta oddział dwudziestu ludzi z rozkazem wyciągnięcia z domów wszystkich kobiet oraz dzieci i zamknięcia ich w cerkwi, która ma wcześniej zostać obłożona suchymi gałęziami i na jego rozkaz podpalona. Zadanie zostało wykonane bez problemu; w osadzie nie było ani jednego zdolnego do walki mężczyzny, gdyż wszyscy Kozacy poszli oblegać fort. Gdy tylko dotarła wiadomość, że wszystko jest gotowe, Beniowski kazał zabrać z cerkwi sześć kobiet i wysłać je z poselstwem do obozu Hetmana dowodzącego oblężeniem. Spisane w liście żądania nie podlegały dyskusji – Kozacy mieli uwolnić czterech spiskowców, których wzięli do niewoli, zakończyć oblężenie, złożyć broń i przyjść do fortecy, by spiskowcy mogli wybrać spośród nich zakładników. W przeciwnym wypadku cerkiew z kobietami i dziećmi miała zostać spalona.

Odpowiedź długo nie nadchodziła, Beniowski rozkazał więc rozpalić ognisko pod kościołem. Była już noc i widok ognia wystarczył, by pod twierdzą pojawił się las przytwierdzonych do pik białych flag. Chwilę później Kozacy sami przywlekli do twierdzy rozbrojonego Hetmana. Okazało się, że odpowiedź na ultimatum nie przychodziła tak długo, gdyż dowódca chciał siłą odbić uwięzionych w kościele ludzi. Między oblegającymi wybuchła wówczas wielka kłótnia zakończona aresztowaniem Hetmana. Kiedy oblężenie się skończyło, Beniowski nakazał wypuszczenie kobiet i dzieci z cerkwi oraz opróżnienie fortecznego więzienia, w którym siedziało kilkudziesięciu żołnierzy i urzędników. Zamiast nich w twierdzy miało pozostać pięćdziesięciu zakładników, którzy za każde wymierzone przeciw buntownikom działanie mieli zapłacić głową.

Gdy sytuacja została opanowana, przyszła pora na realizację planu. Rozwój wydarzeń był o wiele bardziej nieoczekiwany, niż spodziewali się spiskowcy. Nie tylko byli już wolnymi ludźmi, ale w ich ręku była w praktyce władza nad Kamczatką. Zdobycie twierdzy oznaczało także przejęcie skarbca, magazynów z tysiącami cennych futer, a także tajnych archiwów guberni, w których opisane były szczegółowo wszystkie handlowe i wojskowe wyprawy z tego rejonu oraz transakcje handlowe z sąsiadującymi z Rosją krajami. Buntownik Beniowski musiał teraz szybko przemienić się w administratora. Mimo źle gojącej się rany Polak rozkazał wykonanie spisu wszystkich przejętych w twierdzy dóbr, a także zorganizowanie pogrzebów zabitych, w tym gubernatora Niłowa. Najważniejszą sprawą było jednak przejęcie statku. Odpowiednia jednostka czekała już od paru miesięcy w przystani u ujścia rzeki łączącej Bolszereck z morzem.

Stał tam uwięziony przez całą zimę przez kry żaglowiec „Święty Piotr i Paweł". Był to nowo wybudowany duży kupiecki statek dowodzony przez podszturmana Kuźmę Chołostiłowa. Jego współwłaścicielem oraz cichym udziałowcem w spółce handlu skórami był sam gubernator Niłow, który nalegał na kapitana, by ten jeszcze przed zimą wypłynął na Wyspy Aleuckie, gdzie zaczynał się sezon polowań na lisy i bobry morskie. Z powodu złej pogody i wcześniejszych uszkodzeń statku Chołostiłow jednak odmówił, za co został przez gubernatora osadzony w twierdzy w Bolszerecku, skąd uwolnili go dopiero ludzie Beniowskiego. Teraz był bezcennym źródłem informacji o wodach wokół Kamczatki, a także nieznanych dotąd, odkrytych w czasie łowieckich rejsów wyspach. 28 kwietnia po skończonych uroczystościach pogrzebowych gubernatora Niłowa i innych ofiar buntu Beniowski kazał zabrać Panowowi wiszącą w cerkwi ikonę świętego Mikołaja i w towarzystwie miejscowego popa udać się z nią na statek, by odprawić na nim mszę, dokonując tym samym uroczystego przejęcia jednostki w imieniu powstańców.

Przez kolejne dni Polak dochodził do zdrowia po postrzale, gdy tymczasem wydelegowani przez niego ludzie przewozili tratwami do przystani przejęte w bolszereckim forcie skóry, archiwa, pieniądze i towary. Samych cennych futer było 12 tysięcy, do tego dochodziło 140 beczek z żywnością, wodą i innymi artykułami niezbędnymi w czasie długiego rejsu, 3 armaty, 848 worków prochu, ołów, kuźnia polowa, strzelby, topory oraz narzędzia stolarskie i ślusarskie, a także pełne podwójne ożaglowanie i olinowanie statku. Zapas żywności stanowiły setki kilogramów suszonej i solonej ryby, solonego mięsa, wielorybiego tłuszczu, dziesiątki worków cukru i herbaty, beczki sera i masła, a także trzydzieści sześć baryłek wódki. Dowodzony przez Polaka zbrojny bunt nie tylko miał przynieść wolność kilkudziesięciu zesłańcom, ale także oznaczał poważny uszczerbek dla majątku rosyjskiego rządu. Nikogo to nie martwiło.

Najważniejsze było jednak skompletowanie załogi „Świętego Piotra i Pawła". Oprócz Kuźmy Chołostiłowa i jego marynarzy chęć ucieczki z Kamczatki zadeklarowała ogromna liczba ludzi; nie tylko spiskowców, ale także zwykłych mieszkańców Bolszerecka. Statek nie byłby jednak w stanie pomieścić wszystkich. Po starannej selekcji Beniowski zdecydował, że z Kamczatki odpłynie z nim dziewięćdziesiąt pięć osób, w tym dziewięć kobiet. Wśród nich miała być także przebrana w męski strój Afanazja. Chociaż po tragicznej śmierci ojca dziewczynę czekał jeszcze jeden szok: Maurycy wyznał jej, że ma w Polsce żonę, zdecydowała się na rozstanie z rodziną i płynięcie razem z nim, już nie jako narzeczona, ale przyjaciółka.

11 maja 1771 roku Beniowski rozkazał wywieszenie na maszcie przygotowanej wcześniej chorągwi konfederacji barskiej i podniesienie kotwicy. „Święty Piotr i Paweł", oddając pożegnalne salwy z ośmiu dział, podniósł żagle i popłynął w rejs, jakiego nie odbył wcześniej żaden statek.

* * *

Port, z którego wyruszył statek, znajdował się na zachodnim wybrzeżu Kamczatki, nad Morzem Ochockim. Aby wydostać się na Pacyfik, Beniowski skierował „Świętego Piotra i Pawła" na południe. Kiedy znaleźli się koło przylądka Łopatka, nadeszła pora decyzji. Dalej płynąć można było na dwa sposoby: na południe, okrążając Azję i Afrykę, albo na północ przez nieznane rejony odkryte dopiero niedawno przez duńskiego żeglarza w rosyjskiej służbie, Vitusa Jonassena Beringa. Rosjanie nalegali na rejs drogą północną, twierdząc, że zbyt gorący klimat z pewnością ich zabije. Beniowski zgodził się i po ośmiu dniach od wyjścia w morze uciekinierzy dobili do brzegu Wyspy Beringa.

Część załogi wyszła na ląd i zaczęła poszukiwania ludzkich osiedli. Pierwszego dnia znaleziono jednak tylko pięć krzyży i napis „Na cześć Boga i świętego Mikołaja w roku 1769 28 kwietnia krzyż ten został wystawiony przez Piotra Kreniczyna, komenderującego ekspedycją wysłaną w celu odkrycia Kalifornii". Dopiero następnego dnia zbiegowie natknęli się na zamieszkały obóz. Jak się okazało, była to tymczasowa siedziba sławnego awanturnika Piotra Ochotyna, zbuntowanego kapitana rosyjskiego statku „Święta Elżbieta", który razem z załogą osiedlił się na Wyspach Aleuckich, trudniąc się piractwem i pozyskiwaniem cennych skór. Ochotyn, który w rzeczywistości nazywał się Leuchtenfeld i był wcześniej saskim oficerem w służbie rosyjskiej, widząc podobnego sobie awanturnika, natychmiast zaproponował Beniowskiemu wspólny piracki wypad na Kamczatkę i złupienie kilku tamtejszych osad. Polak był jednak zdecydowany płynąć dalej. Po wymienieniu informacji oraz towarów z Ochotynem „Święty Piotr i Paweł" podniósł kotwicę i ruszył na północ.

Minęli Cieśninę Beringa i płynąc wzdłuż wybrzeży Alaski, znaleźli się na Oceanie Arktycznym. Tam jednak statkowi zaczęły zagrażać lodowe góry; kontynuowanie rejsu groziło katastrofą. W końcu Beniowskiemu udało się przekonać Rosjan, że trzeba zawrócić. Zrobili kilka postojów na Alasce, dokupili więcej skór i pożeglowali na południe. Po pięciu tygodniach od ucieczki z Bolszerecka dotarli do wyspy Wielki Kadyk, a potem Umnak, gdzie zrobili dłuższy postój. Był już koniec czerwca, a oni wciąż byli na wysokości Kamczatki.

Tymczasem wśród załogi zaczął się ferment. Po kilku tygodniach na morzu ludzie zaczęli domagać się zwiększenia przydziałów żywności i wódki. Nie pomagały tłumaczenia, że po minięciu archipelagu Aleutów „Święty Piotr i Paweł" znajdzie się na wodach zupełnie nieznanych kapitanowi i jego marynarzom. Pewnego dnia zbuntowani Rosjanie po prostu napadli na magazyn i zabrali wódkę, a potem, by ugasić pragnienie, rozbili beczki z wodą, przy okazji niszcząc część żywności. Kiedy następnego dnia wytrzeźwieli i dotarła do nich groza położenia, w jakim się znaleźli, było już za późno. Z tak uszczuplonymi zapasami nie było szans na długi rejs ku Chinom. Nieprecyzyjne informacje i niedokładne mapy mówiły, że gdzieś po drodze będzie Japonia, nikt nie wiedział jednak, ile czasu zajmie dotarcie do niej.

Z początkiem lipca zaczął się rejs przez nieznane wody, bez żadnych wysp. Zabrana z Kamczatki mąka, suchary i mięso dawno się już skończyły. Solona ryba zaczęła psuć się od gorąca, ale najgorzej było z wodą. Dopóki żeglowali przez północne rejony, dla uzupełnienia zapasów mogli zawsze natopić śniegu lub lodu. Teraz takiej możliwości nie było. Część beczek została zniszczona przez pijanych Rosjan, część rozszczelniła się z powodu gorąca. Setce ludzi na statku zaczęła grozić śmierć z pragnienia i głodu. Ratowali się, łowiąc ryby, gotując skóry bobrów i zbierając deszczówkę. W końcu po dwóch tygodniach koszmarnej żeglugi na południowy zachód „Święty Piotr i Paweł" dotarł do wybrzeży wyspy. Beniowski nazwie ją Isle d'Eau – Wyspą Wody ze względu na doskonałe źródła, które uratowały uciekinierów przed niechybną śmiercią.

Bezludną wyspą była najprawdopodobniej Aogashima leżąca kilkaset kilometrów od wschodnich wybrzeży Japonii. Tam też po tygodniowym postoju i naradzie z kapitanem Beniowski skierował statek. Do Japonii dotarli pod koniec lipca. Miejscowy książę przyjął zbiegów gościnnie i zaproponował korzystną wymianę skór na złoto, porcelanę i perły. Beniowski był też dla Japończyków cennym źródłem informacji. Duże wrażenie zrobiło jego „tajne ostrzeżenie" – spisany własnoręcznie przez Polaka dokument zawierający wiele cennych danych o ekspansywnych planach Rosji na Dalekim Wschodzie. Po około dwutygodniowym pobycie w Japonii „Święty Piotr i Paweł" z cennym ładunkiem i uzupełnionymi zapasami popłynął w stronę Chin.

W połowie sierpnia na drodze statku pojawił się zarys lądu, który załoga wzięła początkowo na kontynent. W rzeczywistości była to wyspa Tajwan. Środkową część jej wschodniego wybrzeża zamieszkiwały prymitywne plemiona „łowców głów". Niestety nieświadoma zagrożenia załoga właśnie w tym miejscu postanowiła zrobić postój. Trzech ludzi, którzy poszli na zwiady – Panow, Popow i Łoginow – zostało wkrótce brutalnie zamordowanych przez krajowców. Beniowski postanowił wziąć za ich śmierć krwawy odwet. Podzielona na trzy oddziały i uzbrojona w broń palną załoga „Świętego Piotra i Pawła" zaatakowała o wiele większą armię tubylców, rozpędziła ją, a następnie spaliła prawie tysiąc chat w wiosce. Wkrótce okazało się, że tym atakiem Beniowski oddał wielką przysługę miejscowemu księciu, Huapie, którego wrogiem było właśnie plemię pokonane przez uciekinierów z Kamczatki. Wdzięczny władca podarował Polakowi 70 cennych pereł, 5 kilogramów złota i około 200 kilogramów srebra, które ten rozdzielił pomiędzy ludzi biorących udział w walkach.

Tajwan pożegnali na początku września, opływając wyspę i kierując się na zachód. Tak dotarli do portugalskiej enklawy Makau. Niestety pierwszy kontakt z europejską cywilizacją nie wyszedł uciekinierom na dobre. Wygłodniali i osłabieni wielomiesięcznym rejsem dosłownie rzucili się na obfite jedzenie, owoce i wino, co spowodowało u wielu z nich tragiczne konsekwencje; tym bardziej, że w kolonii panowała w tym czasie epidemia cholery. Chociaż Beniowski wezwał na pomoc trzech najlepszych lekarzy, zmarło aż dwadzieścia jeden osób z załogi „Świętego Piotra i Pawła", w tym Afanazja. Śmierć przyjaciółki

Pierwsze polskie wydanie pamiętników Beniowskiego.

dla odzyſkania zdrowia znacznie na-
werżonego głodem, oſtrością klim-
tu i niewygodami podróży. Prz-
cały ciąg bawienia ſię więźniów
Tobolſku, poſyłał im codziennie
dzenie z własney ſwey kuchni, a gd
nadſzedł moment ich odiazdu, ud
rowawſzy każdego pięćdzieſiąt rubl
mi, rozkazał im dać kilka baryłe
wódki i pięćſet funtów tutuniu,
przyczyny iż towar ten w Kamſzat
zbyt rzadki, a koniecznie potrzeb
drogo w tym kraiu ieſt przedawany.

Tu kończemy opiſanie przypadkó
Hrabiego. Zebraliśmy ie z nayw
kſzym ſtaraniem. Dalſzy ciąg życ
iego przez niego ſamego, jak naſt
puie, ieſt opiſany.

DZIENNIK
PODROZY I ZDARZEN
HRABI
BENIOWSKIEGO.

ROZDZIAŁ PIERWSZY.

Hrabia przybywa do Tobolſka, ſtolicy Syberyi. — Ludzkość Gubernatora. — Odiazd z tego miaſta. — Wſie po drodze. — Miaſto Tara. — Rzeka i miaſto Tomſky. — Los wygnańców Tatarów obchodzi. — Propozycya uczyniona Hrabiemu ſchronienia ſię do Chin. — Jego rany nie dozwalaią mu iey przyiąć. — Podarunki dane wygnańcóm przez Tatarów. — Bezintereſſowność ich Kommendanta.

Urodziłem ſię z znakomitey familii
Węgierſkiey, i z zaſzczytem ſłużyłem

Pierwsze angielskie wydanie pamiętników Beniowskiego.

MEMOIRS AND TRAVELS
OF
MAURITIUS AUGUSTUS COUNT DE BENYOWSKY;
MAGNATE OF THE KINGDOMS OF HUNGARY AND POLAND, ONE OF THE CHIEFS OF THE CONFEDERATION OF POLAND, &c. &c.
CONSISTING OF HIS MILITARY OPERATIONS IN POLAND, HIS EXILE INTO KAMSHATKA, HIS ESCAPE AND VOYAGE FROM THAT PENINSULA THROUGH THE NORTHERN PACIFIC OCEAN, TOUCHING AT JAPAN AND FORMOSA, TO CANTON IN CHINA, WITH AN ACCOUNT OF THE FRENCH SETTLEMENT HE WAS APPOINTED TO FORM UPON THE ISLAND OF MADAGASCAR.

WRITTEN BY HIMSELF.

TRANSLATED FROM THE
ORIGINAL MANUSCRIPT.
IN TWO VOLUMES.

VOL I.

LONDON:

Jedna ze stron angielskiego wydania
pamiętników Beniowskiego.

Polak przeżył głęboko, pochował ją w ogrodach niedaleko miejscowej katedry.

Nie był to jednak koniec dramatu. Makau było znanym w Azji ośrodkiem hazardu, któremu część uciekinierów oddała się bez reszty. Prawdopodobnie właśnie hazardowe długi sprawiły, że swojego przywódcę postanowiło zdradzić kilku zaufanych dotąd ludzi, między innymi major Wynbladth, jeden z pierwszych wtajemniczonych w spisek zesłańców. Podjudzony przez innego uciekiniera, Stiepanowa, Wynbladth skontaktował się z angielskimi agentami, którzy za dostarczenie wszystkich papierów będących w posiadaniu Beniowskiego byli gotowi zapłacić zdrajcom pięć tysięcy funtów szterlingów. Spisek został wykryty dzięki czujności lojalnego wobec Polaka Kuzniecowa. Stiepanow i Wynbladth zostali aresztowani i zamknięci w twierdzy w Makau.

Wokół Beniowskiego i resztek jego załogi zaczęło się jednak robić gorąco. Po wykryciu spisku angielscy agenci zaczęli rozpowszechniać wśród chińskich władz informacje, że Polak jest piratem i dezerterem z rosyjskiej armii. To groziło już poważnymi konsekwencjami z więzieniem, deportacją i karą śmierci włącznie. Chociaż początkowo Beniowski zamierzał wraz z załogą osiedlić się na którejś z wysp archipelagu Marianów lub na Tajwanie i założyć tam europejską kolonię, a nawet chwilowo rozważał sprowadzenie Rosjan na Węgry, teraz musiał porzucić te plany i pomyśleć o szybkiej ewakuacji z Makau. Załoga była przetrzebiona przez choroby, morale upadło z powodu hazardu i zdrad, a sam statek był już mocno zniszczony. O samodzielnym, dalekim rejsie do Europy wzdłuż wybrzeży Azji i Afryki nie było więc sensu myśleć.

Beniowski sprzedał więc „Świętego Piotra i Pawła" oraz część ładunku, a następnie zawarł z dyrekcją francuskiej kompanii handlowej tajną umowę na przewóz wszystkich uciekinierów do Europy za kwotę jedenaście i pół tysiąca liwrów. Pokrył też koszty pogrzebów zmarłych na Makau członków załogi, a pozostałym sprawił nowe ubrania i kupił prowiant na dalszą drogę. Tak wyekwipowani wyruszyli w styczniu 1772 roku do Europy na pokładach statków „Daphin" i „Laverdi", zatrzymując się po drodze na należącym do Francji Mauritiusie i niepodbitym jeszcze Madagaskarze. Do Europy dotarli po kilku miesiącach morskiej podróży.

* * *

Przyjazd Maurycego Beniowskiego do Francji na czele grupy przybyszów z końca świata stał się ogromną sensacją. Polak przywoził ze sobą nie tylko historię niesamowitej ucieczki, ale też bezcenną wiedzę na temat nieznanych dotąd wód i wysp. Zredagowaniem części pamiętnika Beniowskiego dotyczącej żeglugi przez Pacyfik zajął się Jean Hyacinte de Magellan, potomek słynnego żeglarza, który pierwszy opłynął świat dookoła, a obecnie główny sekretarz pierwszego ministra Francji. Nie mniejszą sensację wzbudziły tajne akta Kamczatki. Wynikało z nich, że miejscem, w którym Rosja pozyskuje zapewniające jej ogromne zyski skóry zwierząt, nie jest wcale Syberia – jak dotychczas sądzono – ale wyspy na Morzu Beringa, do tego leżące blisko kontynentu amerykańskiego. Co więcej, z dokumentów wynikało, że Rosja ukrywała przed światem zarówno ogromne dochody, które przynosił jej handel skórami z Chinami, jak i fakt, że nie dysponowała żadną flotą, która pomogłaby jej strzec cennych terytoriów łowieckich.

To były informacje o wielkim strategicznym i handlowym znaczeniu. Nic więc dziwnego, że gdy wiadomość o przybyciu zbiegów z Kamczatki do Francji dotarła na dwór w Petersburgu, rosyjskie służby natychmiast rozpoczęły operację zmierzającą do zdyskredytowania Polaka i przywiezionych przez niego rewelacji. Agenci przekupili kilku uciekinierów z Kamczatki, skłaniając ich do powrotu do Rosji i opublikowania zaprzeczającego wersji Beniowskiego opisu wydarzeń. O skali akcji dezinformacyjnej świadczy fakt, że rosyjskie służby ingerowały nawet w złożone w kilku wydawnictwach rękopisy pamiętników Beniowskiego, dokonując w nich fałszerstw i przekłamań.

Tymczasem trzydziestojednoletni Polak pławił się w sławie przyjęty na dworze francuskiego króla Ludwika XV. Tam zaproponowano mu, by wrócił na znany już sobie Madagaskar na czele zbrojnej ekspedycji i zajął dla Francji tę czwartą co do wielkości wyspę świata. W lutym 1774 roku dowodzony przez Polaka statek z 367 żołnierzami na pokładzie przybił do brzegów wyspy. Gdy obiecane przez władze posiłki nie nadeszły, dowódca wyprawy, by uniknąć krwawych starć z o wiele liczniejszymi Malgaszami, postanowił się z nimi dogadać.

Ta część życiorysu Beniowskiego jest dziś lepiej znana niż historia jego brawurowej ucieczki z Kamczatki. Polak przekonał bowiem część plemion, że jest potomkiem starożytnego rodu Ramini, który w przeszłości władał Madagaskarem. Jesienią 1774 roku na liczącym trzydzieści tysięcy ludzi zgromadzeniu Malgaszów został wybrany przez wodzów kilku plemion królem wyspy – Ampansakabe. Swoją władzę na wyspie zaczął od powołania centralnego rządu i policji oraz podzielenia Madagaskaru na województwa. Rozpoczął też budowę nowej stolicy nazwanej na cześć króla Francji Louisbourgiem. Karczowano lasy, osuszano bagna, budowano mosty, drogi i kanały, postawiono pierwszy na wyspie szpital oraz fabrykę tkanin. Docierające do Wersalu informacje o tych działaniach wzbudziły konsternację; wyglądało na to, że Polak zamiast zająć wyspę dla Francji mianował się jej władcą. Wkrótce do Beniowskiego dotarła niepodlegająca dyskusji decyzja: ma jechać do Francji, by uzyskać od króla akceptację dla swoich działań na Madagaskarze.

W rzeczywistości był to jedynie pretekst, by pozbyć się nieobliczalnego Polaka. Beniowski nie dostał już zgody od Francuzów, aby powrócić na Madagaskar. Pojechał więc do Stanów Zjednoczonych, gdzie spędził kilka lat. Jakiś czas mieszkał też na Węgrzech. W Paryżu zaprzyjaźnił się z Benjaminem Franklinem, wówczas ambasadorem USA we Francji, także zapalonym szachistą. Namawiał go do akcji mającej na celu zdobycie Madagaskaru dla Stanów Zjednoczonych. Chociaż oficjalnej zgody nie dostał, w końcu przy wsparciu Amerykanów powrócił na wyspę po dziesięciu latach, w czerwcu 1785 roku. Dla Malgaszów wciąż był legalnym królem, jednak Madagaskar był już w większości podbity przez Francuzów. Nie przejmując się tym, zajął francuską faktorię handlową w zatoce Antongila oraz stolicę kraju. Zaczął też budować kilka fortów, tworząc konkurencyjną kolonię. Co pewien czas wybuchały potyczki między jego ludźmi a francuskimi oddziałami i właśnie w czasie jednej z nich, 23 maja 1786 roku, Beniowskiego śmiertelnie raniła zbłąkana kula. Czterdziestopięcioletni polski powstaniec, żołnierz, awanturnik, podróżnik i autor brawurowej ucieczki został pochowany na wyspie, która już na zawsze kojarzyć się będzie z jego nazwiskiem.

UCIECZKA Z SYBERII, O KTÓREJ MÓWIŁA CAŁA EUROPA

Rufin Piotrowski, 1846

Była jasna, księżycowa noc, lato 1845 roku. Trzydziestoparoletni polski zesłaniec, Rufin Piotrowski, niezauważony przez nikogo przekradł się nad rzekę Irtysz, gdzie w gęstych zaroślach czekała przygotowana wcześniej łódka. Mijał właśnie rok, od kiedy z wyroku rosyjskiego sądu znalazł się tu, na Syberii, w guberni omskiej, gdzie – prawie cztery tysiące kilometrów od rodzinnych stron – miał spędzić resztę życia. Polak nie zamierzał pogodzić się z wyrokiem. Myśl o ucieczce powziął od razu, gdy tylko sędzia w Kijowie odczytał mu wyrok za działalność polityczną: dożywotnie zesłanie wspaniałomyślnie darowane mu przez cara zamiast kary śmierci. Teraz, w lipcową noc, zamierzał wydostać się z syberyjskiego więzienia, płynąc Irtyszem na zachód aż do Tobolska albo i dalej, do któregoś z portów nad Morzem Białym, gdzie miał nadzieję wsiąść na jakiś europejski statek.

Piotrowski nie był szaleńcem, chociaż niektórzy go za takiego uważali. Doskonale znał z lektur niesamowity wyczyn Maurycego Beniowskiego, który zesłany na Kamczatkę – ówczesny koniec świata – wzniecił tam bunt, porwał rosyjski statek i wrócił nim do Europy, budząc nieopisaną sensację – oraz wściekłość rosyjskiego ambasadora. Od tamtych czasów minęło już

Po burzliwym i pełnym niebezpiecznych przygód życiu Rufin Piotrowski osiadł w Tarnowie, gdzie pracował jako otoczony powszechnym szacunkiem nauczyciel.

ponad siedemdziesiąt lat, a w tym czasie tysiące Polaków trafiło na syberyjskie pustkowia, z których ucieczka też wydawała się niemożliwa. A jednak Rufin Piotrowski był zdeterminowany, by przynajmniej spróbować.

Mógł co prawda, tak jak inni, czekać na łaskę cara, gdyż rosyjski władca, chcąc osłabić wolę Polaków, wprowadził system stopniowego łagodzenia reżimu zesłania. Po kilku latach dobrego sprawowania można było liczyć na przeniesienie w bardziej cywilizowane miejsce i zamianę strażników na łagodniejszy dozór policyjny. Potem można było uzyskać prawo do osiedlenia się w wybranym przez siebie miejscu, a po wielu latach – kto wie – może nawet prawo powrotu w rodzinne strony... Piotrowski wiedział jednak, że nawet w takiej sytuacji wróciłby do Polski jako starzec. Miał już prawie czterdzieści lat i nie zmierzał biernie czekać, przystosowywać się do narzuconych mu reguł ani tym bardziej porosić o łaskę. Był człowiekiem walki, a tą z rosyjskim państwem rozpoczął już kilkanaście lat wcześniej.

Urodził się we wsi Malina na Ukrainie, w powiecie radomyskim, ale jego rodzice pochodzili z warszawskiej Pragi. Musieli z niej uciekać, gdy pod koniec powstania kościuszkowskiego zdobywające Warszawę rosyjskie wojska Suworowa dokonały masakry ludności, mordując dwadzieścia tysięcy cywilów. Rufin, od kiedy pamiętał, chciał walczyć z Rosjanami. Okazja trafiła się, gdy skończył dwadzieścia cztery lata.

W powstaniu listopadowym walczył z korpusem Dwernickiego pod Ostrołęką, potem w obronie Warszawy. Po przejściu Dwernickiego do Austrii i złożeniu przez niego broni wyjechał do Francji. Tam zaangażował się w działalność Towarzystwa Demokratycznego, biorąc udział w gorących dyskusjach, jak wzniecić w Polsce kolejne powstanie. Był radykałem, uważał, że pierwszym krokiem jest likwidacja pańszczyzny i uświadomienie ludu, że jego wrogiem jest nie szlachcic, a obca władza. Piotrowski był jednak zbyt niespokojnym duchem, aby poprzestać na słowach. Kiedy poczuł, że ma już dość jałowych dyskusji paryskich emigrantów, postanowił samotnie przekraść się na polskie ziemie i rozpocząć konspiracyjną pracę. To właśnie wtedy niektórzy ze znajomych uznali go za szaleńca.

W 1843 roku Piotrowski, z fałszywym angielskim paszportem na nazwisko Józef Catharo i niewielką kwotą w kieszeni, wyjechał z Paryża i przedostał się przez Niemcy oraz Austrię do węgierskiego Pesztu. Tam skończyły mu się pieniądze, więc dalej ruszył na piechotę. Po kilku tygodniach dotarł na Podole, niedaleko rodzinnych stron, i zatrzymał się na dłużej w Kamieńcu. Pracował trochę jako nauczyciel francuskiego, trochę jako księgowy, ale szybko zaczął szukać ludzi, których mógłby wciągnąć w konspiracyjną robotę. Miał pecha – miasto było pełne rosyjskich szpiclów i o podejrzanym Polaku szybko dowiedziały się miejscowe władze. Kiedy policja ustaliła, że Piotrowski posługuje się fałszywym paszportem i dotarł na Podole z Francji, aresztowano go ostatniego dnia 1843 roku i przewieziono do Kijowa, gdzie rozpoczęło się trwające siedem miesięcy śledztwo. Wyrok, który zapadł w lipcu 1844 roku, był bezwzględny: kara śmierci przez rozstrzelanie zamieniona w akcie łaski na dożywotnie roboty na zesłaniu. Dalsza droga wiodła z Kijowa na Syberię, aż do niewielkiej osady położonej w guberni omskiej koło miasta Tara. Była to kolonia skazanych na przymusową pracę przestępców, w tym morderców, do której carskie władze zsyłały również takich politycznych więźniów jak Piotrowski. Kiedy tam dotarł, natychmiast sobie poprzysiągł – musi wydostać się na wolność lub zginąć.

Teraz siedział w małej łódce, którą samotnie zamierzał popłynąć najdalej, jak się da. Trasę ucieczki miał w głowie. Przez ostatnie miesiące na pamięć uczył się pożyczonej od kogoś mapy Rosji. Zdobył dwa komplety fałszywych dokumentów, jedne z nich były całkiem dobrze podrobione. Zgromadził też trochę rubli i zapuścił brodę, by bardziej przypominać miejscowych syberyjskich mużyków. Wiedział, że broda jest traktowana przez prostych Rosjan jako symbol mądrości, a starsi ludzie – a takiego właśnie zamierzał udawać – traktowani są z szacunkiem nawet przez policjantów, co pomogłoby mu uniknąć ryzykownej kontroli dokumentów. Rosyjski znał dobrze, miał zamiar podawać się za idącego w poszukiwaniu pracy syberyjskiego chłopa, Ławrientija Kuźmę. Liczył też na łut szczęścia. „Odważnym Bóg dopomaga" – to była jego maksyma.

Jeden z rosyjskich strażników śmiał się, widząc coraz dłuższą brodę polskiego zesłańca.

– Kiedy ją zgolisz? – pytał przy każdej okazji.

– Kiedy będę wolnym człowiekiem! – odpowiadał Piotrowski.

– To nie zgolisz jej nigdy! – mówił z przekonaniem Rosjanin.

To jeszcze bardziej motywowało Polaka. Brodę zamierzał zgolić, gdy tylko opuści granice Rosji.

* * *

Pierwsza próba była jednak nieudana. Rzekę spowiła w nocy gęsta mgła. Gdy nad ranem Rufin zorientował się, że wciąż błądzi, postanowił zawrócić. Spróbował kolejny raz, ale mgła znów pokrzyżowała mu plany. W końcu doszedł do wniosku, że trzeba wybrać inny sposób ucieczki. Ale jaki?

Był w środku wielkiego, dzikiego syberyjskiego pustkowia. Od najbliższego portu, w którym mógłby dostać się na jakiś statek płynący do Europy, dzieliły go ogromne odległości. Wariantów drogi ucieczki opracował aż pięć. Pierwszy – iść prosto na północ i próbować złapać tam jakiś amerykański statek wielorybniczy płynący przez Morze Karskie. Drugi – iść na południe, do Indii. Trzeci – dostać się nad Morze Kaspijskie, a stamtąd statkiem do Iranu i dalej do Turcji. Czwarty – przejść przez Ural do jakiegoś portu nad Morzem Czarnym. I w końcu piąty wariant – iść do Archangielska, ruchliwego portu nad Morzem Białym, i tam dostać się na statek do Anglii, Francji, Holandii lub Skandynawii. Ta ostatnia droga wydała mu się najlepsza. Chociaż była też jedną z najkrótszych, Tarę od Archangielska i tak dzieliło ponad trzy tysiące kilometrów.

Kiedy ucieczka łodzią przez Irtysz się nie powiodła, Piotrowski postanowił całkowicie zmienić sposób dotarcia do celu.

Teraz uciekać zamierzał już nie latem, nie jesienią, ale w środku zimy. Na pierwszy rzut oka plan, by uciekać samotnie o takiej porze roku mógł wydać się szaleństwem, ale zesłaniec przemyślał wszystko dokładnie. Błotniste i grząskie drogi Syberii zimą zamieniały się w prawdziwe autostrady. Rosyjscy woźnice zwani „jaszczykami" potrafili pędzić saniami po ubitym śniegu z prędkością, z jaką nikt nie byłby w stanie podróżować latem. A do tego na przełomie stycznia i lutego w oddalonym o niespełna tysiąc kilometrów od Tary mieście Irbit odbywał się wielki, trwający miesiąc targ. Z całej Syberii i nie tylko z niej zmierzały tam tłumy ludzi, wśród których łatwo się było ukryć. W okolicy Tary nie brakowało też „jaszczyków" chętnych do podwiezienia podróżujących.

Przez kolejne miesiące Piotrowski znów oszczędzał pieniądze, zdobył kilka kompletów ciepłych ubrań, a nawet perukę, aby trudniej go było rozpoznać, ponieważ zdradzić mogła go charakterystyczna łysina. Na początku lutego 1846 roku, po ponad szesnastu miesiącach syberyjskiej niewoli, Polak podjął decyzję: Uciekam!

Rachuby go nie zawiodły. Kiedy w mroźną, księżycową noc wyszedł na drogę z Tary do Irbitu, nie musiał długo czekać, aż trafi się pierwszy „jaszczyk". Potem był następny i następny... Podróż nie była tania, mogła pochłonąć większość odłożonych rubli, trzeba się było czasem mocno targować. Ale za to tempo, w jakim zaprzężone w małe, ale piekielnie silne i wytrzymałe syberyjskie koniki sanie pokonywały kolejne etapy trasy, było imponujące. Drogę do Irbitu Polak pokonał zaledwie w trzy dni, podróżując z ogromną jak na tamte czasy prędkością 300 kilometrów dziennie! W ruchliwym targowym mieście wmieszał się w tłum ludzi. Dla bezpieczeństwa obwiązał sobie część twarzy chustą, jak często robili ci, których bolały zęby. Potem jednak zrezygnował z tego: nikt tu nie zwracał na niego uwagi.

Nie wszystko szło zgodnie z planem. Do Irbitu ściągnęło też wielu złodziei. Siedział właśnie w karczmie, gdy zaczęło się jakieś zamieszanie – ktoś go potrącił, ktoś popchnął – i kiedy potem

Piotrowski sięgnął do kieszeni, okazało się, że został właśnie okradziony. Stracił czterdzieści rubli, jeden z dwóch paszportów i narysowany plan trasy. Szczęśliwie resztę pieniędzy i drugi dokument miał schowane w innym miejscu, a trasę ucieczki znał na pamięć. Jednak siedemdziesiąt pięć rubli, które mu zostały, to było o wiele za mało, by jechać dalej saniami lub ukryć się w mieście do wiosny. Te pieniądze musiały mu teraz starczyć aż do samego Archangielska. Trzeba było czym prędzej ruszać w drogę przez mroźną syberyjską tajgę – na własnych nogach.

Piotrowski kupuje chleb, sól i rusza z Irbitu na północny zachód, w stronę odległego o ponad pół tysiąca kilometrów pasma Uralu, za którym zaczyna się już Europa. Nocuje w lasach, w wykopanych w śniegu jamach. Dopiero gdy łapie przeziębienie i gorączkę, wchodzi do wsi. Pierwszy od dawna nocleg w ciepłej chacie wydaje mu się rajem, ale chociaż ludzie są w większości gościnni i pomocni, trzeba uważać. W tej pierwszej chacie omal nie padł ofiarą donosu, szczęśliwie udało mu się zniknąć, zanim przybyła policja. W leśnych zakamarkach nikt go nie szukał, szedł więc dalej na zachód, starając się omijać wioski i jak najrzadziej korzystać z gościny przypadkowych ludzi. Przyzwyczaił się do nocowania po lasach, kiedy już jednak nie było innego wyjścia, kończyło się jedzenie lub był tak słaby, że po prostu bał się, że w nocy zamarznie, prosił o pomoc. Gospodarzom mówił wtedy, że jest chłopem, który idzie szukać pracy w fabryce w odległym o kilkaset kilometrów mieście Wierchoturje.

Tak zbliżał się do Uralu. Mijał już drugi tydzień jego wędrówki z Irbitu. W tym czasie tylko trzy razy jadł coś ciepłego i dwa razy nocował pod dachem. Mimo to wciąż był zdeterminowany iść dalej. Kolejny gospodarz, u którego poprosił o gościnę, podsunął mu pomysł.

– Wielu ludzi idzie teraz do sołowieckich świętych monastyrów. Wy też? – zagaił w rozmowie.

– Ja też – odpowiedział Polak.

Słynący z cudów klasztor na Wyspach Sołowieckich, święte miejsce religii prawosławnej, w Wielkanoc przyciągał tłumy

PAMIĘTNIKI

Z POBYTU

NA SYBERYI

RUFINA PIOTROWSKIEGO.

POZNAŃ.
NAKŁADEM KSIĘGARNI JANA KONSTANTEGO ŻUPAŃSKIEGO
1860.

R

Pobyt w Kamie
pozostania w K
zyka francuzkie
czyny pseudo-im
cyj, na

Brody przy K

Stanąłem na
kiém upragnieniem
czywistnić moje z
w którym przyby
oberżę wcale nieok
przez drogę, i nap
się. Gospodarzem
sem, ale poczciw
nazwiska. Wszedł
zastałem w niéj d
niemal wszyscy b
reszta grającym p
było także dwóch
Wszyscy podług p
tych prowincyach
wiedziałem o tym
i udając cudzozie
zwyczajów, wszedł

IX.

nie się. Pozwolenie
m nauczycielem ję-
położenia z przy-
czesny tych prowin-
rossyjskich.

0 października 1848 roku.

icu, do którego z ta-
e albo się miały urze-
czulsze nadzieje, albo
zguby. Pokazano mi
u, tuż obok, bo tylko
go kościoła znajdującą
stary, z białym wło-
jednak zapomniałem
oim tłomokiem w ręku,
dzenie saméj młodzieży,
z nich grała w billard,
w tém zgromadzeniu
rossyjskich z piechoty.
, a szczególniéj w tam-
z odkrytemi głowami;
, ale dla oryginalności
adomego miejscowych
i długi czas z przy-

krytą głową pozostałem, pytając się pierwéj po niemiecku, a późniéj po francuzku: „Czy można dostać w téj oberży przynajmniéj na kilka dni mieszkanie?“ Słyszałem, jak niektórzy, patrzac na mnie, mówili między sobą: „Widać, że nigy niebył w Polsce, bo w kapeluszu stoi;“ pomyślałem sobie: to dobrze.

Ledwiem się odezwał po francuzku, aż tu wszyscy zaczęli szeptać: „To Francuz, to Francuz.“ Kilku z młodzieży polskiéj spojrzało na mnie okiem ciekawém i badawczém, ale żaden z nich nieśmiał do mnie się przybliżyć. Jeden tylko mężczyzna do czterdziestu lat mający, a jak się późniéj dowiedziałem, rodem z Krakowskiego i bawiący podówczas w Kamieńcu dla jakiegoś ważnego processu, i jeden z rossyjskich oficerów przystąpili natychmiast do mnie i zaczęli ze mną rozmawiać i rozpytywać się. Młody szczególniéj oficer, który, jak się późniéj dowiedziałem, nazywał się Rogaczew, a który dla tego zapewne, że rodowity Rossyanin, niemógł na siebie żadnego ściągnąć podejrzenia, od razu do mnie się przyczepił, mogę powiedzieć przywiązał; mówił po francuzku bardzo dobrze, a po polsku, jak rodowity Polak. Ale cóż oficera rossyjskiego, szczególniéj młodego, przystojnego, z zamożnéj pochodzącego familii najwięcéj może obchodzić? A już ci krasawice, mniejsza zkąd, z jakiego rodu i narodu? Stał on, jak się z rozmowy dowiedziałem, długi czas w Warszawie; nic go Warszawa, nic go jéj rząd, nic nadużycia rządu i los mieszkańców nieobchodził; ale zachwalał przyjemność towarzystwa Polek, ich polor, ich wdzięki i piękność, a szczególniéj ich ujmującą zalotność. Przyznam się, że ta ostatnia pochwała pięknych Warszawianek tak była dla mnie wielką obelgą i to samo znaczyła, jakby mi dał w policzek. Czyż zasługujące na podobną pochwałę Polki niepowinny się rumienić? Daléj zaczął mnie się rozpytywać o Francyi, o Paryżu, o jego osobliwościach, a zwłaszcza, czy piękne i miłe są Paryżanki? i że dla ich widzenia tylko

Po wydostaniu się z Syberii Rufin Piotrowski napisał pamiętnik, w którym zaczytywała się cała Europa. Dla kolejnych pokoleń polskich zesłańców książka ta stała się jedynym w swoim rodzaju podręcznikiem przygotowywania ucieczek.

wiernych z całej Rosji. Chociaż do świąt był jeszcze ponad miesiąc, już teraz w tamtym kierunku ruszały setki pielgrzymek. W tłumie pątników łatwo się było ukryć, można też było liczyć na to, że policjanci nie będą zbyt skrupulatni przy kontrolowaniu ich dokumentów. A poza tym na Wyspy Sołowieckie kursowały statki z Archangielska, można więc było dostać się do ruchliwego portu, nie budząc niczyich podejrzeń.

* * *

Póki co wciąż był jednak na Syberii. Aby się z niej wydostać, musiał przejść Ural i dotrzeć do leżącego na jego zachodnich stokach Solikamska. Pasmo górskie, które pojawiło się na horyzoncie, było potężne, a drogę pokrywał coraz głębszy śnieg. Miało to jednak swoje dobre strony: wożący towary „jaszczycy" gubili czasem drogę i wypadali poza trakt. Wtedy sanie zapadały się w zaspy tak głęboko, że czasem koniom ze śniegu wystawały tylko głowy. Żeby je wydobyć, potrzebna była każda rąk i Piotrowski chętnie ruszał z pomocą. Wdzięczni woźnice podwozili go za to do najbliższej miejscowości, a czasem i dalej.

Większość trasy Polak musiał jednak wciąż pokonywać na własnych nogach, sam wśród dzikiej, surowej przyrody. W końcu poczuł, że droga zaczyna schodzić w dół. Kończyła się Syberia. Po trzech tygodniach ucieczki i pokonaniu półtora tysiąca kilometrów schodził z powrotem do Europy.

W Solikamsku Piotrowski z radością zauważył, że miasto jest pełne pielgrzymów zmierzających do świętego monastyru. Od Wysp Sołowieckich, drogą przez leżące niedaleko Morza Białego miasto Kiem, dzieliło go prawie dwa tysiące kilometrów, co oznaczało co najmniej czterdzieści dni drogi piechotą. Była też jednak trasa o wiele szybsza. Niespełna 900 kilometrów na zachód od Solikamska leżało bogate, handlowe miasto Wielki Ustiug. Stamtąd można było popłynąć ponad 600 kilometrów rzeką Dwiną aż do Archangielska. Wymiana towarów między oboma miastami – jak zapewniali doświadczeni podróżni – jest tak duża, że nie ma żadnego problemu ze znalezieniem płynącej do Archangielska łodzi, statku lub tratwy. Pod warunkiem oczywiście, że rzeka nie jest skuta lodem. Ale ponieważ wiosna była już blisko, można było liczyć na to, że do momentu dotarcia pielgrzymów do Wielkiego Ustiuga lody puszczą.

Z Archangielska na Wyspy Sołowieckie kursowały statki i chociaż podróż morzem była dłuższa niż z Kiemu, ten kierunek obierała właśnie większość pątników. Piotrowski postanowił ruszyć z nimi. Szybko zorientował się, że daje to wiele korzyści. Policjanci nie zwracali uwagi na pielgrzymów, nikt nie pytał ich o dokumenty, miejscowa ludność traktowała ich z szacunkiem, pomagała i gościła. Po tej stronie Uralu, wzdłuż dróg prowadzących do Wielkiego Ustiugu, było też wiele tak zwanych „izbuszek" – małych chat pełniących funkcję schronisk dla podróżnych. Można się było w nich ogrzać, ugotować coś ciepłego, uprać ubranie, wyspać pod dachem, a nawet – co za luksus po tygodniach spania w śnieżnych jamach – wziąć kąpiel w ruskiej bani, znanej tu od wieków łaźni, w której na rozgrzane kamienie wylewało się wiadro wody i siedziało godzinami w gorącej parze.

Jednak towarzystwo pielgrzymów zaczęło szybko doskwierać Piotrowskiemu. Przyzwyczaił się do samotności, w tłumie ludzi czuł się nieswojo. Bał się, że ktoś może w końcu rozpoznać, iż nie jest rdzennym Rosjaninem, za jakiego się podawał. Pewnego dnia odłączył się więc od grupy i – nie zważając na śnieżną zamieć – ruszył w drogę. Szybko tego pożałował. Zabłądził i przez wiele godzin próbował bezskutecznie znaleźć drogę powrotu, aż w końcu – wyczerpany głodem i mrozem – stracił przytomność gdzieś w lesie.

Życie uratował mu myśliwy. Półprzytomnego, z odmrożeniami okrył ciepłymi skórami, dał jeść i napoił jakąś piekielnie mocną miksturą.

– Kto wychodzi sam w taką zamieć? – dziwił się Rosjanin. – Mogłeś zginąć.

Piotrowski w duchu przyznał mu rację. Postanowił, że odtąd będzie trzymał się grup pielgrzymów aż do Wielkiego Ustiugu.

Zima powoli się kończyła. Jednak im cieplejsze były dni, tym gorsze stawały się drogi. Równe, śnieżne trakty powoli zamieniały się w grząskie i śliskie, pełne błota i lodu bajora. Wygodnie można było iść tylko korytami zamarzniętych jeszcze rzek, takich jak Kama, jednak były to krótkie odcinki. Piotrowski szedł z grupą pielgrzymów, której nieformalnym przywódcą był Maksym. Pod koniec marca, ubłoceni i brudni, dotarli wreszcie do Wielkiego Ustiugu. Tam mogli liczyć na opiekę i gościnę – dla miejscowych, bogatych kupców była to już wieloletnia tradycja – jednak ku rozczarowaniu pielgrzymów rzeka Dwina była wciąż skuta lodem i wcale nie wyglądało na to, by kry szybko miały ruszyć. Wielkanoc Piotrowski musiał więc spędzić w mieście. Mimo gościnności miejscowych nie były to wesołe święta. Powoli topniały też fundusze: z siedemdziesięciu pięciu rubli, które miał jeszcze w Irbicie, zostało mu pięćdziesiąt. Chociaż wydawał niewiele, czekała go jeszcze daleka droga do Archangielska.

Coraz bardziej zniecierpliwiony przymusową bezczynnością Piotrowski chodził codziennie nad Dwinę patrzeć, czy lody w końcu puszczają. Dzięki tym wycieczkom zorientował się szybko, że w rzecznym porcie jest wielkie zapotrzebowanie na flisaków. Na nabrzeżu stały już wielkie barki – prawdziwe pływające spichlerze – które zaraz po ruszeniu rzeki należało spławić do Archangielska. Gdy lody puściły, Piotrowski zatrudnił się na jednej z nich jako sternik i tak – po kilkunastodniowej żegludze Dwiną – w maju dotarł do położonego nad Morzem Białym miasta.

Plan, by w Archangielsku dostać się na europejski statek i w ten sposób uciec z Rosji, okazał się jednak niemożliwy do zrealizowania. Statków pod banderami Francji, Holandii, Szwecji, Wielkiej Brytanii czy Niemiec stały przy nabrzeżu dziesiątki. Piotrowski chciwym wzrokiem patrzył szczególnie na jednostki francuskie. Mogły go zabrać do kraju, z którego wyjechał trzy lata wcześniej, rozpoczynając swoją dramatyczną przygodę, która doprowadziła go aż tu – nad Morze Białe. Jednostki te były jednak dobrze strzeżone przez policję, by nikt niepowołany nie dostał się na ich pokłady; najwyraźniej chętnych do opuszczenia Rosji tą drogą nie brakowało.

Piotrowski dobrze znał francuski i niemiecki, mógł więc próbować nawiązać w mieście kontakt z załogami obcych żaglowców. Szybko jednak zorientował się, że taka akcja mogła skończyć się wielką wpadką. Kto by uwierzył, że pielgrzym, wyglądający jak syberyjski chłop i podający się za niego, zna obce języki? W najlepszym wypadku zagraniczni marynarze mogli go wziąć za szpicla lub prowokatora i po prostu spławić. W najgorszym – ktoś mógł donieść policji, a to oznaczałoby powrót na syberyjskie pustkowia.

Plan ucieczki trzeba było więc zmienić. Pozostawała znów droga na piechotę. W rozpoczynający się właśnie długi, polarny dzień Rufin Piotrowski ruszył wzdłuż Morza Białego na zachód, w stronę odległego o 200 kilometrów miasta Onega. Droga był prosta, ale smagana przez polarne wichry i sztormy. W Onedze zatrzymał się na krótko, by rozważyć warianty dalszej trasy. Mógł stąd iść na północ do będącej pod rosyjskim panowaniem Finlandii, a z niej przedostać się do Szwecji. Drugi wariant był krótszy, ale o wiele bardziej ryzykowny. Była to droga nad wybrzeże Bałtyku, na Litwę, z której mógł przedostać się do Prus. To wymagało jednak przejścia przez sam Petersburg, stolicę rosyjskiego imperium, siedzibę znienawidzonego przez jego samego i Polaków cara. I właśnie ten wariant postanowił wybrać.

* * *

Dalsza droga prowadziła na południe, do oddalonego o niespełna 600 kilometrów miasta Wytiegra nad wielkim jeziorem Onega. Stamtąd kursują już barki do samego Petersburga. Zdobyte na Dwinie doświadczenie przydało się – Piotrowski znów zatrudnia się na jednej z nich i tak – płynąc jeziorem Onega, a potem rzeką Świr – dociera do drugiego wielkiego jeziora Rosji – Ładogi. Przygód po drodze nie brakuje. Raz ratuje tonącego chłopca, co zapewnia mu wdzięczność pasażerów. Są też chwile pełne napięcia.

– Mówiłeś dziś w nocy w jakimś dziwnym języku – zaczepił go pewnego ranka jeden z podróżnych.

Piotrowski zbył go:

– Pewnie coś tam bełkotałem.

Zorientował się jednak, że musiał mówić przez sen po polsku. Podróż na przepełnionej barce w towarzystwie obcych ludzi była cały czas ryzykowna.

W końcu, płynąc od jeziora Ładoga rzeką Newą, dotarł do Petersburga. Miasto było uroczyście udekorowane na zaręczyny księżniczki Olgi, dwudziestoczteroletniej córki Mikołaja I Romanowa, która miała poślubić wirtemberskiego księcia Karola. Gdy Piotrowski chodził po ulicach rosyjskiej stolicy, nagle naszła go myśl, że w czasie uroczystości mógłby przecież spróbować zabić znienawidzonego cara! Pokusa była tak wielka, że uciekinier przestraszył się własnych myśli. „Do serca Polaka żadna zbrodnia, nawet usprawiedliwiona, przystępu mieć nie może" – tłumaczył się sam przed sobą, starając się oddalić palące go pragnienie zemsty.

Była już połowa czerwca, mijał miesiąc, od kiedy wyruszył z odległego o 1200 kilometrów Archangielska. Z Petersburga, idąc wzdłuż wybrzeża Bałtyku, miałby piechotą do Prus prawie 900 kilometrów. Była jednak lepsza możliwość: popłynąć z rosyjskiej stolicy statkiem do Rygi. Wtedy pozostała do przebycia trasa skróciłaby się do zaledwie 250 kilometrów. Tylko jak dostać się na statek, mając fałszywe dokumenty? Gdzieś na Syberii policjanci zapewne nie przyglądaliby się długo jego paszportowi, ale tu, w samej „jaskini lwa", mogli być o wiele bardziej skrupulatni, a kontrole bardziej dokładne. Było się czego obawiać, bo w coraz cieplejsze dni nie można już było skryć się, jak wcześniej, pod grubymi zimowymi ubraniami, a w czasie liczącej już ponad cztery tysiące kilometrów eskapady Piotrowski zgubił też perukę.

W Petersburgu był już piąty dzień, korzystając z poleconej mu przez znajomych z barki kwatery i wciąż nie wiedział, co robić dalej. Podjąć decyzję pomogła wizyta w porcie i szczęśliwy traf. Marynarz fińskiego statku, który następnego dnia miał odpływać z Petersburga do Rygi, z nieznanych powodów postanowił pomóc Polakowi, chociaż Piotrowski uprzedził go, że może mieć problem z dokumentami. Być może zadziałała tu wspólnota losów dwóch zniewolonych przez Rosję narodów? Fin za niewielkie pieniądze zdobył bilet do Rygi i następnego dnia rano kazał Piotrowskiemu stawić się na nabrzeżu. Kiedy rozpoczęła się kontrola dokumentów, dosłownie przepchnął go przed sobą na pokład, udając, że prowadzi jakiegoś spóźnionego członka załogi. Następnego dnia uciekinier był już w Rydze.

Dalej na zachód znów szedł pieszo. Na drodze do Mitawy jacyś dwaj ludzie zaproponowali mu, że podwiozą go powozem. Kiedy Piotrowski usłyszał, że rozmawiają między sobą po polsku, opanowało go wielkie wzruszenie. Opowiedział swoją historię, ale odmówił skorzystania z podwózki z obawy o bezpieczeństwo rodaków.

– Gdyby złapali was, kiedy mnie podwozicie, wysłaliby was tam, skąd ja uciekam – ostrzegł.

Podróżni zbledli, słuchając jego słów, nie wiedzieli, co mają powiedzieć. W końcu odjechali, życząc mu szczęśliwego zakończenia niesamowitej podróży.

Dalsza droga wiodła przez łotewską Kurlandię. Coraz częściej słyszał tam polską mowę, był już przecież w granicach dawnej Rzeczpospolitej. Kiedy wszedł na Litwę, wyrzucił w końcu stare, zużyte ubrania. Stąd do granicy z Prusami było już bardzo blisko. Tylko gdzie ją przekroczyć? Początkowo chciał to zrobić, idąc nad samym morzem, plażą od Połągi na zachód. Szybko jednak zrozumiał, że ten odcinek wybrzeża jest wyjątkowo dobrze pilnowany. Powodem byli przemytnicy. Z rozmowy z jednym z pilnujących granicy żołnierzy Piotrowski dowiedział się, że patrole w nocy są rozstawiane bardzo gęsto. Ryzyko wpadki było zbyt duże. Należało szukać innego miejsca.

Ruszył więc na południe, minął Niemen i 3 lipca 1846 roku dotarł do jakiejś posiadłości z małym dworkiem. Mijały właśnie cztery miesiące, od kiedy uciekł z Tary i fakt, że wolność była

Nagrobek słynnego uciekiniera na tarnowskim Cmentarzu Starym ma kształt ściętej piramidy z posągiem kobiety symbolizującej Ojczyznę.

tak blisko, powodował, że Piotrowski działał niemal jak w gorączce. Nie namyślając się długo, poszedł do dworku i wprost spytał, gdzie jest rosyjsko-pruska granica. Właściciele okazali się Polakami. Ich odpowiedź zaszokowała zbiega: granica przebiegała tuż za dworkiem, przez sąsiednie pole! Patrolowali ją uzbrojeni żołnierze, ale Rufin nie zamierzał czekać ani chwili. Wybiegł jak szalony i ukrył się w małym lasku tuż przy samej granicy.

Przez chwilę obserwował krążące wzdłuż pasa granicznego patrole. W głowie miał gonitwę myśli, serce biło mu jak młot. W pewnym momencie wstał, zebrał siły i jak szalony ruszył pędem przed siebie, przeskakując dzielący oba kraje rów. Nigdy w życiu nie biegł tak szybko. Żołnierze nie zdążyli nawet podnieść karabinów, kiedy zbieg był już po drugiej stronie granicy. Wszystko trwało może dwadzieścia sekund. Najważniejsze dwadzieścia sekund z liczącej pięć tysięcy kilometrów i trwającej cztery miesiące ucieczki.

W Prusach ukrył się w lesie. I wtedy nadeszła ta chwila. Piotrowski wyjął zakupioną wcześniej brzytwę i – korzystając z jakiejś kałuży – zgolił hodowaną przez ponad rok brodę. Był wolny, chociaż wciąż nie wiedział, co może go spotkać. Nie miał miejscowych dokumentów, postanowił więc udawać Francuza, który przyjechał do pracy i zgubił paszport. Tak miał zamiar dostać się na jakiś statek płynący z Prus do Francji. Z tą myślą ruszył w stronę Królewca.

* * *

Cztery miesiące ucieczki przez rosyjskie pustkowia pozostawiły jednak na nim wyraźny ślad. Wymizerowany, chudy, blady, w zniszczonym ubraniu budził podejrzenia i zwracał na siebie uwagę. Zahartowany w ukrywaniu się, omijał niebezpieczne dla siebie miejsca, jednak w Królewcu w końcu wpadł w oko żandarmów. Został aresztowany. Na przesłuchaniu prowadzonym przez dwóch starszych oficerów wyznał w końcu, że uciekł z Syberii. Ci omal nie spadli z krzeseł.

W mieście wybuchła sensacja. Jak temu Polakowi udało się pokonać pięć tysięcy kilometrów przez wrogi kraj? Dziennikarze natychmiast wyczuli rewelacyjny temat. Eskapada Rufina Piotrowskiego trafiła na pierwsze strony gazet, o sensacyjnej ucieczce z syberyjskiego zesłania stało się głośno w całej Europie. Chociaż Prusy i Rosja miały zawartą umowę o wydawaniu zbiegów, mieszkańcy Królewca nie dopuścili, by Piotrowski został deportowany i wrócił na Syberię. Pod naciskiem opinii publicznej rząd podjął decyzję, że nie wyda Polaka Rosjanom. Dzięki zbiórce pieniędzy zorganizowanej przez królewieckich mieszczan Piotrowski kupił bilet na statek do Gdańska, a stamtąd – przez Szczecin, Berlin i Lipsk – w końcu udało mu się dotrzeć do Francji.

W tej swojej drugiej ojczyźnie mieszkał jeszcze przez dwadzieścia lat. Napisał pamiętniki, które szybko stały się bestsellerem. Pracował jako nauczyciel w Szkole Narodowej Polskiej – polskim liceum działającym w paryskiej dzielnicy Batignolles z inicjatywy tamtejszej emigracji. Ale bojowy duch go nie opuszczał. Już w grudniu 1848 roku Piotrowski przybył na Węgry, gdzie z rozkazu generała Józefa Bema brał udział w organizowaniu polskich oddziałów w Marmaros i Bereg. Klęska węgierskiego powstania sprawiła, że znów musiał wrócić do Francji. Gdy jednak w 1853 roku wybuchła wojna krymska między Rosją a Wielką Brytanią i Francją, czterdziestosiedmioletni wówczas Piotrowski udał się do Stambułu. Tam dzięki finansowemu wsparciu księcia Adama Jerzego Czartoryskiego, kluczowej postaci polskiej emigracji, formował pułk kozaków sułtańskich, zbrojną formację walczącą po stronie Francji i Anglii składającą się z ochotników polskich, ukraińskich i bułgarskich.

Tęsknota za krajem nie opuszczała go jednak. W końcu, w wieku ponad sześćdziesięciu lat, Rufin Piotrowski postanowił wrócić na polskie ziemie. Został nauczycielem w majątku Adolfa Jordana w Błoniu pod Tarnowem. W 1871 roku rozpoczął nauczanie języka francuskiego w tarnowskim gimnazjum. W tym czasie w jego pamiętnikach, w których opisał ucieczkę z Syberii, zaczytywała się już cała Europa. Dla Polaków była to lektura obowiązkowa. Przydała się, gdy po następnych powstaniach i wojnach kolejne tysiące polskich zesłańców zaczęły trafiać na syberyjskie pustkowia. Mieli już w głowach opis brawurowej podróży Piotrowskiego i wiedzieli, że ucieczka stamtąd jest możliwa.

Rufin Piotrowski żył w Tarnowie otoczony powszechnym szacunkiem do śmierci w 1872 roku. Zmarł w wieku sześćdziesięciu sześciu lat i został pochowany na tamtejszym cmentarzu.

…EWICKIEGO …EZ MONGOLIĘ … DO POLSKI

…Ossendowski, 1920–1921

…mi pod korzeniami ogromnego, obalonego …cedru. Jedną ścianę i dach schronienia …etrowej średnicy pień, dwie boczne – gęsta siatka korzeni uszczelniona gałęziami, mchem, wzmocniona kamieniami i przysypana grubą warstwą śniegu. Z przodu przy wejściu tliła się bez przerwy *najda*, syberyjski „kominek" z rozłupanego częściowo pnia, w który wetknięte były żywiczne, modrzewiowe gałęzie. Środek jamy wymościł sobie skórami upolowanych jeleni, a poroże największego z nich służyło mu za wieszak na karabin, worki z amunicją, sucharami, herbatą i cukrem.

Był początek 1920 roku. Mijały już dwa miesiące, od kiedy polski uciekinier zamieszkał w tajdze w bezpiecznej odległości od opanowanego przez bolszewików Krasnojarska i daleko od najbliższej zamieszkałej osady. Tu, żyjąc jak pierwotny człowiek, ukrywał się przed tajną policją Czeka, która polowała na niego od prawie dwóch lat. Samotny myśliwy nazywał się Ferdynand Ossendowski. Był pisarzem, dziennikarzem i antykomunistycznym działaczem politycznym, a z wykształcenia chemikiem, absolwentem paryskiej Sorbony, gdzie w 1900 roku poznał Marię Skłodowską-Curie. Polka robiła właśnie badania, które doprowadziły ją do odkrycia radioaktywnego radu i nagrody Nobla.

Opisująca ucieczkę z bolszewickiej Rosji książka Ferdynanda Ossendowskiego *Zwierzęta, ludzie, bogowie* została przetłumaczona na 19 języków i stała się początkiem jego wielkiej literackiej kariery.

Ferdynand Ossendowski (w środku) podczas górskiej wycieczki na Huculszczyźnie z żoną Zofią i znajomym. Pisarz był również autorem popularnego przewodnika turystycznego po Gorganach i Czarnohorze.

Znający kilka języków, gruntownie wykształcony Ossendowski z Paryża pojechał do rosyjskiego Tomska, gdzie objął posadę docenta Uniwersytetu Technicznego. Jego naukowa kariera była jednak krótka. Gdy w 1905 roku wybuchła wojna rosyjsko-japońska, wysłano go do Mandżurii, by szukał potrzebnych armii surowców mineralnych. Tam odkrył w sobie żyłkę podróżnika i polityka.

Gdy w Królestwie Polskim zaczęły się protesty nazwane później rewolucją 1905 roku, Ossendowski był właśnie w Harbinie, mandżurskim mieście pod rosyjskim zarządem, w którym istniała duża polska kolonia. Miasto będące administracyjnym centrum Kolei Wschodniochińskiej, odnogi Kolei Transsyberyjskiej, założył w 1898 roku w miejscu mandżurskiej wioski polski inżynier Adam Szydłowski. Osiedliło się tam wielu Polaków; zarówno będących w służbie rosyjskiej inżynierów i budowniczych kolei, jak i politycznych zesłańców. Dyrektorem Kolei Wschodniochińskiej był Stanisław Kierbedź, bratanek twórcy słynnego mostu w Warszawie.

W Harbinie Ossendowski zaczął organizować protesty przeciw rosyjskim represjom w Królestwie Polskim. Czekał go za to pierwszy polityczny wyrok, który jednak nie został wykonany, gdyż rewolucyjne wrzenie objęło także Mandżurię. W końcu rosyjskiej policji udało się dopaść Polaka. Ossendowski trafił na półtora roku do twierdzy. Napisana później przez niego i opowiadająca o więziennych doświadczeniach książka *W ludzkim pyle* została wysoko oceniona przez samego Lwa Tołstoja. Do pracy naukowej już nie wrócił. Po wyjściu na wolność został dziennikarzem i przez kolejne dziewięć lat pracował jako korespondent i redaktor polskojęzycznego „Dziennika Petersburskiego".

Wszystko zmieniło się w momencie wybuchu bolszewickiej rewolucji. Gdy komuniści zaczęli przejmować władzę w europejskiej części Rosji, Ossendowski wyjechał na Syberię znajdującą się w tym czasie w rękach „białych" wojsk generała Kołczaka. Wspomagała je m.in. ochotnicza 5 Dywizja Strzelców Polskich, złożona z jeńców z armii austriackiej i niemieckiej oraz z zesłańców politycznych i ich potomków. Ossendowski współpracował zarówno ze sztabem Kołczaka, jak i polską dywizją. Fama głosiła, że to właśnie dzięki niemu trafiły z Syberii do USA tzw. dokumenty Sissona – zakupione przez amerykańskiego ambasadora od fińskiego komunisty tajne akta świadczące od tym, że Lenin i inni bolszewicy byli agentami niemieckiego wywiadu. Nic więc dziwnego, że po upadku Kołczaka i jego egzekucji w Irkucku oraz klęsce polskiej dywizji syberyjskiej, której wielu żołnierzy zostało straconych właśnie w Krasnojarsku, bolszewickie służby rozpoczęły polowanie na polskiego dziennikarza i działacza. Wyposażony w karabin, 300 naboi, siekierę, nóż, kożuch, herbatę, suchary, sól i kociołek Ossendowski na początku 1920 roku ratował się ucieczką z miasta.

Najpierw zamieszkał w na pół spalonej chacie około pięćdziesięciu kilometrów od Krasnojarska, w małej wiosce otoczonej tajgą. Jednak i tam nie mógł czuć się bezpieczny. Pewnego dnia do chaty zawitało dwóch żołnierzy z czerwonymi gwiazdami na baranich czapach. Nie rozpoznali Ossendowskiego, który powiedział im, że jest myśliwym i naiwnie wyznali mu, że są zwiadem dużego oddziału wysłanego przez bolszewików w poszukiwaniu kontrrewolucjonistów. Wojsko było zaledwie piętnaście kilometrów stąd. Z opresji wybawił Polaka syberyjski myśliwy i – jak później okazało – poszukiwacz złota z Zabajkala, który niespodziewanie pojawił się w chacie. Następnego dnia wyjechał po cichu za zwiadowcami i wrócił do chaty po kilku godzinach.

– Dwa konie, dwa karabiny, dwie kulbaki, dwa worki sucharów, pół cegły herbaty, woreczek z cukrem, pięćdziesiąt nabojów, dwa kożuchy, dwie pary butów. Udane dziś miałem polowanie! – mówił, śmiejąc się i pokazując zabrane zabitym krasnoarmiejcom łupy.

Potem zaproponował Ossendowskiemu, że zabierze go w bezpieczne miejsce, w którym można przetrwać zimę i bolszewicką obławę. Tak trafili do cedrowego lasu w głębi tajgi.

1. Warszawski gabinet, miejsce literackiej pracy Ferdynanda Ossendowskiego. Po wojnie dzieła znienawidzonego przez komunistów pisarza musiały zniknąć z bibliotek.

2. W przedwojennej Polsce Ossendowski należał do najpopularniejszych autorów. Na zdjęciu (stoi) w czasie zgromadzenia prezydium Towarzystwa Literatów i Dziennikarzy. Siedzą od lewej: Maria Szpyrkówna, Jan Lorentowicz, S. Fałat i poeta Alfons Dzięciołowski.

3. 77 książek Ferdynanda Ossendowskiego, opartych na jego podróżach i przygodach, osiągnęło łączny nakład 80 milionów egzemplarzy a liczba ich przekładów z polskiego na języki obce ustępuje do dziś tylko dziełom Sienkiewicza.

Tam nieznajomy zostawił Polakowi część łupów, pożegnał się i odjechał. Kolejne miesiące zimy Ossendowski musiał przetrwać sam. I wymyślić dobry plan, jak wiosną wyrwać się z bolszewickiego piekła.

* * *

Gdy śnieg stopniał i ziemia wyschła, Ossendowski wyruszył w stronę Krasnojarska. Najbliższą zamieszkałą osadą była wieś Siwkowa. Mieszkańcom można było zaufać – syberyjscy chłopi nienawidzili bolszewików za ciągłe rekwizycje żywności, które teraz, wiosną, przybierały jeszcze bardziej brutalną formę. Jeden z nich na prośbę Ossendowskiego podjął się wyprawy do Krasnojarska i odszukania tych znajomych Polaka, którym udało się przetrwać bolszewicki terror. Potrzebne było nowe ubranie, bielizna, buty, lekarstwa i pieniądze, a przede wszystkim – fałszywe dokumenty na niebudzące podejrzeń nazwisko. Szczęśliwie okazało się, że Czeka nie wszystkich jeszcze zdążyła aresztować. Posłaniec wrócił z zamówioną przesyłką, a gdy dzięki dostarczonym lekarstwom Polak wyleczył z tyfusu kilku miejscowych, wdzięczni chłopi zgodzili się przeprawić go łodzią w górę rzeki do opuszczonej od dawna kopalni złota.

Podróż Jenisejem była koszmarem. Łódź mijały co chwila niesione przez wodę trupy ludzi z odrąbanymi głowami i rękami, na wpół spalone, z wyciętymi na piersiach i nogach kawałami skóry, wykłutymi oczami. Byli to Kozacy z rozbitej armii Kołczaka, ofiary bolszewików z leżącego 400 kilometrów w górę rzeki Minusińska. Cięte na kawałki przez ostrą krę, wyrzucane na brzeg, gdzie gniły w promieniach słońca, tysiące zwłok pokazywały bezmiar bolszewickiego terroru w Rosji.

Po trzech dniach dotarł do kopalni. Nie była ona całkowicie opuszczona; mieszkała w niej jeszcze rodzina stróża, którą Polak ratował przed głodem, dostarczając mięso z upolowanych przez siebie zwierząt. Po kilku tygodniach w kopalni pojawił się obcy człowiek, potężny, atletycznie zbudowany mężczyzna.

Zarośnięty Ossendowski wyglądał jak prawdziwy syberyjski myśliwy, jednak nieznajomy zorientował się, że pod tym przebraniem ukrywa się ktoś zupełnie inny. Okazało się, że przybysz też jest Polakiem. Nazywał się Wojciechowicz, z zawodu był agronomem i teraz mieszkał w ustronnej wiosce, gdzie kierował robotami górniczymi. Chciał jednak uciec z Rosji, zdając sobie sprawę, że tacy jak on ludzie są tylko chwilowo użyteczni dla bolszewików. Od czasu klęski syberyjskiej dywizji za samo polsko brzmiące nazwisko groziła kula od czekistów.

Polak mógł załatwić konie do transportu i przepustki inżynierów umożliwiające poruszanie się po kontrolowanym przez bolszewików terenie. Ossendowski miał natomiast w głowie gotowy plan opuszczenia Syberii. Była to droga przez częściowo zależny od Rosji i Chin Kraj Urianchajski, czyli Tuwę zamieszkaną przez plemiona, które nie poddały się jeszcze władzy komunistów. W ten sposób, pokonując tysiąc kilometrów przez południową Syberię, mieli szansę przedostać się do Mongolii, a stamtąd do Chin.

Wyruszyli konno przez lasy w górę Jeniseju, jadąc jego lewym brzegiem i starając się omijać wsie oraz osady. Mogli liczyć na pomoc i ostrzeżenia przed bolszewikami ze strony syberyjskich chłopów, jednak co chwila napotykali miejsca egzekucji wyłapywanych przez czekistów niedobitków z armii Kołczaka. W końcu wyjechali na ogromne stepy czułym-minusińskie będące kiedyś we władaniu abakańskich Tatarów, a teraz stanowiące krainę, na której rządziły bandy bolszewików i zwykłych przestępców. Pod naporem komunistów część Tatarów wycofała się na południe, ale wielu pozostało, prowadząc koczownicze życie. Nienawidzili komunistów jeszcze bardziej niż syberyjscy chłopi i chętnie służyli jako przewodnicy, ostrzegając przed włóczącymi się „czerwonymi" bandami. Sąsiedztwo opanowanego przez bolszewików Minusińska zdeprawowało miejscową ludność, która zasilała oddziały „czerwonych" i szpiegowała dla tamtejszej placówki Czeka. Każdy napotkany człowiek mógł być potencjalnym zabójcą lub donosicielem.

Większych osad nie można było jednak ominąć choćby dlatego, że dokumenty i przepustki techników, aby nie budzić podejrzeń, musiały mieć jakieś pieczątki z pokonanej trasy. Papiery były jednak dobrze podrobione i nie budziły podejrzeń komunistów, a ponadto dawały „inżynierom" prawo do zmiany koni.

– Całe szczęście – mówił Wojciechowicz – że u bolszewików wczorajszy nieudolny szewc piastuje urząd gubernatora, a uczeni ludzie czyszczą stajnie „czerwonej" kawalerii. Tym bolszewickim analfabetom można wszystko wmówić, póki oczywiście nie zdecydują się wypuścić kuli z pistoletu.

Kontakty z „czerwonymi" miały jeszcze jedną zaletę; byli zwykle obdarci i patrzyli z wielkim pożądaniem na niezniszczone jeszcze ubrania „inżynierów". W ten sposób Ossendowski za swoje spodnie wytargował karabin z setką naboi i dwa mauzery z osiemdziesięcioma kulami w zapasie, a do tego oficjalne poświadczenie o prawie do noszenia broni. Dozorca magazynu miejscowej milicji, z którym zrobił ten interes, pomógł im też kupić we wsi trzy nowe konie – dwa pod siodło i jednego jucznego, zdobyć zapas żywności i wynająć przewodnika, którym okazał się prawnuk polskiego zesłańca, hrabiego Przeździeckiego. Tak ruszyli ku górskiemu pasmu wysokich na ponad trzy tysiące metrów Sajanów, za którymi rozciągała się już Tuwa.

* * *

Główny grzbiet Sajanów pokonali po trzydniowej konnej wspinaczce na przełęcz Czokur. Po zjechaniu z niej byli już w Tuwie. Tu, między Sajanami a Mongolią, nie obowiązywało już żadne prawo – ani miejscowe, ani bolszewickie. Pilnowanie południowej granicy Rosji bolszewicy zostawili bowiem mieszkańcom zasiedlonych przez Ukraińców wsi na Małym Jeniseju. Ci po prostu formowali rabunkowe bandy, które napadały i zabijały wszystkich wpadających im w ręce – od uciekinierów z Syberii, takich jak Ossendowski z towarzyszem podróży, po chińskich kupców przemierzających Tuwę w przeciwną stronę. Co pewien czas wypady na tę stronę Sajanów robiła też bolszewicka kawaleria. Uciekinierzy niemal codziennie napotykali ślady dokonanych przez „czerwonych" i przez bandytów zbrodni.

Walczyć o życie przyszło im szybko. Pierwszy raz z opresji wybawili ich zamieszkujący te tereny Tatarzy i Tuwińcy, zwani też Sojotami. Te dwa narody żyły w specyficznej symbiozie. Buddyjskim Sojotom nie wolno było zabijać, do likwidacji bolszewików i bandytów wynajmowali więc Tatarów. Drugi raz już sami musieli zastrzelić bolszewików, na których natknęli się w gospodarstwie starego kolonisty. Okazało się, że parobkami u niego jest ośmiu ukrywających się żołnierzy z armii Kołczaka. Ci natychmiast poprosili Ossendowskiego o zgodę na przyłączenie się do wyprawy. Polak zaakceptował propozycję; na tych terenach cenny był każdy człowiek mający doświadczenie w posługiwaniu się bronią. Ruszyli dalej, mijając opustoszałe osady, których mieszkańcy kryli się po lasach. Czasem obserwowali ich z daleka jacyś jeźdźcy, którzy po chwili znikali. Nikt tu nikomu nie ufał i wszyscy żyli w śmiertelnym strachu.

Pewnego dnia Ossendowski zauważył słup dymu unoszący się nad lasem wiele kilometrów dalej. Wysłał dwóch ludzi na zwiad. Długo nie wracali, cała grupa pojechała więc ich śladem, szykując się do walki. Na miejscu Polacy usłyszeli jednak głośny śmiech i głos jednego ze swoich ludzi, a po chwili na ich widok na powitanie rzuciła się grupa kilkudziesięciu mężczyzn. Okazało się, że są to miejscowi koloniści i żołnierze rozbitych „białych" oddziałów ukrywający się przed zmobilizowanymi przez bolszewików bandami. Było ich sześćdziesięciu, mieli szesnaście karabinów i dwa ręczne granaty. Na wieść o planach Polaków dotarcia przez Mongolię i Chiny do jakiegoś portu nad Pacyfikiem część z ukrywających się zaczęła prosić o zgodę na przyłączenie się do wyprawy.

Ossendowski znów się zgodził. Jego oddział liczył teraz osiemnastu dobrze uzbrojonych jeźdźców i pięć jucznych koni, jednak wiadomość o nim szybko rozeszła się po okolicy. W kolejnej wsi ostrzeżono ich, że bandy są w pobliżu i mobilizują się do ataku. Trzeba było szybko zmienić plany. Byli przed

Ossendowski z żoną w czasie jednej
z wielu podróży po Afryce.

Jenisejem, który odgradzał ich od drogi w stronę Mongolii. Początkowo Ossendowski planował przeprawić oddział łodziami następnego dnia rano, lecz teraz nie było chwili do stracenia. Trzeba było przeprawić się z końmi wpław. Była już jesień, noce były mroźne, woda w rzece lodowata. Koń Polaka długo nie chciał skoczyć do wody ze stromego i wysokiego brzegu. Ossendowski chlasnął go z całej siły nahajem przez szyję i skoczyli. Znosił ich lodowaty nurt, głowa zwierzęcia kilka razy zniknęła pod wodą i wydawało się, że koń i jeździec utoną, udało im się jednak przedrzeć na drugi brzeg. Za Polakiem poszli inni i potem w zamarzniętych, sztywnych jak blacha ubraniach jechali cały kolejny dzień bez postojów. Na odpoczynek zdecydowali się dopiero nocą, gdy dotarli do lasu. Powoli rozmarzali przy wielkim ognisku.

Nie wszystkie przygody w Tuwie były jednak tak dramatyczne. W jednej z osad Sojotów Ferdynand Ossendowski został nazwany *Ta-Lamą*, Wielkim Lekarzem, po tym, jak zatamował krwotok z nosa u syna miejscowego wodza i wyleczył oczy jego żony. Był chemikiem i potrafił sam przyrządzić proste lekarstwa, a poza tym w czasie swoich licznych podróży, m.in. podczas wojny rosyjsko-japońskiej, zdobył całkiem solidną wiedzę medyczną. Krwotok z nosa zatamował uciskając po prostu naczynia krwionośne na szyi, a zapalenie spojówek u sojockiej księżnej, spowodowane brudem i dymem płonącego w jurcie ogniska, wyleczył, przemywając oczy wodą z mydłem i kwasem bornym, a potem zapuszczając kilka kropli cynkowych. Efekt był natychmiastowy i zrobił wielkie wrażenie na tubylcach. W nagrodę Ossendowski dostał od wodza Sojotów pięć koni, dziesięć baranów i worek mąki, z której natychmiast upiekł suchary na drogę.

Tak wyposażony Polak i jego towarzysze ruszyli na południe. Do granicy z Mongolią nie było już daleko, jednak tuż przed nią zostali zaatakowani przez trzydziestoosobowy bolszewicki oddział. Strzelając do koni, przepędzili napastników, ale to spotkanie nie wróżyło niczego dobrego. Oznaczało bowiem, że również na terenie Mongolii działają już „czerwoni".

* * *

Po przekroczeniu granicy Mongolii Ossendowski dowiedział się od miejscowych, że „czerwone" oddziały z guberni irkuckiej weszły w granice państwa i zajęły rosyjską osadę na południowym brzegu jeziora Kosogoł. Stamtąd poszły sto kilometrów na południe, by rozłożyć się wielkim obozem w pobliżu buddyjskiego klasztoru Mureń-Knre. Pierwotny cel ucieczki – Mongolia – nie był już wymarzoną ziemią obiecaną; również tam należało liczyć się z atakami bolszewików. I rzeczywiście – w kolejnej napotkanej jurcie spotkali dwóch bolszewickich żołnierzy, których położyli trupem. W ich kieszeniach znaleźli dokumenty drugiego karnego oddziału wojsk wewnętrznych. Sytuację wyjaśnili im spotkani w kolejnej osadzie Kozacy, którzy na własną rękę prowadzili wojnę z bolszewikami. Według ich opowieści komuniści organizowali właśnie wielką koncentrację wojsk wzdłuż całej granicy rosyjsko-mongolskiej w celu oczyszczenia przygranicznych miast oraz osad na terenie Mongolii z ukrywających się w nich oficerów i żołnierzy rozbitych na Syberii „białych" armii. Ci zastrzeleni przez Ossendowskiego i jego oddział najwyraźniej dokonali samowolnego, rabunkowego wypadu.

Na przygranicznych terenach szykowała się więc bolszewicka interwencja. Niewiele lepiej wyglądała sytuacja w głębi kraju. Obsadzoną przez chińskie wojska stolicę Mongolii, Urgę, szturmował słynny „krwawy baron" von Sternberg, generał i dowódca Partyzanckiej Dywizji Konnej na Dalekim Wschodzie. Ten niesłychany awanturnik, potomek krzyżaków i piratów, chciał zmobilizować narody Azji do wspólnej walki z komunistami. W ataku na Urgę poniósł jednak porażkę i teraz chińskie władze ścigały zajadle wszystkich Rosjan na terytorium Mongolii, podejrzewając ich o związki z baronem.

Najprostsza i najkrótsza droga nad Pacyfik przez Mongolię, chińską Mongolię Wewnętrzną i Pekin była zamknięta. Awaryjnym celem ucieczki stał się więc Tybet. Ossendowski chciał dotrzeć na pogranicze wielkiego płaskowyżu, przecinając zachodnią część pustyni Gobi i mały odcinek chińskiej prowincji Kansu. W Tybecie miał nadzieję spotkać Brytyjczyków z sąsiednich Indii i ich poprosić o pomoc w dotarciu do jednego z portów nad Oceanem Indyjskim, z którego uciekinierzy mogliby popłynąć do Europy lub Stanów Zjednoczonych.

Liczący 1740 kilometrów odcinek od rzeki Iro do granicy Tybetu pokonali w ciągu czterdziestu ośmiu dni. Ponieważ zmęczone już konie nie byłyby w stanie pokonać Gobi, Ossendowski wymienił je u ukrywających się przed bolszewikami w głębi Mongolii bogatych Tatarów i Kirgizów na dziewiętnaście wielbłądów. Na przedpolu Tybetu uciekinierów zaatakowali jednak bandyci i wybuchła strzelanina, w trakcie której zginęło kilku ludzi po obu stronach. Gdy jednak ciężki postrzał otrzymał herszt bandy, napastnicy wywiesili białą flagę, prosząc o... pomoc lekarską. Byli przekonani, że Europejczycy zawsze wożą ze sobą medyka. Ossendowski opatrzył ranę bandyty, po czym wymógł na jego ludziach przysięgę, że nie oddadzą już do nich ani jednego strzału; inaczej ich herszt umrze.

Bilans potyczki był jednak krwawy: sześciu ludzi z oddziału uciekinierów zginęło, kilku było rannych. Ossendowski postanowił więc zawrócić w stronę Mongolii i czekać na rozwój wydarzeń. Zatrzymali się w Narabanczi. Tam Rosjanie postanowili dołączyć do antybolszewickich oddziałów partyzanckich, a Ossendowski i Wojciechowicz zdecydowali, że ruszą na wschód. Mieli nadzieję, że chińskie władze potraktują ich, Polaków, inaczej niż Rosjan.

W Uliasutaju, kolejnym mieście na zachodzie Mongolii, wciągnął ich jednak wir polityki. W kraju panował chaos. W Mongolii Wschodniej na czele wojsk rosyjsko-mongolskich broniących niepodległości kraju stanął buddysta, Niemiec i generał rosyjski – baron Roman Nicolaus von Ungern-Sternberg. Rosyjscy oficerowie-uciekinierzy tworzyli oddziały, przygotowując powstanie przeciwko bolszewikom na Syberii. Rząd sowiecki zaniepokojony tą mobilizacją przesuwał coraz dalej na terytorium Mongolii swoje wojska. Sprawujący kontrolę nad częścią

Mongolii gubernatorzy chińscy zawierali tajne umowy z komisarzami bolszewickimi, a jednocześnie wzmacniali załogi w głównych punktach strategicznych przy granicy, organizując wyprawy karne w głąb kraju. Żołnierze chińscy wpadali do domów, rabowali, zabijali i gwałcili.

Uciekinierzy chętnie porzuciliby Uliasutaj, lecz nie mieli dokąd jechać. Na północy byli bolszewicy, na południu – bandyci, na zachodzie niechętni cudzoziemcom Chińczycy, na wschodzie trwała wojna prowadzona przez „krwawego barona". Ossendowski i Wojciechowicz zostali więc w mieście. Spotkali w nim dwóch Polaków, żołnierzy polskiej dywizji syberyjskiej, którzy uciekli z obozu jenieckiego na Syberii, oraz dwie polskie rodziny i dwóch amerykańskich przedstawicieli handlowych. Łącząc siły, zorganizowali własny wywiad i nawiązali kontakty z władzami mongolskimi oraz chińskimi, by zorientować się, jaki obrót przybierze sytuacja i jaki kierunek ucieczki wybrać.

Ossendowski i Wojciechowicz, wyposażeni w konie, wielbłądy, namioty i przewodników przez miejscowych władców, podejmowali się misji zwiadowczych, by sprawdzić postępy bolszewickich wojsk w przygotowaniach do walki. Wiadomości nie były dobre; wszędzie spotykali rosyjskich i mongolskich uchodźców, a także bolszewickich agentów. Zabierali ich do Uliasutaju: jednych – by ocalić im życie, drugich – by postawić przed sądem. Tymczasem ze wschodu zaczęły nadchodzić wieści, że baron von Sternberg na początku lutego 1921 roku odbił Urgę z rąk Chińczyków i oddał tron Dżyngis-chana „Żywemu Buddzie" – miejscowemu dalajlamie. Ta wiadomość oznaczała, że droga na zachód Mongolii jest otwarta, o ile oczywiście „krwawy baron" nie zechce zgładzić ludzi wchodzących na opanowane przez niego terytoria, podejrzewając ich o szpiegostwo lub sprzyjanie wrogom.

– Jedziemy do Urgi – zakomunikował pewnego dnia Ossendowski swojemu towarzyszowi.

– Można by próbować ominąć siedzibę krwawego Ungerna, lecz przecież losu nikt nie ominie... Za winnego się nie uważam, a uczucie strachu w ciągu naszej podróży zupełnie już we mnie zanikło – dodał.

Wyruszyli.

* * *

Droga z Uliasutaju do Urgi liczyła niemal tysiąc kilometrów. Prowadziła przez terytoria podlegające duchowym buddyjskim przywódcom Mongołów, zwanym *chubiłganami*. Niektórzy z nich byli wykształceni, duże wrażenie robiły na nich demonstrowane przez Ossendowskiego chemiczne eksperymenty. Jeden z *chubiłganów*, Gudżi-Lama-Battur-Sur, słysząc o celu wyprawy, zwrócił się do Polaka z nietypową prośbą.

– Gdy pan już będzie w Ameryce, niech pan poprosi, aby ten wielki naród wysłał swoich najlepszych ludzi do Mongolii dla wyprowadzenia naszego kraju z ciemnoty. Chińczycy i Rosjanie chcą nas zgubić. Amerykanie mogą nas jeszcze ocalić! – przekonywał.

Gdy Polacy dotarli na tereny kontrolowane przez von Sternberga, zostali natychmiast aresztowani przez wysłany przez niego oddział. Rozmowa z dowódcą, Bezrodnowem, przekonała Ossendowskiego, że w Urdze wydano na niego wyrok śmierci za udział w zorganizowanej w Uliasutaju chińsko-mongolskiej konferencji, która miała zapobiec wojnie pomiędzy Chińczykami i Mongołami na zachodzie kraju.

– Bardzo głupio się stało! – żalił się Ossendowski Wojciechowiczowi, gdy wlekli się za eskortującym ich oddziałem. – Czy warto było bić się z „czerwonymi", przedzierać o mrozie i głodzie przez Urianchaj i Mongolię, omal nie zginąć w Tybecie, aby teraz zginąć od kuli Mongoła z oddziału Bezrodnowa gdzieś pod Dzainem! Dla takiej frajdy nie trzeba było iść tak daleko! W pierwszej lepszej Czece na Syberii mieliśmy możność pożegnać się z życiem.

Bezrodnowowi oznajmił natomiast, że nie uda się go rozstrzelać, gdyż ma przy sobie cyjanek potasu, który natychmiast

1
3
2

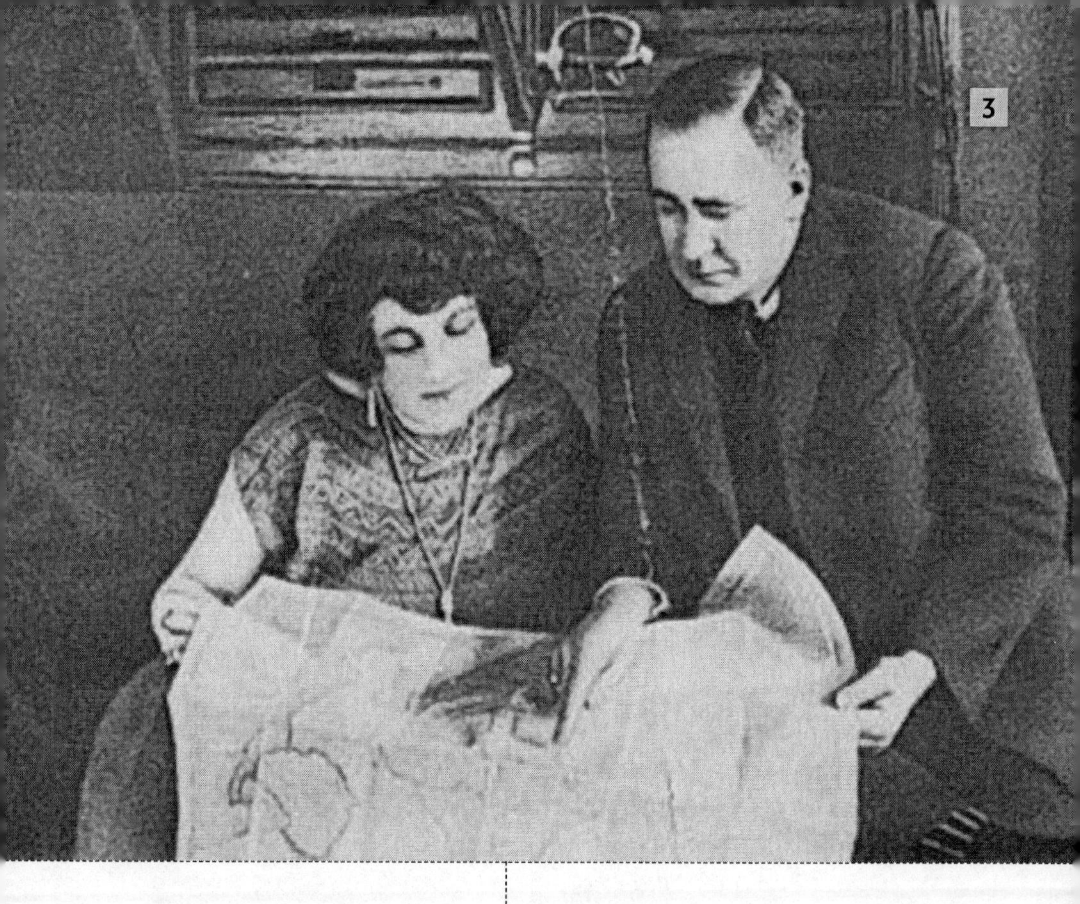

1. Pisarz i jego żona w czasie podróży do Gwinei w 1926 roku.

2. Ossendowski miał wrodzoną potrzebę przygody. Podróżował, czym tylko się dało. Na zdjęciu barka, na której mieszkał w Afryce.

3. Ferdynand Ossendowski i Zofia Ossendowska oglądający mapę Afryki. Zdjęcie pochodzi z drugiego wydania niezwykle poczytnej przed drugą wojną światową książki *Płomienna Północ. Podróż po Afryce Północnej. Maroko*.

połknie. Na szczęście wkrótce okazało się, że cała akcja była tylko próbą mającą na celu sprawdzenie prawdziwych intencji Polaków.

– Bardzo mi się podobała pańska duma, gdy odmówił nam pan oddania broni. Zechciej pan przyjąć ode mnie ten upominek i jeszcze raz wybaczyć zwłokę w jego podróży – powiedział nieoczekiwanie Bezrodnow na pierwszym postoju, po czym wyciągnął ku Ossendowskiemu mauzera ze srebrną rękojeścią i uśmiechając się, oznajmił, że bryczka i świeże konie już czekają. Wkrótce Polacy jechali znów do Urgi, mając w kieszeniach przepustki na wypadek spotkania z innymi patrolami „krwawego barona".

Dla Ossendowskiego podróż stawała się jednak coraz bardziej koszmarna. Ciągnięta przez na wpół dzikie konie bryczka trzęsła się i kołysała na stepie, wywołując coraz większy ból mięśni, stawów i kręgosłupa. Dawało znać o sobie prawie osiem tysięcy kilometrów pokonanych przez Polaka w ciągu roku na końskim grzbiecie. Dolegliwości stawały się nie do zniesienia; Ossendowski jęczał i klął, nie mógł spać, nocą włóczył się po obozowisku. W końcu poprosił o lekarza. Znaleźli go w małym buddyjskim klasztorze leżącym przy drodze do Urgi.

– Jesteś zdrów jak dziki jak, lecz rozbiła cię jazda na siodle, a reszty dokonała bryczka. Dam ci dwa proszki. Jeden wypij z gorącą wodą, drugi – z zimną. Przez noc będziesz cierpiał, rano wsiądziesz na konia. Wszystko minie... *Om! Om!* – oznajmił mu miejscowy lama uważany za wybitnego uzdrowiciela.

Proszki były obrzydliwie gorzkie i przetłuszczone. Już chwilę po ich zażyciu Ossendowski poczuł gwałtowne bicie serca, potem przypływ krwi do głowy i silny, wzmagający się ból w nodze i plecach. Wypadł z jurty i zaczął biegać dookoła.

– Dobrze! – cieszył się lama. – Leki działają!

Polak klął go w duchu, nie mogąc wytrzymać z bólu. Biegał niemal całą noc. O świcie ból zaczął się jednak zmniejszać, po czym ustąpił całkowicie. Ossendowski z apetytem zjadł śniadanie, kazał osiodłać dla siebie konia i ruszył na nim obok bryczki w dalszą drogę.

Do spotkania z „krwawym baronem" doszło w osadzie Wan--Kure, gdzie von Sternberg przyjechał niespodziewanie swoim fiatem. Ubrany był w jedwabny, jaskrawy mongolski chałat. Nerwowym ruchem uścisnął rękę Ossendowskiego i chrapliwym głosem zapytał:

– Proszę mówić, kim pan jest?! Tylko prawdę! Mamy tu tylu prowokatorów i szpiegów...

Ossendowski przyglądał mu się badawczo. Baron miał małą głowę na szerokich chudych barkach, rozwichrzone, złotawe włosy, cienkie, długie, rude wąsy, na czole wielką bliznę od cięcia szablą. Jego oczy były oczami szaleńca. Polak zrozumiał, że jego życie zależy od jednego odruchu, jednej spontanicznej decyzji tego człowieka. Za jego plecami stał już człowiek von Sterberga z wyciągniętą szablą, gotowy do zadania ciosu na jedno skinienie swojego dowódcy. Ossendowski przerwał pełne napięcia milczenie:

– Co generał rozkaże mi czynić obecnie, gdyż nie posiadam ani fałszywych, ani prawdziwych dokumentów? Znają mnie jednak niektórzy oficerowie z pańskiej dywizji; nadto mam nadzieję, iż znajdę w Urdze takich, którzy dowiodą, że nie jestem prowokatorem ani...

– Dość, dość! – przerwał mu pospiesznie baron. – Wszystko skończone, wszystko zrozumiane! Wniknąłem w duszę pańską i wiem już wszystko... wszystko... Hutuhtu z Narabanczi pisał mi, że jesteś przeistoczonym bogiem. Modlił się w obecności pana, miał widzenia... Opowiadał o „Wielkim Nieznanym"... Prawdą jest wszystko! Czym mogę panu służyć? – spytał nadspodziewanie grzecznie.

Ossendowski opowiedział mu o trwającej ponad rok ucieczce z Syberii i o tym, że jego celem jest dotarcie do Pacyfiku, by stamtąd przedostać się do Polski.

– Proszę o pomoc w tej wyprawie – dodał na koniec.

– Z największą przyjemnością dopomogę panom – oznajmił baron donośnym głosem. – Do Urgi dowiozę pana swoim samochodem... Jutro jedziemy... W Urdze omówimy dalszy plan... Do widzenia, do jutra!

Rozmowa z szalonym baronem była dla Ossendowskiego psychicznie wykańczająca. Wciąż nie miał pewności, co naprawdę zamierza zrobić z nim i jego towarzyszami von Sternberg. Podejrzenia wzrosły jeszcze bardziej, gdy następnego dnia zamiast obiecanego samochodu pojawił się jeden z oficerów barona, twierdząc, że pod jego eskortą pojadą do Urgi na wielbłądach. Przemierzali step z nerwami napiętymi jak postronki, każdy z odbezpieczoną bronią. Jeden fałszywy ruch lub podejrzenie ze strony ludzi barona mogły skończyć się krwawą strzelaniną. W końcu jednak, potwornie zmęczeni, dotarli do stolicy Mongolii. Tam znów spotkali się z von Sternbergiem.

* * *

Był kwiecień 1921 roku. Kolejne tygodnie w Urdze minęły na spotkaniach z „krwawym baronem" bardzo zainteresowanym informacjami, które Ossendowski zdobył w czasie swojej ucieczki i pobytu w Uliasutaju. Urga, nazywana obecnie Ułan-Bator, była pod pełną kontrolą barona, który zorganizował nawet dla Polaków spotkanie z jego świątobliwością Bogdo-Dżeptsungiem-Dambą-Hutuhtu-Gegeni-Chanem, mongolskim dalajlamą, trzydziestym pierwszym wcieleniem „nigdy nieumierającego Buddy". Było to 17 maja 1921 roku. Wkrótce Ossendowski i jego towarzysz mieli ruszyć na wschód, nad Pacyfik, gdzie planowali zakończyć ucieczkę z Syberii.

Baron von Sternberg wszystko przygotował. Wojciechowicz i dwóch polskich żołnierzy-uciekinierów z obozu jenieckiego dostało od niego wielbłądy, wozy, żywność i przewodników. Mieli dotrzeć do stacji kolejowej Chajłar, tam sprzedać konie oraz wozy i koleją dojechać do Harbinu, następnie do Szanghaju, gdzie działały już polskie konsulaty. Ossendowski natomiast dostał od barona samochód, który miał dowieźć go do jeziora Buir-Nor. Tam powinien zamienić go na konie u agentów barona i przejechać nimi do Chajłaru. Dlaczego rozdzielał się z resztą towarzyszy? Miał do wykonania zleconą mu przez von Sternberga misję – przewiezienie jego listów do Chin. Razem z nim miał jechać lama z plemienia Turgutów, pełniący funkcję ministra wojny w mongolskim rządzie.

Wyjazd Ossendowskiego z Urgi nastąpił 21 maja 1921 roku, godzinę po opuszczeniu przez von Sternberga mongolskiej stolicy. „Krwawy baron" wyruszał ze swoją konną dywizją na północ, na wyprawę przeciwko wojskom bolszewickim na pograniczu Zabajkala. Wcześniej zjedli razem obiad, po czym odwiedzili jeszcze miejscowego księcia. Von Sternberg już z tej wyprawy nie wróci – we wrześniu wpadnie w ręce bolszewików i po straszliwych torturach zostanie stracony w Nowonikołajewsku.

Nadeszła też pora pożegnania z Wojciechowiczem, z którym Ossendowski dzielił trudy kilkunastu miesięcy ucieczki. Wkrótce wyjeżdżał z Urgi samochodem, mając ze sobą otyłego i poważnego ministra wojny Mongolii. Z ich samochodu, w obawie przed zepsuciem przez piasek, wyjęto silnik, a zamiast niego do auta zaprzężono kilka silnych wołów.

Kilka tygodni później Ossendowski odpoczywał już w Pekinie we wspaniałym Hotel des Vagons-Lits, zrzucając z siebie bagaż traumatycznych przeżyć. Z uciekiniera, myśliwego i wojownika powoli przeistaczał się znów w cywilizowanego człowieka. Z Pekinu przejechał do portu nad Pacyfikiem, z którego przepłynął do Japonii, a następnie do Stanów Zjednoczonych, skąd w 1922 roku wrócił do Polski. Wrażenia i obserwacje ze swojej niesamowitej ucieczki z bolszewickiej Rosji opisał w książce *Zwierzęta, ludzie, bogowie*, która w 1922 roku ukazała się w USA, a rok później w Wielkiej Brytanii i Polsce. Została przetłumaczona na dziewiętnaście języków i stała się początkiem wielkiej literackiej kariery Ossendowskiego. Siedemdziesiąt siedem jego książek osiągnęło łączny nakład osiemdziesięciu milionów egzemplarzy a liczba ich przekładów z polskiego na języki obce ustępuje do dziś tylko dziełom Sienkiewicza.

Na tym jednak nie skończyła się historia niesamowitej ucieczki. Ossendowski zmarł w styczniu 1945 roku pod Warszawą i został pochowany w Milanówku. Gdy dotarła tam Armia

Czerwona, sowieckie służby natychmiast przeszukały grób pisarza. NKWD chciało się upewnić, czy człowiek, który ujawnił światu tajemnicę Lenina, na pewno nie żyje. Ale chodziło o coś jeszcze. Fama głosiła, że baron von Sternberg przed swoją wyprawą przeciw bolszewikom ukrył na mongolskim stepie ogromny złoty skarb, który miał zostać wykorzystany przez Mongołów podczas przyszłej wojny z komunistami. I właśnie informacje o miejscu jego ukrycia miał ujawnić Polakowi, który przez pewien czas był jego zaufanym doradcą.

CZĘŚĆ 2
Z POLSKI OGARNIĘTEJ WOJENNĄ POŻOGĄ...

UCIECZKA „ZŁOTEGO KONWOJU", CZYLI JAK EWAKUOWANO POLSKIE ZAPASY ZŁOTA

wrzesień 1939–listopad 1944

Był 4 września 1939 roku. Niemiecki *Blitzkrieg* z trzech kierunków – południa, zachodu i północy – zaskoczył polską armię. Oddziały pancerne wroga były już na drogach do Kielc i Łodzi, tymczasem w Warszawie zapanował chaos. W bombardowanym regularnie mieście rząd, pod wpływem wydarzeń na frontach, podjął decyzję o ewakuacji najważniejszych instytucji i osób w państwie. Transport miało zapewnić wojsko. W zamieszaniu zapomniano jednak o jednym „drobiazgu". W skarbcu Banku Polskiego na ulicy Bielańskiej w Warszawie spoczywały zasoby złota warte 193 miliony ówczesnych złotych. W sumie – ponad trzydzieści sześć ton cennego kruszcu. Gdyby wpadł w ręce Niemców, znacznie poprawiłby sytuację III Rzeszy, która do walki z polskim wojskiem rzuciła wszystko, co miała do dyspozycji.

Nie było to bynajmniej całe polskie złoto. Latem 1939 roku Polska miała depozyty tego kruszcu warte niemal pół miliarda ówczesnych złotych. Były to nie tylko sztaby, ale też złote dolary, ruble i austriackie korony. Tylko niewielką część depozytów udało się ulokować za granicą. Gdy wybuchła wojna, w Polsce wciąż pozostawało siedemdziesiąt dziewięć ton cennego kruszcu, najwięcej w Warszawie. Spodziewając się wybuchu wojny, w czerwcu i lipcu złoto ulokowano również w skarbcach

Jeden z organizatorów „złotego konwoju" Ignacy Matuszewski i jego słynna żona-sportsmenka, pierwsza polska złota medalistka olimpijska, Halina Konopacka. W czasie ewakuacji polskiego złota do Rumunii kilka razy pełniła zadania kierowcy.

W 1931 roku Ignacy Matuszewski pełnił funkcję ministra skarbu.
Na zdjęciu w czasie przyjazdu na posiedzenie Sejmu.

w Siedlcach, Brześciu, Zamościu i Lublinie. Póki co tamte miejsca wydawały się jeszcze w miarę bezpieczne, natomiast do Warszawy front zbliżał się nieubłaganie. 4 września piętnaście ton złota udało się jeszcze wywieźć do Brześcia autobusami Polskiej Wytwórni Papierów Wartościowych. Na tym możliwości ewakuacji się skończyły. Wojsko nie miało już żadnych wolnych samochodów, którymi można byłoby wywieźć z banku przy Bielańskiej pozostałe ponad dwadzieścia ton kruszcu. Pozostawała improwizacja.

4 września rano do gabinetu ministra spraw wewnętrznych Sławoja Felicjana Składkowskiego przyszło trzech mężczyzn. Pierwszym z nich był Ignacy Matuszewski, pułkownik w stanie spoczynku, szef wywiadu wojskowego w czasie wojny z bolszewikami, a później m.in. minister skarbu i prezes Polskiego Komitetu Olimpijskiego. Jego żoną była słynna lekkoatletka Halina Konopacka, pierwsza polska medalistka olimpijska. Czterdziestoośmioletni Matuszewski nie miał złudzeń co do wyniku wojny. Ostrzegał przed nią wielokrotnie, aż w końcu władze zaczęły cenzurować publikowane przez niego teksty. Matuszewski uważał, że przewaga wojskowa Niemiec jest tak ogromna, że w ciągu trzech miesięcy Polska musi wojnę przegrać. Przewidywał też „rozstrzelanie Rzeczypospolitej" przez dwóch agresorów – Niemcy i ZSRR. Teraz wydarzenia na froncie zdawały się potwierdzać jego pesymistyczne tezy.

Byłemu ministrowi skarbu towarzyszył Adam Koc, szczupły, łysy, w drucianych okularach – jego rówieśnik, również pułkownik w stanie spoczynku, a wcześniej wiceminister skarbu i prezes Banku Polskiego, z którego to stanowiska ustąpił jednak przed trzema laty po konflikcie z rządem. Koc, peowiak i legionista, urodzony konspirator i organizator, nie chciał za żadną cenę dopuścić do tego, aby polskie złoto wpadło w ręce Niemców. Sam jako prezes BP dążył do tego, by Polska miała jak największy zapas tego kruszcu. Był też głównym negocjatorem Polski w staraniach o pożyczki francuskie i brytyjskie, m.in. na cele wojskowe, i wiedział doskonale, jakie znaczenie ma złoto dla kontynuowania walki z Niemcami. Chciał je ratować, by polska armia mogła kupić za granicą broń i amunicję. Dlatego ułożony przez niego plan nie obejmował tylko wywiezienia złota z Warszawy, ale też ewakuację w bezpieczne miejsce wszystkich depozytów tego kruszcu tak, by mógł on posłużyć do dalszego prowadzenia przez Polskę wojny.

Trzecim z mężczyzn był czterdziestosześcioletni Henryk Floyar-Rajchman, dobry przyjaciel Matuszewskiego, również oficer WP w stanie spoczynku oraz były minister przemysłu i handlu, a także poseł na sejm. Teraz w trójkę przyszli prosić ministra Składkowskiego o pomoc w wywiezieniu zapasów złota z Warszawy „w ogólnym kierunku na Brześć i Lublin". Minister pomoc obiecał, przedstawił nawet problem na krótkim posiedzeniu rządu, ale niewiele mógł zrobić. Do dyspozycji miał w Warszawie tylko dziesięć autobusów należących do PKP oraz dwa magistrackie. Maszyny stały w rejonie parku Paderewskiego na Pradze i – co gorsza – większość z nich wymagała napraw. Pułkownik Koc, nie namyślając się, natychmiast ruszył we wskazane miejsce i w imieniu wojska zarekwirował całą kolumnę. Dzień wcześniej postarał się o przywrócenie do służby czynnej i przydział do Administracji Armii. To dawało mu możliwość występowania z ramienia wojska. Założył też mundur, który w warunkach wojennych bardzo ułatwiał poruszanie się po mieście.

Kierownikiem zarekwirowanej kolumny był porucznik Andrzej Jenicz. Pułkownik Koc dał mu dobę na doprowadzenie wszystkich maszyn do stanu używalności i kazał następnego dnia stawić się na Bielańskiej. Pracownikom banku wydał tymczasem polecenie, by dzień i noc zbijali drewniane skrzynki do transportu sztab złota.

Dwanaście autobusów to było zdecydowanie za mało jak na taki ładunek. Sztaby złota ze skarbca na Bielańskiej pakowane były do skrzynek po sześćdziesiąt kilogramów w każdej. Aby przewieźć cały ładunek, potrzebnych było około 350 skrzyń. Każdy autobus musiałby więc zabrać trzydzieści skrzyń plus konwojentów i pracowników banku, co znacznie przekraczało ładowność tego typu pojazdów. Transport trzeba było więc podzielić na dwa rzuty. Pierwszy ładunek dotarł do Lublina 5 września. Całe zabezpieczenie wartego miliony złotych transportu stanowiło kilku uzbrojonych w pistolety urzędników bankowych i kilku strażników ze skarbca emisyjnego. Ryzyko było ogromne, pułkownik Koc wiedział jednak, że jedyną bronią, za pomocą której mógł ocalić złoto, jest czas. Trzeba było działać błyskawicznie, zanim niemiecki wywiad zorientuje się w operacji i uruchomi działania, by jej przeszkodzić.

Po rozładowaniu w Lublinie i zatankowaniu autobusy natychmiast zawróciły do Warszawy. Tu pułkownik Koc zorganizował już dla nich lepszą ochronę – porucznik Jenicz dostał do dyspozycji dziesięciu żandarmów, dwa ręczne karabiny maszynowe oraz karabiny dla szoferów. To wciąż było mało jak na pozostały ładunek, którego wartość szacowano na 110 milionów złotych, ale innego wyjścia nie było.

Po dotarciu do Lublina po całonocnej podróży, 6 września nad ranem, potwornie zmęczonym konwojentom i pracownikom banku mogło się wydawać, że czeka ich dłuższy postój. Nadzieje okazały się jednak płonne. Z powodu złej sytuacji na froncie już następnego dnia władze wojskowe poinformowały, że złoto trzeba jak najszybciej wywieźć dalej na wschód. Co więcej, dotyczyło to nie tylko złota przywiezionego bezpośrednio z Warszawy, ale też tego które pojechało wcześniej ze stolicy do Brześcia. Wieczorem tego samego dnia kolumna wioząca złoto z Brześcia spotkała się w Lublinie z kolumną warszawską. Trzydzieści autobusów pod osłoną nocy ruszyło w stronę odległego o ponad 200 kilometrów Łucka. Tam rozładowano ładunek, przenosząc złoto do XIX-wiecznego gmachu sądu.

Łuck nie został wybrany przypadkowo. Do miasta ewakuowała się już część rządu, był tam między innymi wicepremier Eugeniusz Kwiatkowski. Dochodzące z frontów informacje były dramatyczne. Wielkich nadziei na utrzymanie linii Wisły przez polską armię nie było. Gdyby niemieckie wojska się za nią przedarły, zagrożone byłyby także zasoby złota zdeponowane wcześniej, w czerwcu i lipcu, w Siedlcach, Brześciu, Zamościu i Lublinie. W czasie dramatycznej nocnej narady z udziałem pułkownika Koca zapadły ostateczne decyzje. Całe polskie złoto miało zostać wywiezione za granicę, by posłużyć do sfinansowania zakupu uzbrojenia dla walczącej armii. Takiej operacji w warunkach wojennych nie przeprowadzał dotąd nikt. Chodziło o ponad siedemdziesiąt ton kruszcu wartego setki milionów złotych, a czasu było bardzo niewiele.

* * *

Mimo niezwykle trudnego położenia militarnego władze państwowe nie uważały jeszcze wojny za przegraną i starały się myśleć perspektywicznie. Państwo było wyczerpane wojną, ale wciąż funkcjonowało. W ciągu pierwszych dziewięciu dni konfliktu tylko kilka województw zostało w całości zajętych przez wroga. W pozostałych wciąż działała administracja, funkcjonowały koleje, ewakuowane zakłady zbrojeniowe prowadziły produkcję. Rząd i naczelne dowództwo zostało ulokowane na południowym wschodzie Polski, gdzie wciąż otwarta pozostawała granica z sojuszniczym państwem – Rumunią. Do ochrony władz został stworzony siedemnastotysięczny korpus mający do dyspozycji sześćdziesiąt samolotów i czołgi, a także silne oddziały policji i żandarmerii do zwalczania inspirowanych przez wroga prób ukraińskiej dywersji.

Z niemal milionowego wojska w polu było wciąż ponad sześćdziesiąt procent żołnierzy, zahartowanych w boju i zdeterminowanych, by walczyć dalej. Połowa z nich wciąż przebywała na zachód od Wisły, walcząc w odizolowanych, ale wciąż niepokonanych ogniskach oporu. Wojsku brakowało broni i amunicji, ale walczące państwo wciąż utrzymywało kolejowy ruch z pięcioma krajami, w tym z Rumunią, gdzie do portu w Konstancy mogły zostać skierowane statki z czołgami, sprzętem artyleryjskim i samolotami z Francji oraz Wielkiej Brytanii. Właśnie żeby zapłacić za tę broń, potrzebne było złoto.

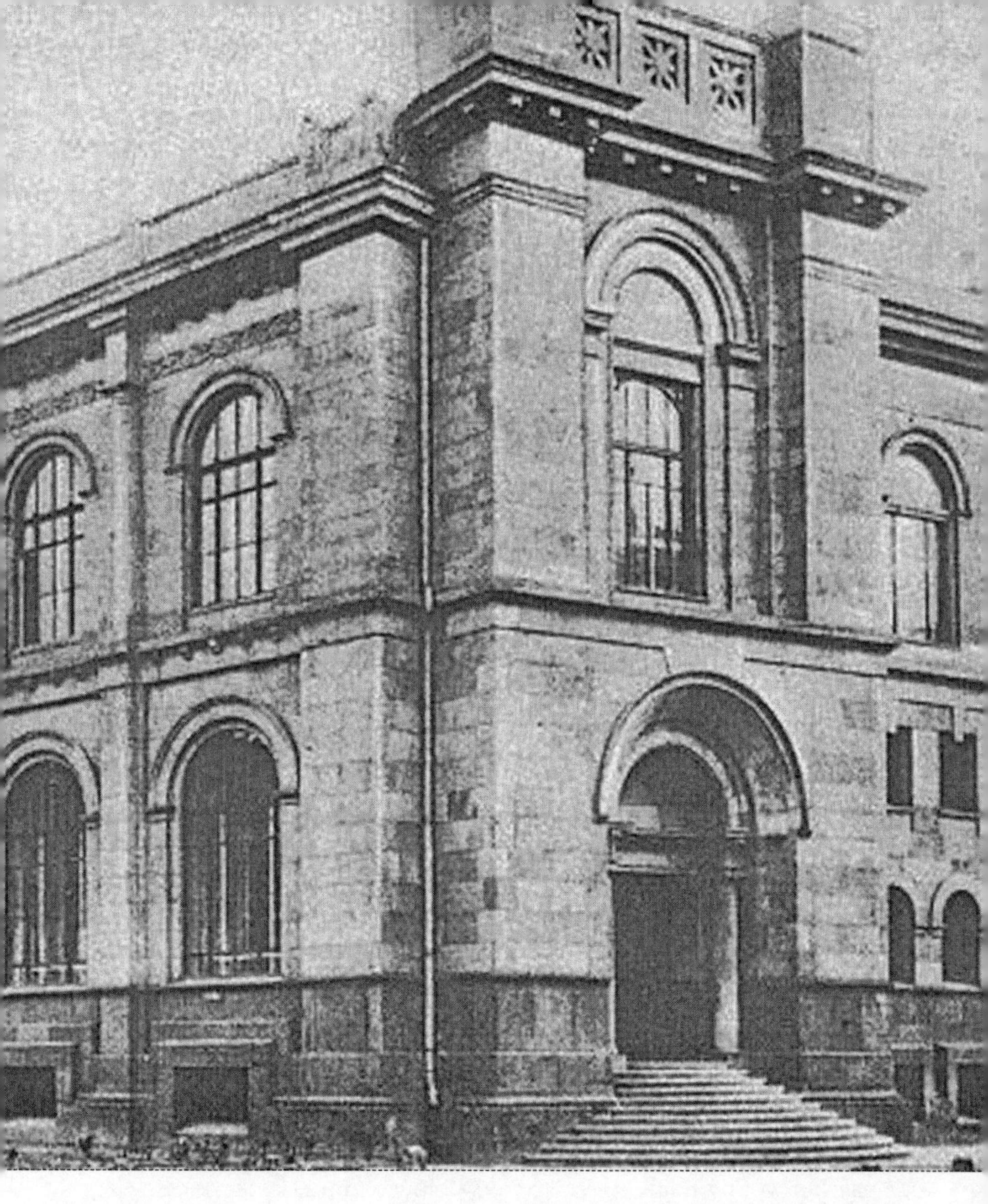

Dawny budynek Banku Polskiego przy ulicy Bielańskiej
w Warszawie, skąd ewakuowano polskie złoto
we wrześniu 1939 roku.

Decyzje zapadały szybko. 9 września Zygmunt Karpiński, kierownik wydziału zagranicznego Banku Polskiego, dostał rządowe pełnomocnictwa upoważniające go do sprzedaży polskiego złota za granicą. Zapadła decyzja o jak najszybszym wysłaniu go na Zachód. W tym samym czasie pułkownik Koc wystąpił do rządu o nadanie mu podobnych pełnomocnictw do zakupu broni za granicą. Miał zamiar wyjechać jak najszybciej, nie czekając na rozwój wypadków. Rząd zgodził się, chociaż do tego momentu Koc działał w zasadzie bez żadnych formalnych upoważnień. Na biurokrację nie było jednak czasu. „Nie tłumaczyłem się przed nikim. Wymagałem spełniania moich zarządzeń i nikt, przynajmniej jawnie, nie zgłaszał sprzeciwów" – wyjaśniał fakt, w jaki samorzutnie został szefem „złotego konwoju" z Warszawy.

W Łucku Koc został mianowany wiceministrem skarbu i otrzymał odpowiednie upoważnienia, zapadła też decyzja, że w towarzystwie jeszcze jednego urzędnika Banku Polskiego zostanie jak najszybciej wysłany przez Rumunię do Francji. Przed wyjazdem, już jako wiceminister, powierzył zadanie dalszej ewakuacji złota Ignacemu Matuszewskiemu i Henrykowi Floyar-Rajchmanowi. Ci, wyposażeni też w pełnomocnictwa udzielone przez jednego z prezesów Banku Polskiego, Leona Barańskiego, z energią zabrali się do pracy.

Kiedy w Łucku dopełniano formalności, rozpoczęła się ewakuacja depozytów z Siedlec, Brześcia, Lublina i Zamościa. Transporty miały być łączone i częściowo koleją, częściowo samochodami przewiezione dwiema trasami. Jedna biegła z Lublina przez Lwów na południowy wschód, druga z Siedlec przez Brześć i dalej na Kowel, Łuck, Dubno, Brody, Tarnopol. Trasy konwojów miały przeciąć się w niewielkim miasteczku Buczacz. Stamtąd na południe prowadziła droga przez Horodenkę i Śniatyń do rumuńskich Czerniowiec. Po przekroczeniu granicy planowano jak najszybsze przewiezienie złota koleją do portu w Konstancy i ewakuowanie go statkiem jak najdalej od terenów, na których transportowi zagrozić mogła jakaś akcja niemieckiego wywiadu.

Sprawa nie była jednak prosta. Z jadącymi z północy transportami Matuszewski i Rajchman nie mieli żadnej łączności. Nie wiadomo było więc, gdzie aktualnie się znajdują oraz gdzie i kiedy może nastąpić ewentualne spotkanie. Zreorganizowania wymagał też konwój trzydziestu autobusów, który dotarł do Łucka. Były w nim maszyny różnych typów, część z silnikami diesla, część z benzynowymi, tymczasem problemy z paliwem dały szybko o sobie znać. Szczególnie brakowało benzyny, która niemal w całości została przeznaczona na potrzeby wojska. Kiedy majorowi Rajchmanowi udało się więc wynegocjować z dowódcą jednostki pancernej cysternę oleju napędowego, zdecydował, że dalej pojadą tylko diesle. To jednak nie rozwiązywało wszystkich problemów. Konwój z transportem złota czekała licząca 350 kilometrów droga przez Karpaty. Dla przeciążonych ponad wszelkie normy autobusów ważna była wytrzymałość dróg i mostów, a te w południowo-wschodniej części Polski były w opłakanym stanie. Po dotarciu z konwojem do Dubna major Rajchman wezwał więc na pilne spotkanie naczelników wydziałów drogowych wszystkich okolicznych powiatów, żeby ustalić optymalną trasę ewakuacji. Było jednak jasne, że część mostów przed przewiezieniem złota trzeba będzie prowizorycznie wzmocnić.

Tymczasem pułkownik Koc z dyrektorem Karpińskim przez przejście graniczne w Zaleszczykach przedostali się na terytorium Rumunii. Tam przy pomocy polskiego konsula w Czerniowcach rozpoczęli przygotowywanie gruntu pod mającą nastąpić operację. Władze Rumunii nie miały bowiem pojęcia, co zamierzają Polacy i nie było do końca wiadomo, jak się zachowają. Rumunia była państwem, z którym Polska miała tradycyjnie bardzo dobre relacje, a także obowiązujący od osiemnastu lat pakt obronny przeciw Związkowi Radzieckiemu. Jednak w marcu 1939 roku Bukareszt podpisał układ gospodarczy z III Rzeszą i znalazł się w jej strefie wpływów. Po wybuchu wojny niemiecko-polskiej władze rumuńskie znalazły się w wyjątkowo trudnym położeniu. Oficjalnie 4 września 1939 roku rząd zadeklarował neutralność wobec konfliktu i stanowisko to zostało zaakceptowane przez Warszawę. Wiadomo jednak było, że niemieccy dyplomaci oraz wywiad mają coraz więcej do powiedzenia na terytorium Rumunii i użyją swoich wpływów w przypadku pojawienia się w tym kraju transportu z polskim złotem.

Trzeba było więc nie tylko zorganizować szybki i bezpieczny transport złota do Konstancy, ale także wprowadzić przeciwnika w błąd. Pułkownik Koc, poprzez polskie placówki dyplomatyczne w Bukareszcie i Ankarze, rozpoczął akcję dezinformacyjną, rozpowszechniając pogłoski, jakoby całe polskie złoto zostało jeszcze w maju wywiezione do Ameryki.

O tym, że Niemcy zorientowali się jednak, że „coś jest grane", świadczyły wydarzenia po drugiej stronie granicy. Wszystkie miejsca, przez które przejeżdżały konwoje ze złotem, były po przejechaniu transportu bombardowane przez Luftwaffe. Na szczęście Niemcy dysponowali niedokładnymi informacjami, więc miejsca, na które spadały bomby, autobusy opuszczały kilka godzin wcześniej. Zagrożenie było jednak ogromne – zbombardowanie konwoju oznaczało koniec ewakuacji polskiego złota. Innej możliwości transportu ponad siedemdziesięciu ton kruszcu już nie było. Zagrożenie zwiększał też fakt, że jadące przez Wołyń transporty poruszały się w terenie, na którym było bardzo niewiele lasów. Rajchman i Matuszewski zdecydowali więc, by autobusy przemalować na ciemne barwy i poruszać się wyłącznie w nocy. W dzień miały stać ukryte w miejskich lub dworskich parkach. Ale nie tylko to było zagrożeniem.

11 września warszawski konwój jechał w stronę Horodenki. Była już godzina siódma wieczorem, kiedy na trasie kolumny pojawił się stary drewniany most na Serecie. Przeprawa miała nośność zaledwie jednej tony, czyli tyle, ile waży dobrze załadowany wóz z koniem. Tymczasem każdy z autobusów ważył ton ponad dwanaście! Mimo to porucznik Jenicz podjął ryzyko. Przez most powoli przetoczyły się trzy pierwsze autobusy, jednak przy ostatnim przeprawa zaczęła tak trzeszczeć i pękać, że kolejnym kazał natychmiast zawrócić. Pojechały fatalną polną drogą wskazaną przez jakiegoś Żyda, co wydłużyło podróż

o ponad trzy godziny. Ale i tak było to lepsze, niż wydobywanie z rzeki autobusu ze złotem. Do Horodenki konwój dotarł dopiero 12 września o ósmej rano. Tu, na postoju w majątku Lubomirskich, porucznik Jenicz postanowił czekać na informacje o pozostałych transportach, uzupełnić zapasy paliwa i dać odpocząć śmiertelnie zmęczonym kierowcom i konwojentom.

Tymczasem Henryk Rajchman dwoił się i troił, by uzyskać informacje o pozostałych transportach. W końcu, przez Tarnopol, udało mu się nawiązać łączność z konwojem z Lublina i Zamościa. Wciąż nie było jednak żadnych informacji o losach transportu z Brześcia, w którym było także złoto z Siedlec. Major zdecydował więc, że pozostałe konwoje będą czekać na ten niezlokalizowany dotąd transport na granicy do północy 13 września. Gdyby nie dotarł, do Rumunii miały wjechać bez niego. Warszawski konwój wyruszył więc z Horodenki 13 września o zachodzie słońca. Na odległą o trzydzieści kilometrów stację kolejową Śniatyń-Zaucze dotarł około dziewiątej wieczorem. Ku swojemu wielkiemu zdziwieniu warszawiacy zobaczyli, że transport z Brześcia już tam czeka – dojechał dwadzieścia minut wcześniej. Nie było tymczasem konwoju z Zamościa. Na przejście graniczne zdążyli dojechać już wszyscy uczestnicy ewakuacji, a tego ostatniego transportu wciąż nie było. W końcu, na godzinę przed północą, dotarł na miejsce. Rajchman i Matuszewski odetchnęli. Całe złoto, z wyjątkiem pozostawionych w Dubnie do dyspozycji rządu czterech ton, było już w jednym miejscu.

Mimo braku łączności, bombardowań, kłopotów z paliwem, załamujących się mostów i psujących maszyn operacja zakończyła się z podziwu godną precyzją. Teraz pozostawała do wykonania jej kolejna część – przewiezienie złota do portu nad Morzem Czarnym i załadowanie go na jakiś statek.

* * *

Wysłani do Rumunii Koc i Karpiński od razu wzięli się do pracy. Przy pomocy ambasadora w Bukareszcie Rogera Raczyńskiego

Jeden z organizatorów „złotego konwoju", były peowiak i legionista Adam Koc. W czasie ewakuacji złota był pułkownikiem w stanie spoczynku i dzięki swoim wojskowym kontaktom załatwił niezbędny transport.

Trzeci z mózgów wielkiej ewakuacji,
Henryk Floyar-Rajchman (na zdjęciu po prawej),
dobry przyjaciel Matuszewskiego i były minister
przemysłu i handlu oraz poseł na Sejm.

uruchomili wszystkie możliwe kontakty, w tym dyplomatów brytyjskich. Pod wpływem nacisków z kilku stron rumuński rząd zgodził się na żądania Polaków. Postawił tylko dwa warunki: całe złoto miało zostać przewiezione jednym pociągiem do portu w Konstancy i w ciągu czterdziestu ośmiu godzin opuścić terytorium kraju. Rumuni nie chcieli, by niemiecki wywiad dowiedział się o przeprowadzanej przez Polaków tajnej operacji.

Składający się z dziewięciu wagonów pociąg czekał już na stacji w Śniatyniu. Rozpoczęło się przenoszenie złota z autobusów i ciężarówek do wagonów. Stacja została w tym czasie otoczona przez policję, zakazano osobom postronnym wstępu na jej teren, a wszyscy, którzy byli na miejscu – konwojenci, kolejarze i pracownicy banku – zajęli się przenoszeniem skrzyń i plombowaniem wagonów. Pół godziny po północy 14 września operacja została zakończona. Do wagonów towarowych doczepiono dwa osobowe dla kierownictwa transportu oraz eskorty i skład odjechał w stronę granicy. Wcześniej major Rajchman przekazał konwój pułkownikowi Matuszewskiemu, który miał kierować nim na terytorium Rumunii.

„Jedziemy szczęśliwie ze wszystkimi dziećmi" – zatelegrafował z najbliższej stacji Matuszewski do dyrektora Karpińskiego, który dotarł właśnie z Czerniowiec do polskiej ambasady w Bukareszcie. Umówiony wcześniej szyfr oznaczał, że wszystkie trzy transporty złota spotkały się szczęśliwie w Śniatyniu i są już w drodze do Konstancy. Ustalono też, że pozostawione w Dubnie cztery tony złota zostaną w razie potrzeby ewakuowane do Rumunii i zdeponowane w tamtejszym banku. Po trwającej niespełna dobę podróży 15 września kwadrans po północy polskie złoto dotarło do oddalonego o 700 kilometrów portu.

Tymczasem uruchomione wcześniej przez polskich wysłanników tryby kręciły się już na dobre. Wtajemniczony w sprawę brytyjski konsul w Konstancy Anthony C. Kendall dwoił się i troił, aby znaleźć jakiś statek, który mógłby zabrać polskie złoto z Rumunii do Turcji. Już 13 września zatrzymał w porcie brytyjski tankowiec „James J. Maguirre" i próbował skłonić jego kapitana do zabrania cennego ładunku. To okazało się jednak niemożliwe. Tankowiec był już załadowany ponad trzynastoma tonami ropy. Z takim obciążeniem nie mógłby wejść do żadnego portu o głębokości mniejszej niż trzydzieści stóp, a konsul nie znał docelowego portu przeznaczenia polskiego złota. Szukał więc dalej.

W międzyczasie informacje o wjeździe polskiego złota do Rumunii dotarły do Niemców. Chociaż były bardzo nieprecyzyjne, wzbudziły wściekłość władz III Rzeszy. 14 września ambasador Niemiec w Bukareszcie, Wilhelm Fabricius, złożył ostry protest u ministra spraw zagranicznych Rumunii, Grigora Gafencu, przeciw „łamaniu zasady neutralności". Gafencu odpowiedział, że nie ma żadnej wiedzy na ten temat i uważa, że całe złoto jest jeszcze na terytorium Polski, ale obiecuje przeprowadzenie śledztwa w tej sprawie. Chociaż sytuacja, o której Rumuni szybko poinformowali polskich dyplomatów, wskazywała, że Niemcy wciąż działają po omacku, był to kolejny sygnał, że należy się śpieszyć.

Konsul Kendall dopadł w końcu w porcie statek, który idealnie odpowiadał potrzebom polskiej operacji. Był to siedemnastoletni brytyjski tankowiec „Eocene" wykonujący rejsy na zlecenie kanadyjskiej firmy Socony Vacuum Transportation Co Ltd. z Montrealu. Jednostka o nośności czterech tysięcy ton przypłynęła właśnie ze Stambułu do Konstancy, aby zabrać ładunek ropy dla rafinerii w greckich Salonikach i Pireusie. Nie czekając na formalną akceptację przełożonych, Kendall wezwał do siebie kapitana „Eocene" i oznajmił mu, że rekwiruje statek na potrzeby operacji wojennej.

Kapitanem tankowca był trzydziestodwuletni Robert Brett. Kiedy usłyszał, jaką propozycję ma dla niego Kendall, omal nie spadł z krzesła. Konsul nie owijał sprawy w bawełnę:

– Życzeniem rządu Jego Królewskiej Mości jest, aby zabrał pan jako ładunek do Turcji siedemdziesiąt pięć ton polskiego złota o wartości dwudziestu jeden milionów funtów szterlingów. Ma pan pięć minut do namysłu.

Początkowo Brett nie mógł uwierzyć w to, co usłyszał. Kiedy jednak w końcu dotarły do niego słowa Kendalla, odpowiedział tylko:

– Dobrze. Kiedy mam zacząć?

Gdy wrócił na statek, nie puścił nikomu pary z ust. Szybko zorientował się, że w porcie aż roi się od niemieckich szpiegów. Ci najwyraźniej domyślili się, że „Eocene" może być wykorzystany do ewakuacji polskiego złota i zaczęli rozpuszczać wśród załogi plotkę, że w takim wypadku jednostka zostanie zatopiona. W efekcie tego w dniu, kiedy złoto wciąż było jeszcze w drodze do Konstancy, zaczęły się dezercje załogi.

Wiadomość, że w Konstancy stoi już gotowy do załadunku statek, została szybko przekazana przez brytyjskiego konsula do polskiej ambasady w Bukareszcie. Tu jednak wzbudziła konsternację. Dyrektorzy Karpiński i Barański byli przerażeni, że całe polskie złoto ma być ewakuowane przez morze na jednym, małym, nieuzbrojonym statku. Dyskusję przeciął jednak zdecydowanie pułkownik Koc.

– Panowie, transport wymykał się w ostatniej chwili. Jestem świadomy mojej odpowiedzialności. Złoto jest pod opieką władz wojskowych, z ramienia których przeprowadzam ewakuację, począwszy od Warszawy. I tak będzie aż do ukończenia ratowania złota. Na dobrą albo złą dolę – oświadczył stanowczym tonem.

Żadnej opieki władz wojskowych oczywiście nie było, ale pułkownik, przekonany, że w tej sprawie trzeba grać *va banque*, nie miał zamiaru słuchać wątpliwości przestraszonych urzędników.

Tymczasem konsul Kendall po zarekwirowaniu „Eocene" znalazł najciemniejsze miejsce w porcie, w którym miał nastąpić przeładunek. Wagony ze złotem wtoczyły się na nabrzeże kilkanaście minut po północy. Kiedy tylko zaczęło się przenoszenie skrzyń na statek, zdezerterowało pięciu członków załogi. Zastąpiło ich pięciu Polaków, ale praca była niesamowicie ciężka. Skrzyń było 1250, tymczasem tankowiec nie miał bomów ładunkowych, a jego kadłub wystawał wysoko ponad wodę. Załadunek musiał więc odbywać się ręcznie, każdą ze skrzyń trzeba było wnieść po trapie. Władze rumuńskie naciskały, by operację zakończyć przed świtem, tymczasem po paru godzinach zdezerterowało kolejnych czterech marynarzy. Konsul Kendall, nie namyślając się, poszedł do portowej knajpy i przyprowadził z niej czterech przypadkowo spotkanych robotników. W końcu po sześciu godzinach, o wpół do siódmej rano 15 września, całe złoto znalazło się na pokładzie „Eocene". Kolejną godzinę zajął załadunek samochodów.

O godzinie dziesiątej tankowiec odpłynął od nabrzeża i rzucił kotwicę na redzie. Kapitan Brett popłynął łodzią do portu, by załatwić z władzami rumuńskimi formalności i zwerbować brakujących członków załogi. Tam z konsulem Kendallem ustalili plan działania. W porcie miały zostać rozpuszczone pogłoski, że „Eocene" odpłynie dopiero po zmroku, podczas gdy tankowiec miał odpłynąć z redy już około wpół do piątej po południu. Po zachodzie słońca płynąć miał bez świateł nawigacyjnych i bez nawiązywania łączności radiowej. Pierwszą część trasy kapitan zaplanował wzdłuż wybrzeża Bułgarii, możliwie blisko brzegu, by w razie ataku łodzi podwodnych skierować statek na plażę i uratować ładunek przed zatonięciem. Z wybrzeża Bułgarii „Eocene" miał skierować się w stronę cieśniny Bosfor i Stambułu.

Na pokład statku Brett wrócił około godziny trzeciej po południu. Czekało już na niego trzydziestu pięciu mocno zdenerwowanych Polaków. Napięcie wzrosło jeszcze bardziej, gdy około godziny czwartej podniesiono kotwicę i statek zaczął wychodzić na pełne morze. Zaraz pojawiły się okręty podwodne, które jednak – o dziwo – bez przeszkód przepuściły tankowiec. Konsul Kendall notował wówczas z satysfakcją, że jego plan dezinformacji Niemców powiódł się. Po zmroku wyszedł bowiem z portu w Konstancy statek budową przypominający do złudzenia „Eocene". Gdy został zatrzymany przez U-booty, niemieckie załogi ze zdziwieniem zorientowały się, że jest to statek rybacki. Znów udało się przechytrzyć wroga.

Tymczasem tankowiec z polskim złotem 16 września o godzinie wpół do czwartej po południu dotarł do portu Kabatas pod Stambułem, rzucając kotwicę przy wejściu do Złotego Rogu. Kolejny etap ucieczki „złotego konwoju" kończył się szczęśliwie. Ale była to zaledwie druga część jego epopei.

* * *

Dotarcie do Turcji rozwiązywało kilka problemów, jednak tworzyło kolejne. Z takim ładunkiem nie można było po prostu wejść do portu i kazać go wyładować. Chociaż o planowanej operacji uprzedzony został polski ambasador w Ankarze Michał Sokolnicki, a także konsul Rychlewicz w Stambule, obaj niewiele zrobili, aby konwój mógł ruszyć dalej. Pułkownik Matuszewski uważał, że bezpiecznym miejscem dla polskiego złota jest albo Francja, albo Wielka Brytania. Trzeba było myśleć, jak przetransportować cały ładunek do tych krajów.

Chociaż Turcja była formalnie neutralna, wody wokół niej nie były bezpieczne dla statków państw będących w stanie wojny z Niemcami. Wywiad III Rzeszy był już bliski ustalenia, że złoto odpłynęło właśnie na pokładzie „Eocene". Chociaż z Rumunii wciąż nadchodziły informacje wskazujące, że Niemcy nadal nie wiedzą, że złoto opuściło Polskę, ich ambasada wywierała coraz większe naciski na rząd w Bukareszcie, sugerując, że złoto może zostać przejęte przez Brytyjczyków lub Francuzów i użyte w wojnie przeciw III Rzeszy. Było kwestią czasu, kiedy naciski zaczną być wywierane na Turcję. Znów trzeba się było śpieszyć.

W Stambule okazało się, że władze Turcji doskonale orientują się, co przywiózł „Eocene" – zresztą i tak nie było sensu tego przed nimi ukrywać. Pierwszą ich sugestią było, aby polskie złoto zdeponować w Merkez Banku w Stambule. Chociaż pułkownik Matuszewski nie był tym zainteresowany, sytuacja była trudna. „Eocene" mógł płynąć do portu w Marsylii, jednak z takim ładunkiem nie byłby w stanie rozwinąć prędkości większej niż osiem i pół węzła. To czyniło go łatwym celem dla niemieckich łodzi podwodnych. Czym innym był bowiem trwający dobę rejs z Konstancy do Stambułu, a czym innym licząca ponad trzy tysiące trasa przez całe Morze Śródziemne, której pokonanie zajęłoby tankowcowi co najmniej osiem dni. Takiego ryzyka nie można było podjąć.

Ambasadorzy Francji i Wielkiej Brytanii też nie robili Matuszewskiemu wielkich nadziei. Okręty ich państw nie mogły wchodzić do Bosforu bez formalnej zgody Turcji. Przeładunek na morzu był więc niemożliwy. Co więcej, okręty wojenne obydwu krajów miały zakaz poruszania się po morzu pojedynczo, tymczasem zorganizowanie w szybkim czasie konwoju było niemożliwe. W tej sytuacji pozostawało jedno wyjście – przewiezienie złota drogą lądową do będącej pod francuskim protektoratem Syrii.

Tymczasem „Eocene” z ładunkiem złota i Polakami na pokładzie stał cały czas przy wejściu do portu, nie chciano bowiem, by w myśl obowiązujących przepisów Turcy przeprowadzili na statku kontrolę celną. Na spotkania z dyplomatami szef konwoju pływał więc motorówką. 17 września radio podało wstrząsającą wiadomość – Armia Czerwona weszła w granice Polski. To był cios zadany w plecy broniącemu się państwu. Nadziei na uratowanie Polski nie było, pojawiła się natomiast groźba, że na polskie złoto oprócz Niemców mogą też zacząć polować Sowieci.

Mimo fatalnych nastrojów polska ekipa prowadziła energiczne działania mające na celu wysłanie złota do Syrii i Libanu, gdzie stacjonowały okręty francuskiej floty wojennej. W końcu 20 września rano ustalono z władzami tureckimi warunki i cenę tranzytu. Tego samego dnia „Eocene” wszedł do portu, gdzie szybko przeniesiono ładunek do czekającego już pociągu. Podobnie jak poprzedni składał się on z dziewięciu wagonów towarowych, dwóch pasażerskich i jednego restauracyjnego. Nowym kierunkiem ucieczki polskiego złota miał być teraz Bejrut. Tego samego dnia, na godzinę przed północą, skład ruszył w liczącą półtora tysiąca kilometrów podróż.

Ewakuacja przebiegała sprawnie i bezpiecznie. W czasie postoju na stacjach węzłowych, takich jak Aleppo, składu pilnowały duże jednostki francuskiej armii. Kiedy jednak 23 września pociąg dojechał do Rayak u podnóża wschodnich stoków Libanu, okazało się, że dalej złoto musi jechać wąskotorową kolejką górską Damaszek – Bejrut i to dwoma osobnymi składami. Skrzynki znów trzeba było przeładować, tym razem przy pomocy arabskich tragarzy. Po przybyciu na miejsce okazało się jednak, że w Bejrucie znajduje się tylko jeden francuski okręt wojenny – krążownik „Emile Bertin". Było to sprzeczne z wcześniejszymi ustaleniami, że całe złoto nie może zostać przewiezione do Francji na pokładzie tylko jednego okrętu. Pułkownik Matuszewski postanowił więc, że na krążowniku odpłynie do Francji tylko część skrzyń ze sztabami złota – 886 sztuk, a pozostałe ponad 300 skrzynek oraz 93 worki z banknotami zaczekają w Bejrucie na kolejny transport.

Jeszcze tego samego dnia złoto zostało załadowane na statek, a wieczorem 23 września „Emile Bertin" rozpoczął rejs po Morzu Śródziemnym. Podróż odbywała się w wielkim napięciu, szczególnie gdy okręt zbliżył się do wybrzeży Włoch. Obawiano się niemieckich łodzi podwodnych, gdyż chodziły słuchy, że mogą mieć one swoją bazę na wyspie Pantelleria. W końcu 27 września krążownik dotarł do Tulonu.

Tymczasem pułkownik Matuszewski pozostał w Bejrucie, by zorganizować transport reszty złota. 2 października na pokładach niszczycieli „Vauban" i „Epervier" w drogę do Francji ruszyła pozostała część ładunku. 7 października 1939 roku, po trwającej ponad miesiąc epopei, polskie złoto znalazło się w końcu w głównym skarbcu Banku Francji w Nevers, niewielką ilość przewieziono do Paryża. Nie był to jednak koniec jego wędrówki. Zaledwie osiem miesięcy później, w obliczu klęski wojennej Francji, Polacy znów będą musieli ewakuować swój skarb.

* * *

Na przełomie maja i czerwca 1940 roku stało się jasne, że Niemcy pokonają Francję. Chociaż spoczywający w skarbcu w Nevers, 250 kilometrów na południe od Paryża, polski skarb nie był bezpośrednio zagrożony przez działania wojenne, istniała realna groźba, że w przypadku kapitulacji Niemcy znów będą chcieli go przejąć. Tym razem zagrożone było nie tylko złoto z Banku Polskiego, ale także tzw. skarb Funduszu Obrony Narodowej, który również ewakuowano z Polski we wrześniu 1939 roku. Część depozytów udało się polskiemu rządowi na uchodźstwie wysłać do Wielkiej Brytanii. Z resztą trzeba było znów w pośpiechu uciekać. Pięć wagonów z ważącym ponad sześćdziesiąt dwie tony depozytem z Nevers zostało dołączonych do pociągu ewakuującego belgijskie i luksemburskie złoto do portu Lorient w Bretanii.

Pieczę nad majątkiem wartym ponad siedemdziesiąt milionów ówczesnych dolarów sprawować miał teraz pięćdziesięcioletni Stefan Michalski, urzędnik warszawskiego oddziału Banku Polskiego i major artylerii w stanie spoczynku. Od samego początku brał on udział w ewakuacji złota z Polski we wrześniu 1939 roku. Teraz miał nadzieję, że czekający w Lorient konwój francuskich okrętów wojennych popłynie do bezpiecznej Kanady, gdzie będzie można przechować złoto do końca wojny. Nie przypuszczał, że jego misja okaże się o niebo trudniejsza.

Polskie złoto dotarło do Lorient 17 czerwca 1940 roku, dzień po kapitulacji Francji. Było wiadomo, że sześćdziesiąt procent kraju, w tym Bretania, ma znaleźć się pod okupacją. Było kwestią godzin, kiedy dotrą tam niemieckie wojska, samoloty i okręty. Tymczasem w Lorient zgromadzono skarb o niebywałej wartości. Było to nie tylko polskie złoto i skarb FON, ale także kruszec z banków Belgii i Luksemburga, który udało się ewakuować do Francji przed zajęciem tych krajów przez Niemcy.

Na wywiezienie złota za granicę czekały już dwa niszczyciele i krążownik „Victor Schoelcher". Pod nadzorem majora

Michalskiego na jego pokład przeniesionych zostało 1208 skrzynek ze złotem z Banku Polskiego oraz dziewięć skrzynek ze skarbem FON. Było to w sumie 2728 sztabek i tysiące monet z depozytów BP oraz 213 kilogramów precjozów i biżuterii, podarowanych przez Polaków na obronę państwa. W południe 17 czerwca przez zaminowane podejście do portu konwojowi udało się w końcu wypłynąć na Atlantyk. W nocy z 18 na 19 czerwca „Victor Schoelcher" dołączył do większego konwoju pięciu krążowników i dwóch niszczycieli, które wypłynęły z Brestu i na pokładach których znajdowały się tony złota ewakuowanego z banków francuskich. Michalski był przekonany, że jednostki płyną do Ameryki. Kiedy jednak dzień później „Victor Schoelcher" odłączył się od konwoju i wziął kurs na południowy wschód, w stronę portu Royan, w głowie majora zapaliła się czerwona lampka. Czyżby Francuzi ulegli Niemcom w sprawie oddania polskiego, belgijskiego i luksemburskiego złota, byle ratować własne depozyty?

Dowódca krążownika nie wiedział, o co chodzi w rozkazie i kto go wydał. Zażądał potwierdzenia, które jednak nie nadchodziło. Tymczasem na wodach wokół zachodnich wybrzeży Francji roiło się od niemieckich łodzi podwodnych. W końcu kapitan sam zdecydował, że płynie do francuskiego Maroka. 23 czerwca „Victor Schoelcher" wszedł do portu w Casablance. Major Michalski ze zdziwieniem zauważył, że okręty z francuskim złotem już tam czekają. Czy wydany kapitanowi rozkaz był więc prowokacją niemieckiego wywiadu? I co teraz zamierzają Francuzi?

Zagrożenie było tym większe, że po kapitulacji Francji jej kolonie znalazły się pod zarządem kolaboracyjnego rządu państwa Vichy. Teraz on mógł zdecydować o zajęciu depozytów na podległych sobie terenach. Gdy o świcie następnego dnia konwój otrzymał rozkaz płynięcia do Dakaru we francuskim Senegalu, major Michalski nie zdążył nawet wysłać depeszy do rządu generała Sikorskiego, by poinformować o miejscu, gdzie aktualnie znajduje się polskie złoto. Przez kolejne pięć dni Polacy alarmowali brytyjski rząd o zaginięciu transportu i prosili o pomoc w jego odzyskaniu. Nikt jednak nie wiedział, gdzie aktualnie znajduje się konwój. Dopiero 29 czerwca, po dotarciu do Dakaru, dyrektor Michalski wysłał depeszę do polskiego ministra skarbu Henryka Strasburgera. Odpowiedź z Londynu była krótka: „Nie daj się odłączyć od transportu".

Postawione przed Michalskim zadanie było jednak o wiele trudniejsze, niż mogłoby się wydawać. Obecność Polaka była Francuzom wyraźnie nie na rękę. Major również szybko zorientował się, że opcja wysłania „Victora Schoelchera" do Ameryki w ogóle nie jest brana pod uwagę. Zaczął więc rozglądać się za jakimś innym transportem do Kanady lub USA. Niestety zaledwie dzień przez przybyciem do Dakaru polskiego złota tamtejszy port opuścił amerykański krążownik. Odpłynęły też, w obawie przed internowaniem przez Francuzów, cztery polskie statki handlowe. Pozostał tylko jeden – „Kromań", leciwa już i mała jednostka. Pomysł wysłania czymś takim całego polskiego złota do Ameryki bez eskorty przez pełen U-bootów Atlantyk był czystym szaleństwem. Jednak Michalski innego wyjścia nie widział. Rozpoczął już rozmowy z dowódcą „Kromania", kapitanem Tadeuszem Dybkiem, który był gotów podjąć ryzyko, gdy nagle nadeszła informacja, że Francuzi kazali rozładować w Dakarze całe złoto z konwoju.

Przyczyną były dramatyczne zdarzenia, które 3 lipca 1940 roku rozegrały się w algierskim porcie Mars El-Kebir. Bazowały tam francuskie okręty wojskowe, które znalazły się pod rozkazami państwa Vichy. Brytyjski rząd, w obawie przed użyciem tych jednostek przeciwko Royal Navy, zażądał od Francuzów wycofania okrętów z Morza Śródziemnego na Karaiby i ich rozbrojenie. Kiedy ultimatum zostało odrzucone, silna eskadra brytyjskich okrętów wojennych z Gibraltaru po prostu rozstrzelała stojące w porcie francuskie jednostki. Zginęło 1300 służących na nich marynarzy. Niedługo potem taką samą akcję brytyjska flota przeprowadziła w Oranie. Teraz istniała realna obawa, że następny będzie Dakar. Władze postanowiły więc czym prędzej zabrać złoto z okrętów i ukryć je w głębi lądu.

Na te decyzje major Michalski nie miał już żadnego wpływu. Przez kolejne trzy dni mógł tylko obserwować, jak setki czarnoskórych tragarzy przenoszą dwadzieścia i pół tysiąca skrzynek polskiego, belgijskiego i luksemburskiego złota. Ich waga wynosiła niemal 800 ton, a wartość – około miliarda ówczesnych dolarów. Był to chyba największy skarb w historii ludzkości zgromadzony w jednym miejscu. Gdy skrzynki były ładowane do wagonów kolejowych, Stefan Michalski usilnie starał się dostać zgodę władz na wyjazd z transportem. Otrzymał zdecydowaną odmowę. Pociąg wyjechał w głąb lądu bez niego. Swoimi kanałami major ustalił, że punktem docelowym transportu była najprawdopodobniej francuska baza wojskowa w oddalonym o sześćdziesiąt pięć kilometrów miasteczku Thies. Szybko sporządził raport dla rządu w Londynie i przekazał go kapitanowi Dybkowi. Aby dostarczyć wiadomość, „Kromań" wymknął się potajemnie z portu w nocy z 26 na 27 lipca.

* * *

Wiadomość o przejęciu przez Francuzów polskiego złota i skarbu FON w Senegalu poraziła polski rząd. Natychmiast rozpoczęły się starania o zorganizowanie przez Brytyjczyków akcji mającej na celu odzyskanie depozytu. Tymczasem brytyjski wywiad MI6 już od pewnego czasu przygotowywał plan operacji, której celem byłoby przechwycenie złota Polski, Belgii i Luksemburga. Rząd Churchilla nie miał bynajmniej zamiaru oddawać go prawowitym właścicielom. Przyczyną było wyjątkowo trudne położenie wojskowe i gospodarcze Wielkiej Brytanii. Po upadku Francji pozostała ona jedynym państwem toczącym wojnę z Hitlerem. Churchill negocjował właśnie ze Stanami Zjednoczonymi umowę *Lend&Lease*, w ramach której do Wielkiej Brytanii miał trafić amerykański sprzęt wojskowy oraz strategiczne towary i surowce. Jednak za pomoc trzeba było słono zapłacić i do tego właśnie było potrzebne ukryte w Senegalu złoto.

MI6 chciał załatwić sprawę „dżentelmeńskimi" metodami. Plan akcji przewidywał zwerbowanie przez brytyjski wywiad przebywających w Dakarze polskich i belgijskich urzędników bankowych, w tym Stefana Michalskiego. Celem było przejęcie dokumentów złota, co umożliwiłoby Brytyjczykom występowanie w roli jego dysponentów. Przebywający w Senegalu major nie miał pojęcia, że sojusznicze państwo przygotowuje przeciwko niemu akcję wywiadowczą. Wiedział jednak, jak cenne są dokumenty, które miał, i nie rozstawał się z nimi nawet na chwilę.

Akcję odwołali jednak sami Brytyjczycy. Przeważyła opinia majora Desmonda Mortona, doradcy Churchilla do spraw wywiadu. Kiedy kierownictwo MI6 przedstawiło mu plan oraz wybranych do jego realizacji agentów, nie zostawił na nich suchej nitki. Akcję mieli bowiem przeprowadzić dwaj młodzi stażem oficerowie wywiadu – porucznicy Godwin i Franck. Nie tylko nie mieli oni żadnego pojęcia o bankowości, ale nawet nie znali francuskiego. Ponadto Morton opisał obu agentów jako „doskonale prostodusznych" i zupełnie nienadających się do tego typu misji. Na koniec dodał sarkastycznie, że planowanej przez MI6 ekspedycji „brakuje tylko orkiestry jazzowej i gabinetu osobliwości". Misja została odwołana.

Tymczasem w Londynie pojawił się kolejny pomysł na odebranie władzom państwa Vichy ukrytego w Senegalu złota. Jego autorem był generał Charles de Gaulle, przywódca emigracyjnego rządu Wolnych Francuzów. Przekonał on Churchilla do morskiego rajdu na Dakar, zniszczenia stacjonujących tam okrętów, zajęcia portu przez desant piechoty, a następnie ekspedycji w głąb lądu w celu zdobycia złota. De Gaulle'owi zależało przede wszystkim na złocie francuskim, dzięki któremu mógłby zbudować swoją armię, zająć Senegal i uczynić z niego pierwszą enklawę Wolnej Francji. Churchill widział jednak akcję przede wszystkim jako okazję do przejęcia polskiego, luksemburskiego i belgijskiego złota na potrzeby wojenne swojego kraju.

Kiedy polski wywiad poinformował o tych planach rząd emigracyjny, nastąpiła konsternacja. Fakt, że ani de Gaulle, ani sam

1. Przedstawiciele polskiego rządu podczas zwiedzania stoiska „Ilustrowanego Kuryera Codziennego" w trakcie Międzynarodowych Targów Poznańskich w 1935 roku. Pośrodku (oznaczony numerem 1) stoi minister przemysłu i handlu Henryk Floyar-Rajchman, po jego prawej stronie – minister komunikacji Michał Butkiewicz (oznaczony numerem 2.)

2. Między innymi takimi autobusami ewakuowano we wrześniu 1939 roku polskie złoto do Rumunii.

3. Aby przewieźć cały ładunek z Warszawy, potrzebnych było około 350 skrzyń. Każdy z dwunastu autobusów musiał zabrać 30 skrzyń plus konwojentów i pracowników banku, co znacznie przekraczało jego ładowność.

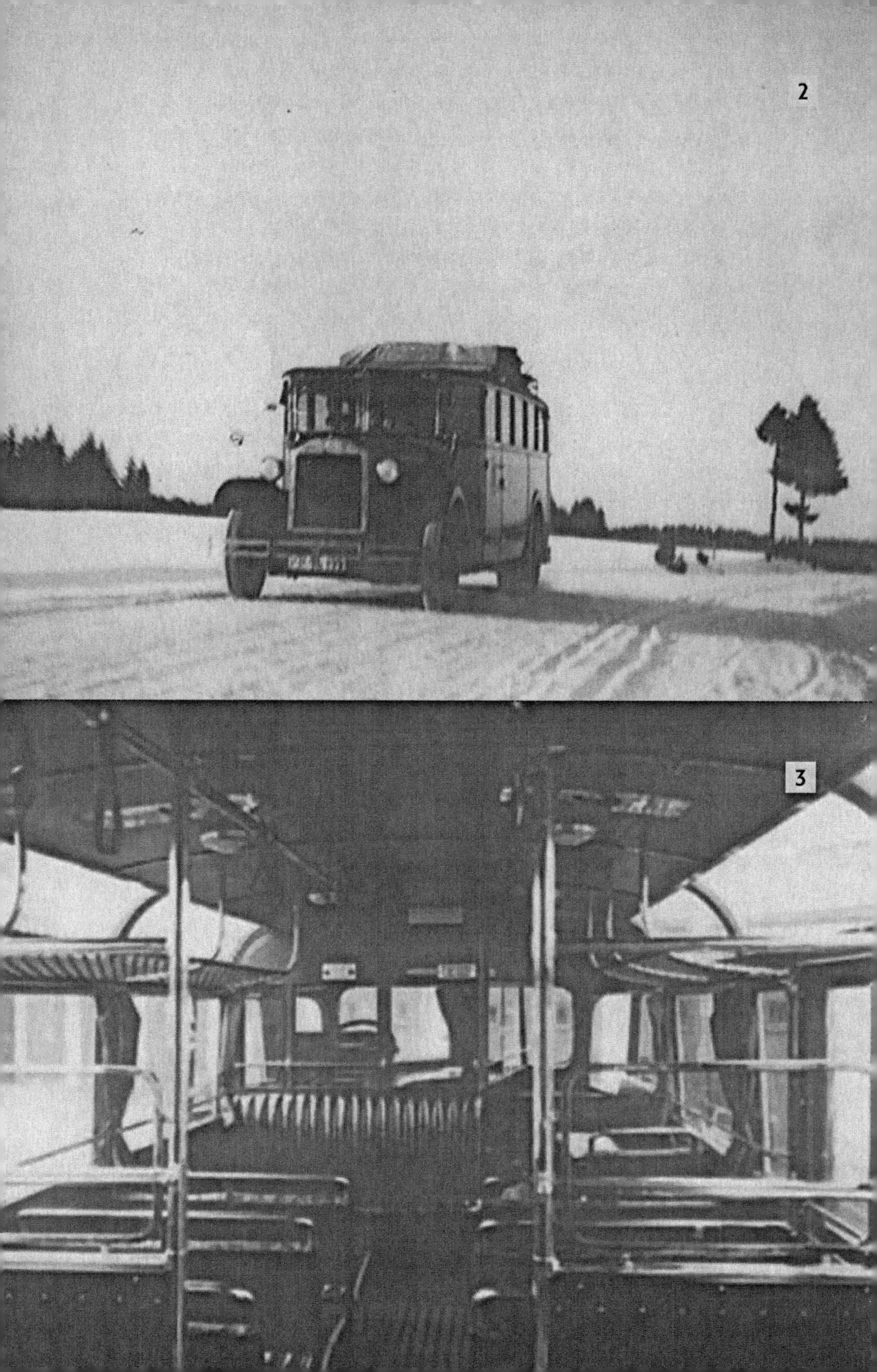
2
3

Churchill nie przekazali Polakom informacji o planowanej akcji, wzbudził w końcu podejrzenia, że Brytyjczycy chcą „położyć łapę" na polskim złocie. Niewiele jednak można było zrobić. Operacja o kryptonimie „Menace" – „Groźba" była już w toku. Jednak i tę akcję prześladował pech. Kiedy brytyjska eskadra z żołnierzami de Gaulle'a dopłynęła rankiem 23 września 1940 roku do Dakaru, na morzu panowała gęsta mgła. Sam generał, nieco naiwnie przekonany, że w obliczu ataku władze kolonii przejdą na jego stronę, wysłał do portu motorówkę z parlamentariuszami. Jego wysłannicy zostali natychmiast aresztowani, a nabrzeżne baterie rozpoczęły ostrzał brytyjskich okrętów. Ciężko uszkodzony został krążownik HMS „Cumberland" i kilka innych jednostek. W tych warunkach wysadzenie desantu w Dakarze okazało się marzeniem ściętej głowy. 25 września w obliczu rosnących strat Churchill nakazał natychmiastowe przerwanie operacji „Menace".

Brytyjska akcja dodatkowo rozsierdziła władze kolonii. Znajdujący się w Dakarze cudzoziemcy zostali poddani policyjnej inwigilacji i represjom. Major Michalski szybko zorientował się, że jest obserwowany przez policję. Jego aresztowanie i rewizja mogły skończyć się utratą dokumentów dotyczących polskiego złota, musiał więc mieć się cały czas na baczności. Oznaczało to, że nie ma żadnej możliwości ruszenia się z Dakaru, by sprawdzić, co dzieje się z polskim skarbem. Tymczasem wiadomości, które otrzymywał swoimi kanałami, były coraz gorsze. Brytyjski rząd przekonał bowiem Francuzów do wysłania złota jeszcze dalej w głąb Afryki. Dokąd – tego już nie udało się ustalić.

Nowa sytuacja oznaczała całkowitą utratę kontroli nad złotem przez polski rząd. Obserwowany przez policję w Dakarze major Michalski, aby uniknąć rewizji i przesłuchań, zaczął symulować tropikalną chorobę. Mijały miesiące i o losach złota wciąż nie było żadnych informacji, chociaż brytyjski wywiad gorączkowo starał się ustalić, co stało się z miliardowej wartości depozytami. W styczniu 1941 roku w polskim ministerstwie skarbu wybuchła panika, gdy komórka MI6 z Freetown w Liberii poinformowała rząd Churchilla, że polskie i belgijskie złoto zostało przewiezione samolotami z Senegalu na terytorium Francji.

Dłużej nie można było czekać. Zadanie zweryfikowania informacji MI6 otrzymał trzydziestosiedmioletni oficer wywiadu kapitan Michał Wierusz-Kowalski przebywający już z misją specjalną w brytyjskiej Gambii. Od jesieni 1940 roku budował tam siatkę kurierów kursujących między Gambią a Senegalem. Po otrzymaniu informacji o samolotach zabierających złoto ustalił, że chodzi najprawdopodobniej o miasteczko Kayes, oddalone 600 kilometrów od wybrzeża i położone przy linii kolejowej Dakar – Niger. W lutym 1941 roku kapitan nawiązał przez swoich agentów kontakty w Kayes, gdzie zwerbował do współpracy naczelnika izby skarbowej i zastępcę komendanta policji. Dzięki uzyskanym od nich informacjom udało się ustalić, co działo się z polskim złotem przez ostatnie pół roku. Po przewiezieniu z Thies zostało ono złożone w betonowym magazynie przy bocznicy kolejowej. Budynek był otoczony zasiekami i zaporami z szyn, a pilnowało go pięćdziesięciu żołnierzy uzbrojonych w sześć karabinów maszynowych.

Wieruszowi-Kowalskiemu udało się także ustalić, że lądujące w Kayes od listopada 1940 roku samoloty nie wywiozły złota polskiego, a jedynie belgijskie i luksemburskie. Był to wynik akcji niemieckiego wywiadu i nacisków Hansa Richarda Hemmena, przewodniczącego grupy ekonomicznej przy niemiecko-francuskiej komisji rozejmowej w Wiesbaden. Ta utworzona po kapitulacji Francji instytucja miała za zadanie dokonać rozliczeń i podziału majątku między okupowaną częścią kraju, państwem Vichy a III Rzeszą. Gdy pod koniec września 1940 roku minister Hemmen uzyskał informacje, że wywiezione z Francji złoto znajduje się w Senegalu, natychmiast nakazał wysłanie tam samolotów po depozyt belgijski. Argumentował, że w okupowanej Brukseli działa rząd i bank centralny, złoto powinno być więc zwrócone. Francuzi ustąpili. 4 listopada 1940 roku w Kayes wylądował pierwszy samolot, który zabrał ponad dwie tony złota. W ciągu kolejnych miesięcy drogą lotniczą, a także lądowym szlakiem Kayes – Bamako – Gao – Timbuktu – Algier wyruszały kolejne transporty z belgijskim i luksemburskim złotem. Oczywiście Niemcy ani myśleli oddawać go prawowitym właścicielom. Środki z jego sprzedaży miały posłużyć do realizacji wojennych celów III Rzeszy.

Gdy kapitan Wierusz-Kowalski sporządzał raport o miejscu ukrycia polskiego złota w Kayes, wywóz belgijskich i luksemburskich depozytów wciąż trwał. Było jasne, że po jego zabraniu Niemcy upomną się też o złoto polskie. Polski rząd emigracyjny rozpoczął więc natychmiast zakulisowe zabiegi wobec władz Vichy, by zniechęcić je do wydania Niemcom polskiego skarbu. Służyć miał temu m.in. wytoczony w Nowym Jorku proces przeciw Bankowi Francji. W pozwie polski rząd domagał się wartych sześćdziesiąt pięć milionów dolarów francuskich rezerw złota w USA jako zabezpieczenia roszczeń za ukryte w Senegalu złoto. Gdy uzyskał korzystny dla siebie werdykt i poinformował o tym rząd w Vichy, Francuzi postanowili w końcu współpracować i jak najdłużej odwlekać spełnienie niemieckich roszczeń. Tymczasem rozpoczęta w listopadzie 1942 roku operacja „Torch" – „Pochodnia", czyli lądowanie amerykańsko-brytyjskich sił w północno-zachodniej Afryce znów dała Polakom nadzieję na odzyskanie złota.

* * *

W lutym 1943 roku major Michalski przyjechał do Algieru, w którym działała już aliancka administracja. Poprzednie półtora roku spędził w Stanach Zjednoczonych, do których odpłynął przez Portugalię w sierpniu 1941 roku po ponad rocznym pobycie w Dakarze. Jego pobyt w Senegalu nie miał już sensu – policja kolonii coraz bardziej nękała Polaka, wciąż obawiał się o posiadane dokumenty. Pobyt w Nowym Jorku Michalski przeznaczył na organizowanie amerykańskiej pomocy mającej na celu odzyskanie złota, przewiezienie go do USA i złożenie depozytu w bezpiecznym miejscu.

Chociaż na początku 1943 roku afrykańskie kolonie były już w rękach Wolnych Francuzów, przyjazd majora wcale nie spodobał się nowym władzom. Na pytania Polaka, gdzie jest złoto, sojusznicy odpowiadali wykrętnie, że „zostało ono rozrzucone po wielu miejscach w Afryce”. Gdy w końcu zniecierpliwiony Michalski zażądał zgody na wyjazd do Dakaru, by osobiście ustalić, co stało się z depozytem i go zabezpieczyć, spotkał się ze zdecydowaną odmową. Negocjacje między polskim i francuskim rządem de Gaulle’a trwały kilka miesięcy. Do zmiany decyzji przekonał Francuzów dopiero argument, że w zamian za zgodę na zwrot złota z Kayes z sądu w Nowym Jorku zostanie wycofany polski pozew przeciw Bankowi Francji. W końcu w lipcu 1943 roku zostało podpisane odpowiednie porozumienie. Administracyjne przepychanki wciąż jednak trwały i dopiero w styczniu 1944 roku Stefan Michalski i dwóch urzędników Banku Polskiego, Wiktor Styburski i skarbnik Stanisław Orczykowski, wyruszyli do Kayes.

Magazynu pilnowało kilku przysypiających w upale czarnoskórych strażników. Budynek nie miał podłogi, skrzynki ze złotem zostały więc pomalowane białą farbą dla ochrony przed żyjącym w ziemi termitami. Jednak podczas składowania złota w tym miejscu przez niemal trzy i pół roku owady mocno naruszyły drewno. W Kayes czekała na Polaków wysłana z Londynu paczka zawierająca metalowe taśmy, maszynki do ich naciągania oraz plombownice, tymczasem konieczne okazało się nareperowanie kilkuset nadgryzionych przez termity skrzynek. W całym Kayes brakowało jednak obcęgów, młotków i gwoździ.

– Znaleźliśmy złoto za siedemdziesiąt milionów dolarów, a nie możemy znaleźć młotka! – wściekał się Michalski.

W końcu jakimś cudem skrzynki udało się naprawić. Pod koniec lutego załadowano je na pociąg i wysłano do Dakaru.

Kolejny miesiąc major Michalski i jego koledzy spędzili, pilnując złota w senegalskim porcie i czekając na transport do Ameryki. Póki trwała wojna, zorganizowanie odpowiedniego konwoju nie było proste. W końcu 23 marca dowódcy dwóch polujących u zachodnich wybrzeży Afryki na niemieckie łodzie podwodne amerykańskich niszczycieli – USS „Breeman" i HSS „Bronstein" – dostali rozkaz płynięcia do Dakaru. Tam dowiedzieli się, że ich zadaniem jest przeprowadzenie tajnej misji przewiezienia polskiego złota do Nowego Jorku. 4 kwietnia transport zawierający pierwsze 445 skrzynek złota dotarł do Manhattanu, gdzie czekały już wszystkie możliwe służby bezpieczeństwa oraz *marines*. Pod ich eskortą, w obecności Stefana Michalskiego, złoto zostało przewiezione do skarbca Banku Rezerwy Federalnej. Pozostali dwaj Polacy zostali w Dakarze, by pilnować reszty kruszcu. Zamierzano przewieźć je kolejnymi okrętami.

Do listopada 1944 roku z Dakaru zostało ewakuowane całe polskie złoto. Trafiło do banków nie tylko w Stanach Zjednoczonych, ale również w Londynie i kanadyjskiej Ottawie. Wydawało się, że trwająca ponad pięć lat epopeja dobiegła końca.

Już po zakończeniu wojny, 30 czerwca 1945 roku, rząd emigracyjny opublikował raport o posiadanych aktualnie zasobach złota. Wartość depozytów Banku Polskiego została oszacowana na sześćdziesiąt siedem ton kruszcu. Kilka ton zostało sprzedanych w czasie wojny na pokrycie wydatków polskich władz na uchodźstwie, cztery tony złota pozostawionego w Dubnie i przewiezionego później do Rumunii spoczywało w skarbcu bankowym w Bukareszcie. Szybko okazało się jednak, że ratowane z takim wysiłkiem i narażeniem życia depozyty nie są bezpieczne.

W 1946 roku działające z nadania Moskwy nowe władze Polski rozpoczęły starania o przejęcie złota. Komunistom było ono potrzebne nie tylko do odbudowy kraju, ale także do spłacenia zobowiązań wobec właścicieli wywłaszczanych przez państwo zagranicznych firm. W wyniku polityczno-wywiadowczych zabiegów w czerwcu 1947 roku do Polski został wysłany z Londynu tzw. złoty skarb FON. Komunistyczne władze przejęły też złoto znajdujące się w Rumunii.

Los spoczywającego w brytyjskich, kanadyjskich i amerykańskich bankach polskiego złota został przesądzony, gdy państwa zachodnie przestały uznawać rząd emigracyjny, a nawiązały stosunki dyplomatyczne z komunistycznymi władzami. W ten sposób rząd Polski Ludowej stał się dysponentem kruszcu, chociaż nie było mowy o tym, by trafił on z powrotem do Warszawy. Przez kolejne dekady zdeponowane za granicą tony złota były sukcesywnie wyprzedawane na pokrycie różnych zobowiązań władz PRL wobec państw zachodnich. Finansowe i polityczne kulisy tych machinacji nie zostały wyjaśnione do dziś.

CZĘŚĆ 3
Z NIEWOLI NIEMIECKIEJ...

„SPECJALIŚCI OD UCIECZEK" WYMYKAJĄ SIĘ Z PRUSKIEJ TWIERDZY

Srebrna Góra, 5–6 maja 1940 roku

– Panowie, nie uwierzycie! – trzydziestopięcioletni porucznik Zdzisław Ficek wpadł do sali, w której stłoczonych na pryczach siedziało kilkunastu polskich oficerów. – Kojarzycie te drzwi w jadalni po lewej stronie? Byłem tam akurat w momencie, kiedy strażnik je zamykał. Przepędził mnie, ale zdążyłem zobaczyć światło w głębi. Tam musi być okno i to pewnie niezabezpieczone! – mówił z podnieceniem.

Wszyscy podnieśli głowy. To była sensacyjna wiadomość.

* * *

Mijał już miesiąc, od kiedy dwudzistu polskich jeńców zostało przeniesionych do fortu Hohenstein, Wysoka Skała, starej pruskiej twierdzy w Sudetach, niedaleko miejscowości Silberberg, Srebrna Góra.

– Wybijcie sobie z głowy myśl o ucieczce. Mysz stąd się nie wyślizgnie! – zapewnił ich na pożegnanie komendant Oflagu VIIIB, oficer i arystokrata, von Zerboni.

Już poprzednie miejsce, w którym przebywali Polacy, fort Ostróg, Spitzberg, po drugiej stronie przełęczy, miało opinię obozu karnego, z którego uciec się nie da. Dlatego trafiali do niego ci polscy oficerowie, którzy mieli już na koncie co najmniej

Jędrzej Giertych, związany z endecją polityk i publicysta, miał 36 lat, gdy wybuchła wojna. Jako jeden z najstarszych jeńców stał się mózgiem ucieczki z oflagu Srebrna Góra.

Jędrzej Giertych jako bosman w czasie podstawowej służby wojskowej w Marynarce Wojennej.

Jako porucznik Marynarki Wojennej Giertych trafił do niemieckiej niewoli po kapitulacji Helu.

jedną ucieczkę z innych oflagów. Szybko okazało się jednak, że dla najbardziej aktywnej i zdeterminowanej części jeńców zabezpieczenia Ostroga nie są przeszkodą nie do pokonania. Po kolejnej wykrytej próbie ucieczki von Zerboni postanowił więc odizolować grupę 20 Polaków w jeszcze bardziej nieprzyjaznym miejscu – wykutym wysoko w skale forcie starej twierdzy z czasów Fryderyka Wielkiego.

Komendant popełnił jednak dwa błędy. Pierwszy taki, że zamknął w jednym miejscu najbardziej doświadczonych i zdeterminowanych, by uciekać, oficerów. Drugi, że naiwnie uwierzył w to, iż sam fakt przebywania w forcie Wysoka Skała zniechęci ich do ucieczki. Stało się dokładnie odwrotnie.

* * *

Następnego dnia przy śniadaniu Polacy dokładnie obejrzeli wskazane przez Ficka drzwi. Były zamykane na pojedynczy, zwykły zamek. Zaraz po posiłku i apelu odbyła się szybka narada.

– Panowie, potrzebujemy klucza. Kto z was ma? – spytał najstarszy w grupie, trzydziestosiedmioletni porucznik Jędrzej Giertych.

– Ja mam – odezwał się jeden z oficerów.

– Musimy go obrobić tak, żeby dało się nim otworzyć drzwi – zasugerował Giertych.

– Ale jak? Nie mamy żadnych narzędzi – rozległy się pytania.

– Wszędzie tu jest twarda skała. Ją możemy wykorzystać do obrobienia klucza.

Przez kolejny tydzień kilku oficerów na zmianę spiłowywało klucz. Przy kolejnych wizytach w jadalni, osłaniani przez kolegów, sprawdzali, czy da się już nim otworzyć drzwi. 5 maja rano usłyszeli w końcu zgrzyt przekręcanych zapadek. Zamek się poddał.

Korzystając z tego, że w jadalni nie było Niemców, powoli otworzyli drzwi. Za nimi mieścił się niewielki skład pryczy i sienników, w którym znajdowały się dwa okna. Pierwsze było zakratowane i wychodziło na wprost budki wartownika jednak drugie, niewielkie i niczym niezabezpieczone, wychodziło na wprost fosy. To drugie okienko Niemcy zostawili prawdopodobnie dla przewiewu i Polacy szybko zorientowali się, że surowy ceglany mur, w którym je pozostawiono, zasłania wejście do znacznie większego okna za nim. Cegły były ułożone niedbale, a wapienna zaprawa krucha – najwyraźniej Niemcy w pośpiechu zamurowali wnękę z dużym oknem niedługo przed przeniesieniem do fortu grupy dwudziestu jeńców. Teraz kilku z nich, pod kierownictwem porucznika Felicjana Pawlaka, z zapałem wydłubywało scyzorykami kruchą zaprawę i wyjmowało cegłę po cegle. Tymczasem porucznik Giertych zagadywał stojącego przez wejściem do jadalni niemieckiego wartownika. Przeczucie nie myliło jeńców – za cienkim murem mieściła się dwumetrowej głębokości wnęka z oknem wystarczająco dużym, by przecisnąć się przez nie razem z tobołami. Co więcej, okno było położone na wysokości zaledwie dwóch pięter nad okalającą fort fosą.

Po skończonej pracy i wydłubaniu wystarczającej liczby cegieł odbyła się krótka narada.

– Panowie, trzeba ruszać jeszcze tej nocy – powiedział porucznik Giertych.

Pomysł skonsultował wcześniej z majorem Baranowskim, „starszym" obozu w Hohenstein, który sam uciekać nie zamierzał, ale miał pomysł, jak zapewnić zbiegom odpowiednią osłonę. Major nalegał na pośpiech, ponieważ w poniedziałek, 7 maja, w obozie miała odbyć się kontrola.

– Ilu ucieka? – zapytał Giertych.

Podniosło się dziesięć rąk. Z Wysokiej Skały zamierzała zbiec połowa osadzonych tam jeńców. Do takiej eskapady byli przygotowani już od dawna. Plecaki, buty, ciepła odzież, żywność, papierosy, pieniądze, mapy, powiązane ze sobą prześcieradła – wszystko to gromadzili, od kiedy tylko znaleźli się w Srebrnej Górze. Nawet przy przenosinach grupy jeńców z fortu Ostróg do Wysokiej Skały Niemcy nie okazali się wystarczająco czujni, by w czasie rewizji znaleźć niezbędne do ucieczki rzeczy. Teraz komendant von Zerboni i cała załoga oflagu VIIIB mieli tego gorzko pożałować.

* * *

Oficjalnie położony w Sudetach między Kłodzkiem a Wrocławiem Oflag VIII B Silberberg nie był obozem karnym. W dokumentach Wehrmachtu figurował jako „zwykły" obóz jeniecki. W rzeczywistości pełnić miał jednak rolę miejsca odosobnienia dla szczególnie zawziętych uciekinierów. Jednym z pierwszych osadzonych w nim jeńców był porucznik Marynarki Wojennej Jędrzej Giertych, który szybko stał się nieformalnym przywódcą „ucieczkowej konspiracji".

Giertych, związany z endecją polityk i publicysta, miał trzydzieści sześć lat, gdy wybuchła wojna. Jako oficer rezerwy Marynarki Wojennej dostał przydział do operującej na poleskiej rzece Prypeć Flotylli Pińskiej. Przekonany, że województwa wschodnie będą pełniły w czasie nadchodzącego konfliktu z Niemcami jedynie rolę zaplecza frontu, Giertych starał się o zmianę przydziału na Bałtyk. Mimo że miał czwórkę małych dzieci, chciał walczyć.

Nie wiadomo, jak potoczyłyby się jego losy, gdyby trafił na wschód od Bugu. Najprawdopodobniej zostałby zamordowany przez sowietów w Katyniu. Dowództwo Marynarki Wojennej zgodziło się jednak na zmianę przydziału i tak Giertych trafił w okolice Gdyni, gdzie został dowódcą grupy sześciu przerobionych na potrzeby wojska kutrów rybackich. Kampania na wybrzeżu była zawzięta. Po niemieckim szturmie na desperacko i bohatersko bronioną Kępę Oksywską do końca września trwał jeszcze Hel, w którego obronie podporucznik także brał udział. Zawieszenie broni zastało go z kolegami w lesie koło Juraty. Próbowali jeszcze uciec łodzią do Szwecji, by stamtąd dostać się do Wielkiej Brytanii, jednak wysokie fale przyboju i jasna, księżycowa noc uniemożliwiły wymknięcie się z Polski.

Po złożeniu broni czekał go obóz dla jeńców w Gdyni, a następnie transport pociągiem przez Szczecin i Hanower do Nienburga w Dolnej Saksonii, gdzie w Oflagu XB przebywało już 200 polskich oficerów. Świetnie mówiący po niemiecku i dobrze orientujący się w realiach III Rzeszy Giertych natychmiast rozpoczął przygotowania do ucieczki.

– Poruczniku, co wy tak rozmawiacie z Niemcami? – zapytał go pewnego razu jeden z więzionych w oflagu Polaków.

W jego głosie słychać było wyraźną dezaprobatę. Giertych wiedział, że jego rozmowy ze strażnikami mogą budzić niechęć kolegów, a nawet podejrzenia, że jest kapusiem. Jednak był to jedyny sposób, by zdobyć niezbędne do zaplanowania ucieczki informacje. Do tej pory zdążył się już dowiedzieć, jak często kursują pociągi w stronę Bremy i Hanoweru, czy są w nich przeprowadzane kontrole dokumentów oraz ile kosztują bilety. Pierwszy plan był taki, by jechać do Bremy, a stamtąd próbować dotrzeć do odległej o zaledwie 120 kilometrów Holandii. Giertych zbierał więc niemieckie marki, wojskowy płaszcz przerobił tak, by jak najbardziej przypominał cywilne ubranie, wykombinował też kompas oraz wyrwane z jakichś czasopism mapki. Uciec miał zamiar w czasie wizyty u dentysty w mieście, gdzie jeńcy mieli prawo co pewien czas leczyć zęby, oczywiście pod eskortą strażników. Tuż przed planowanym terminem wizyty, na początku listopada 1939 roku, komendant oflagu ogłosił jednak, że polscy jeńcy mają zostać przewiezieni do innego obozu.

To nie była zła wiadomość. Transport pociągiem w tak dużej grupie był również doskonałą okazją do ucieczki. Nowy plan Giertycha był taki, by dostać się do Berlina i tam poprosić o azyl w hiszpańskiej ambasadzie. Porucznik pamiętał sytuację sprzed kilku lat, gdy w czasie wojny domowej w Hiszpanii o schronienie w polskim poselstwie w Madrycie poprosiło czterdziestu ściganych przez „czerwony", republikański rząd oficerów. Dostali go, można więc było liczyć na to, że Hiszpanie odwdzięczą się w podobny sposób będącemu w potrzebie polskiemu porucznikowi.

Pociąg ruszył na południe. Minął Hanower, Getyngę, Kassel... i szybko okazało się, że nie tylko porucznik miał plan, aby zwiać z niewoli. Jeszcze przed Fuldą przez okno w wagonie wyskoczyło kilku młodszych oficerów. Jednak Giertych wciąż zwlekał z podjęciem decyzji. W końcu, kiedy pociąg zwolnił, zdecydował się. Przecisnął się przez okno i dał nura w stronę ciemnej uliczki w jakimś miasteczku. Nazywało się Gemünden. Ta nazwa nic mu jednak nie mówiła.

Nie wiedział, gdzie jest, jednak na tyle dobrze znał Niemcy, że budynki, które widział, przypomniały mu architekturę Frankfurtu nad Menem. To nie była dobra wiadomość. Zamiast zbliżyć się do Berlina oddalił się od niego i to o dobre kilkaset kilometrów. „Cholera, dlaczego nie uciekałem od razu!" – klął w duchu wściekły na siebie Giertych. To była nauczka, by w takich sytuacjach korzystać z pierwszej nadarzającej się okazji. Prawdziwa rozpacz ogarnęła go jednak, gdy na stacji kolejowej okazało się, że na najtańszy bilet do Berlina zabraknie mu zaledwie kilku marek. Co robić? Próbować iść do Szwajcarii? W końcu Giertych postanowił, że ruszy na południe w stronę odległego o kilkanaście kilometrów Karlstadt.

Chociaż początkowo ogarniał go strach na widok ludzi, porucznik szybko zorientował się, że miejscowi z jeszcze większym niepokojem patrzą na niego. Wojskowe buty i ciemny mundur zbiega z daleka mogły przypominać uniform SS lub jakiejś innej nazistowskiej formacji. Mijani ludzie podnosili więc na jego widok rękę w hitlerowskim pozdrowieniu i – nie patrząc mu w oczy – ruszali czym prędzej przed siebie. Porucznik ogolił twarz w przydrożnej kałuży; widoczny zarost mógł wzbudzić natychmiastowe podejrzenia miejscowych. Jednak piesza wycieczka do Karlstadt opłaciła się – najtańszy bilet do odległego o 992 kilometry Berlina kosztował stąd równo dwadzieścia marek, a tyle właśnie Giertych miał przy sobie.

* * *

– Skąd pan jest? Ma pan dziwny akcent... – zapytał go jeden ze współpasażerów, gdy jechali już w stronę Wurzburga.

Porucznik był przygotowany na takie pytanie. Postanowił udawać jednego z Niemców z Estonii, z gazet wiedział bowiem, że władze III Rzeszy zdecydowały o przesiedleniu ich z republik bałtyckich, które na mocy umowy Hitlera ze Stalinem znaleźć miały się w sferze wpływów sowieckich. Giertych znał też dość dobrze Estonię i jej historię, a w sprawie aktualnych wydarzeń zamierzał improwizować w oparciu o przeczytane jeszcze w obozowej prasie informacje. Zmyślanie szło mu tak dobrze, że pod koniec podróży pasażerowie szczerze współczuli nieszczęśliwemu rodakowi, życzyli udanej podróży do Berlina, a nawet chcieli częstować jedzeniem. Chociaż Giertych nie miał w ustach nic od kilkudziesięciu godzin, odmówił.

Przesiadek było wiele: Schweinfurt, Erfurt, kilka następnych. Raz uciekł mu pociąg i musiał spędzić noc w poczekalni, gdzie żandarmi sprawdzali dokumenty podróżnych. Cudem udało mu się uniknąć kontroli, która byłaby końcem jego ucieczki, ale za cenę kolejnych bezsennych nocy. W końcu 12 listopada, tuż po północy, skrajnie wyczerpany dotarł do Berlina.

W ambasadzie Hiszpanii spławiono go jednak, w jugosłowiańskiej podobnie. Żadne z państw przyjaźniących się wcześniej z Polską po jej upadku nie zamierzało psuć sobie relacji z III Rzeszą z powodu oficera-zbiega z obozu. Kiedy w końcu zniechęcony Giertych, klnąc w duchu na fałszywych Hiszpanów, pojawił się po raz kolejny w pobliżu ich poselstwa, czekała już tam na niego policja.

– Kim pan jest? Co pan tu robi? – zapytał funkcjonariusz na posterunku.

– Jestem oficerem polskiej marynarki wojennej. Chcę się dostać do Anglii, by dalej walczyć – odpowiedział hardo porucznik.

Ta odpowiedź najwyraźniej zrobiła na Niemcach wrażenie. Policjanci o nic więcej już nie pytali, tylko zawieźli go od razu do siedziby Gestapo.

Zaczął się korowód przesłuchań, w czasie których Giertych szybko zorientował się, że tajne służby III Rzeszy w rzeczywistości nic o nim nie wiedzą. Chociaż przed wojną napisał wiele artykułów oraz książek krytycznych wobec Niemiec i Hitlera, gestapowcy sprawiali początkowo wrażenie kompletnie zdezorientowanych. Zdziwienie ustąpiło jednak miejsca przerażeniu, kiedy porucznik zorientował się, że przesłuchujący zaczynają brać go za jego kuzyna o tym samym nazwisku, który był w Gdyni sędzią śledczym do spraw szczególnej wagi. „Tamten" Giertych prowadził m.in. procesy niemieckich szpiegów z Pomorza, z których kilku skazał na karę śmierci. Z całą pewnością był to człowiek, którego Niemcy bardzo chcieli dostać w swoje ręce.

Po kilkunastu dniach przesłuchań gestapowcy doszli jednak do wniosku, że mają do czynienia z innym Giertychem. Po wypuszczeniu z aresztu porucznik został przewieziony na dworzec i pod eskortą zawieziony do kolejnego oflagu – Colditz. Tam, odizolowany od reszty więźniów, ubrany w mundur z demobilu czeskiej armii, miał odbyć karę miesiąca aresztu za ucieczkę.

Nie było to jednak docelowe miejsce pobytu. W grudniu porucznik Giertych został ponownie zaprowadzony na stację kolejową z innymi jeńcami i wysłany jeszcze dalej na południe Niemiec – do leżącego u podnóża Alp oflagu w Murnau. Jego komendant zapowiedział mu od razu, że jeśli będzie uciekał, zostanie rozstrzelany. Jednak i Murnau nie było ostatecznym celem podróży. W połowie stycznia pięciu polskich jeńców zostało znów zapakowanych do pociągu i wysłanych okrężną drogą – przez Salzburg, Wiedeń, Bohumin, Racibórz, Opole, Brzeg i Wrocław – do jakiejś małej stacji kolejowej na Dolnym Śląsku. Była mroźna zimowa noc, gdy porucznik w grupie jeńców pod eskortą zaczął iść pod górę wąską, ośnieżoną ścieżką. Na szczycie stromej góry ich oczom ukazał się wysoki, stary mur, a na nim tabliczka z napisem „Spitzberg".

Fort Ostróg był częścią XVIII-wiecznej pruskiej twierdzy, która została przerobiona teraz na obóz dla szczególnie niebezpiecznych jeńców. Z zewnątrz przypominał wielki, ziemny kopiec z małym, ciasnym podwórkiem po środku. W pomieszczeniach dla więźniów było wilgotno i zimno, panował surowy rygor, apele odbywały się nawet pięć razy dziennie, a więźniowie podejrzewani o zamiar ucieczki musieli oddawać na noc strażnikom spodnie i buty. Chociaż polscy jeńcy byli traktowani jak niebezpieczni przestępcy, obozowe życie przyniosło jednak kilka niespodzianek: można było na przykład zamawiać i kupować książki oraz czasopisma. Mimo że obozowa cenzura wycinała z nich mapki i inne informacje przydatne przy planowaniu ucieczki, z docierających do Spitzberga publikacji można się było całkiem sporo dowiedzieć na temat sytuacji za murami srebrnogórskiej twierdzy.

Porucznik Giertych był w grupie pierwszych jeńców, którzy – z najstarszym rangą generałem Tadeuszem Piskorem na czele – trafili do fortu Ostróg. Oflag VIIIB zaczął się jednak szybko zapełniać. Wkrótce przebywało w nim już ponad dziewięćdziesięciu oficerów, wśród których porucznik Giertych ze zdumieniem rozpoznał też dawnych przyjaciół z lat harcerstwa i wojny z bolszewikami. Wszyscy bez wyjątku Polacy, którzy trafili do Srebrnej Góry, mieli za sobą doświadczenie ucieczek z niemieckiej niewoli i chętnie się nim dzielili. Niektóre z tych historii były naprawdę mocne.

Kilku Polaków, którzy trafili wcześniej do obozu jenieckiego w Austrii, postanowiło uciekać z niego przez słoweńskie Alpy do Jugosławii. Po kilkugodzinnej wspinaczce znaleźli się jednak w miejscu, z którego nie było zejścia na drugą stronę. Noc spędzili w jakiejś skalnej jamie, w której omal nie zamarzli. Następnego dnia rano byli już tak słabi, że z trudem się poruszali. Ostatkiem sił zeszli tą samą drogą do najbliższego miasteczka, gdzie zostali natychmiast zatrzymani przez policjantów, którzy jednak, widząc, w jakim są stanie, natychmiast zabrali ich do szpitala. Tam okazało się, że uciekinierzy mają tak odmrożone stopy, że lekarz natychmiast chciał je amputować. Szczęśliwie wyperswadowała mu to pielęgniarka. Po kilkutygodniowym leczeniu nogi udało się uratować.

Inni z kolei próbowali ucieczki do Holandii. Byli już przy samej granicy, gdy nagle dopadły ich policyjne psy. Wyszkolone zwierzęta powaliły uciekinierów na ziemię i czekały, aż przyjdą strażnicy. Nie atakowały, tylko trzymały łapy na ich piersiach i kiedy zbiegowie próbowali się ruszyć, natychmiast warczały i szczerzyły kły tuż przy ich twarzach.

Jedną z najoryginalniejszych ucieczek popisała się grupa dwudziestosześcioletniego podporucznika Felicjana Pawlaka. Kilku jeńców po prostu przykryło się prześcieradłami i w śnieżną noc przeczołgało w stronę ogrodzenia. Druty też nakryli białą płachtą i po prostu przepełzli nad nimi. Chociaż strażnicy byli zaledwie kilkadziesiąt metrów od nich, niczego nie zauważyli. Zbiegowie dostali się następnie do jakiegoś pociągu towarowego i ruszyli nim na wschód – w stronę Polski. Wpadli jednak na stacji kolejowej w Zbąszyniu, niedaleko Poznania.

Fort Ostróg, wbrew intencjom niemieckich pomysłodawców, stał się więc jedynym w swoim rodzaju „uniwersytetem ucieczek". Przy takim nagromadzeniu pomysłowych i zdeterminowanych ludzi było tylko kwestią czasu, kiedy dojdzie do kolejnej próby wydostania się z obozu.

* * *

Im bliżej było wiosny, tym rozmowy o ucieczkach nabierały wyższej temperatury. Jeńcom nie umykał żaden okruch informacji. Wiedzieli już, że twierdza Silberberg znajduje się w Górach Sowich, paśmie Sudetów niedaleko Kłodzka i rzeki Nysy. Do wcielonego do III Rzeszy Sudetenlandu – Kraju Sudetów było stąd zaledwie trzydzieści kilometrów. Stamtąd prowadziła już prosta droga do Protektoratu Czech i Moraw, a dalej na Słowację, z której można się było przedostać na Węgry. W Budapeszcie działały już polskie organizacje i przedstawicielstwa rządu, które ułatwiały przedostanie się do formowanego we Francji wojska. Pokonanie takiej drogi, nawet na piechotę, mogło zająć najwyżej miesiąc.

W rozeznaniu się w topografii terenu pomogła mapka, którą jeden z nowo przysłanych do Ostroga jeńców miał w kalendarzyku. Ponieważ sam nie zamierzał uciekać, podarował ją porucznikowi Giertychowi. Plan miał skalę zaledwie jeden do dziewięciu milionów, ale zaznaczone było na nim Kłodzko, największe miasta, główne rzeki, a także całe Morawy i kawałek Słowacji. Kolejną mapkę Giertych zdobył sam w czasie wizyty u dentysty w miasteczku. Zobaczył opublikowane w lokalnej gazecie ogłoszenie związku mleczarskiego, na którym była mapa całego Dolnego Śląska z zaznaczonymi powiatami i miasteczkami. Kiedy strażnicy zajęli się rozmową, porucznik wyrwał ją potajemnie i przemycił do obozu. Powoli stawał się osobą, wokół której gromadzili się wszyscy zdecydowani na ucieczkę jeńcy.

Mapki zostały szybko odrysowane. Opracowanego na ich podstawie planu marszruty każdy uczył się na pamięć. Po ucieczce z twierdzy trzeba było najpierw minąć miasto Glatz, czyli Kłodzko, a następnie Habel-Schwerdt, czyli Bystrzycę Kłodzką. Następnie przekroczyć w górach dział wód między Nysą i Morawą, dostać się do Kraju Sudetów, tam minąć miasto Mährisch Schönberg, czyli czeski Šumperk, a dalej iść na Ołomuniec, Przerów i Uherski Brod. Potem przekroczyć granicę ze Słowacją, minąć Cieplice nad Wagiem i wzdłuż Wagu iść na Węgry.

Inną ważną sprawą było gromadzenie żywności. Jeńcy szybko stworzyli sprawny system. Dobrali się w grupy po kilka osób, by dzielić między siebie tylko część porcji, które dostawali. W ten sposób w ciągu kilku dni udawało im się odłożyć cały bochenek chleba. Potem jednak problem rozwiązał się sam. Do obozu zaczęły przychodzić paczki z Polskiego Czerwonego Krzyża i to w ilości takiej, jakiej nikt się nie spodziewał. Były to tak zwane „paczki od generała Osińskiego". Aleksander Osiński był przewodniczącym zarządu PCK w czasie wojny i pełnomocnikiem rządu na uchodźstwie w sprawie pomocy dla przebywających w niemieckich obozach polskich jeńców. Rozpoczęta przez niego akcja wysyłania paczek do Murnau szybko się rozwinęła i przesyłki zaczęły docierać także do innych oflagów. Ponieważ władze

Po złożeniu broni Giertycha czekał transport do Nienburga w Dolnej Saksonii, gdzie w oflagu X B przebywało 200 polskich oficerów. Świetnie mówiący po niemiecku i dobrze orientujący się w realiach III Rzeszy Giertych natychmiast rozpoczął przygotowania do pierwszej nieudanej ucieczki. Chociaż był inspiratorem wielkiej ucieczki z oflagu Srebrna Góra, sam został schwytany i resztę wojny spędził w niemieckich obozach.

PCK były przekonane, że Srebrna Góra to taki sam obóz jeniecki jak inne, wysyłały żywność dla kilkuset więźniów. „Elitarna" grupa z fortu Ostróg szybko zgromadziła więc zapasy sucharów, konserw, wędzonego boczku, papierosów, cukru, a nawet czekolady w ilościach takich, że spokojnie można było przetrwać z nimi nawet wielotygodniową pieszą podróż na Węgry.

Równocześnie z ustalaniem trasy marszruty i gromadzeniem zapasów trwało rozpoznanie, w jaki sposób działa system obozowego nadzoru. Jeńcy wystawiali własne nocne warty, aby obserwować i notować, kiedy i gdzie zmieniają się strażnicy oraz w jakich miejscach robią obchód. Porucznik Giertych i jego koledzy szybko doszli do wniosku, że najsłabiej pilnowana jest, stanowiąca niemal połowę obwodu, część fortu z wartownią i salą jadalną. Natychmiast powstał pomysł, by grupa planująca ucieczkę została na noc w jadalni, mając wcześniej ukryte w niej tobołki i powiązane prześcieradła, na których żołnierze zamierzali spuścić się przez okno. Pozostała jeszcze sprawa terminu. Ostatecznie postanowiono, że ucieczka odbędzie się w pierwszy ciepły dzień marca.

Pierwsza próba okazała się jednak nieudana. Chociaż w jadalni udało się wcześniej schować niezbędne do ucieczki rzeczy, samym uciekinierom nie poszło jednak tak łatwo. Zawiódł jeden z kolegów, który miał zacierać ślady, a wcześniej ukryć się razem ze spiskowcami. Kiedy wartownicy weszli do jadalni, schował się tak nieudolnie, że natychmiast go wypatrzyli. Konsekwencją były przesłuchania prowadzone przez przysłanego do twierdzy oficera Abwehry i po dziesięć dni aresztu dla każdego z podejrzanych o próbę ucieczki. Niemcy przetrząsnęli też jadalnię, ale rewizję zrobili tak nieudolnie, że nie zauważyli ukrytych tam pakunków. Jednak komendant von Zerboni kazał zabezpieczyć głębokie okienne wnęki jadalni zwojami kolczastego drutu. Ucieczka tą drogą była już niemożliwa.

Kolejna okazja zdarzyła się nadspodziewanie szybko. Jednym ze strażników okazał się bowiem Polak ze Śląska Opolskiego. Jeńcy ustalili z nim, że o określonej godzinie zejdzie z posterunku, a kiedy to nastąpiło, Jędrzej Giertych z Felicjanem Pawlakiem spuścili z okna jednej z sali dla jeńców powiązane ze sobą prześcieradła, do których przyczepiona była kukła – sposób na sprawdzenie, czy rzeczywiście nikt nie zauważy ucieczki. Niestety dostrzegli ją inni wartownicy. Kukła została rozstrzelana w ciągu kilku sekund. Konsekwencją były rewizje oraz areszty dla Giertycha i Pawlaka, którzy wzięli całą winę na siebie, oraz kolejne zwoje drutu kolczastego, którymi komendant kazał zabezpieczyć okienne wnęki. Prawdziwe konsekwencje miały jednak dopiero nadejść.

Na początku kwietnia dwudziestu jeńców dostało niespodziewanie polecenie zabrania bagaży i opuszczenia fortu. Szczęśliwie udało im się przemycić ze sobą wszystkie cenne przedmioty. Polaków przeprowadzono na drugą stronę przełęczy do położonego jeszcze wyżej niż Spitzberg fortu Hohenstein, Wysoka Skała. To już nie był ziemno-kamienny kopiec, ale wykuta w skale mała forteca. Komendant von Zerboni nie ukrywał przed więźniami, że przeprowadzka jest karą za wcześniejsze próby ucieczek. Opuścił fort przekonany, że rozwiązał problem raz na zawsze.

Tymczasem jeńcy natychmiast zaczęli szukać słabych punktów swojego nowego więzienia. Szybko odkryli dwa. Pierwszą możliwą drogą ucieczki był wylot wychodzącego prosto do fosy ustępu. Po jego poszerzeniu mógłby się tam przecisnąć dorosły mężczyzna. Drugą opracowaną *ad hoc* metodą było poczekanie na mglistą noc i wspięcie się po drutach kolczastych na szczyt fortu, a następnie prześlizgnięcie obok wartownika. Jednak poczynione w jadalni przez Zdziśka Ficka odkrycie przebijało tamte metody. To była najprostsza droga do wolności.

* * *

Do wieczornego apelu wszystko było przygotowane do ucieczki – tobołki z prowiantem oraz ubraniami przeniesione i ukryte w jadalni, ustalone ostatnie szczegóły. Nogę z fortu Hohenstein zamierzało dać dziesięciu Polaków podzielonych na trzy grupy. Pierwszą tworzyli Jędrzej Giertych, Michał Niczko i Zdzisław Ficek; dwaj pierwsi z Warszawy, trzeci z Borysławia, dobrze zaprzyjaźnieni, wszyscy w wieku trzydziestu pięciu–trzydziestu siedmiu lat i po służbie w Marynarce Wojennej. W skład drugiej, największej grupy wchodziło czterech jeńców – Jan Niestrzęba, Zygmunt Mikusiński, Jerzy Klukowski i Zdzisław Dębowski; trzej z Warszawy, jeden z Nowego Sącza. W trzeciej grupie znaleźli się najmłodsi podoficerowie: Felicjan Pawlak z wielkopolskiej Krobi, Jan Gerstel z Kołomyi i Tadeusz Wesołowski z Warszawy, cała trójka w wieku dwudziestu sześciu-dwudziestu siedmiu lat.

Wszystkie grupy miały ten sam cel – przedostanie się na Węgry, ale każda z nich miała iść nieco inną trasą, aby rozproszyć siły pościgu. Na skład grup wpłynęły w dużym stopniu osobiste przyjaźnie i wspólne doświadczenia, ale brano też pod uwagę, by w każdej ekipie znalazł się ktoś dobrze mówiący po niemiecku. Najlepiej znali ten język Giertych i Gerstel, którzy byli jednocześnie najbardziej zaangażowani w przygotowanie planu ucieczki. Nic więc dziwnego, że wielu więźniów chciało uciekać właśnie z nimi. Ustalono jednak, że grupy muszą być trzy, gdyż inaczej ekipy przemieszczające się przez okupowane tereny zbyt mocno rzucałyby się w oczy.

Apel był o ósmej wieczorem, godzinę później miała zacząć się kolacja. Padał deszcz, więc major Baranowski zaproponował szefowi wartowników, zwanemu przez więźniów Pipablatt, by Polacy weszli wcześniej do jadalni i odmówili modlitwę. Mieli zostać w niej sami, gdyż pomieszczenie było na tyle małe, że nie było już w nim miejsca dla wartowników. Pipablatt zgodził się i zamknął jeńców od zewnątrz. Sprawy szły lepiej, niż można się było spodziewać; dziesięciu uciekinierów miało całą godzinę na ucieczkę, zanim Niemcy znów otworzą drzwi.

Zaraz po zamknięciu jadalni dziesięciu Polaków otworzyło spreparowanym kluczem drzwi do magazynu i dało nura do środka razem z tobołkami, chowając się pod składowane tam prycze. W tym czasie pozostali jeńcy z majorem Baranowskim rozpoczęli głośne modlitwy. Gdy na dobre zapadł już zmrok, uciekinierzy zaczęli wychodzić przez okno. Pierwsza miała iść „grupa marynarska" z Jędrzejem Giertychem, druga – największa czteroosobowa, a na końcu ekipa z Pawlakiem, Gerstelem i Wesołowskim.

Pierwszych trzech Polaków wyjęło wydłubane wcześniej i ułożone na powrót luzem cegły z muru. Przecisnęli się przez otwór do wnęki okiennej i otworzyli okno. Za nim zamiast krat były luźne zwoje drutu kolczastego, które trzeba było rozplątać. Zajęło to kilka minut. Gdy się z tym uporali, przerzucili przez okno powiązane ze sobą prześcieradła. Prowizoryczna lina była wystarczająco długa – sięgała do samej fosy. Pierwszy wyszedł porucznik Giertych. Z ciężkim marynarskim workiem na plecach powoli spuszczał się w dół, opierając się kolanami o śliski kamienny mur. Kiedy pierwsza trójka była już na dole, ruszyła biegiem w dół fosy na jej przeciwległą stronę. Wspinali się jak szaleni po śliskiej trawie, chwytając się rosnących w szczelinach skał drzewek.

Gdy weszli na koronę otaczającego fosę wału, Giertych był już bliski omdlenia. Dawała znać o sobie nieleczona, ujawniona jeszcze przed wojną choroba serca. Dziesięć minut dochodził do siebie, zanim wstał i pogratulował towarzyszom udanej ucieczki. Ze zdziwieniem zauważył jednak, że w jego grupie oprócz Niczki i Ficka jest jeszcze dwóch zbiegów z grupy drugiej – Jan Niestrzęba i Zygmunt Mikusiński, zwany też „Jurkiem". Odbył się między nimi następujący dialog:

– Panie poruczniku Niestrzęba, gdzie jest pańska grupa? – zapytał Giertych.

– Zgubiliśmy się w lesie z kolegami. Musimy trzymać się panów – usłyszał w odpowiedzi.

– Pan chyba zdaje sobie sprawę, że w pięciu iść nie możemy. To jest za duża kupa. Jest nas trzech i nie możemy grupy powiększać. Muszą panowie iść sami – odpowiedział porucznik.

– Nie może nas pan zostawić na łaskę losu! – prosił Niestrzęba.

– Dlaczego na łaskę losu? Jest panów dwóch. Mogą panowie doskonale dać sobie radę bez nas.

– Nie mamy ani mapy, ani żywności

– Że nie macie mapy, to mogę zrozumieć. Możemy zostać razem do rana i jak się rozwidni, pan sobie moją mapkę odrysuje. Ale jak to może być, że nie macie żywności?

– Podzieliliśmy się w ten sposób, że ja niosę papierosy, a moi trzej koledzy niosą żywność. Ja nie mam ani okruszynki żywności, a to, co ma Jurek, na nas dwóch nie wystarczy.

Porucznik Giertych podejrzewał, że Niestrzęba celowo oddzielił się od swojej grupy, a nieświadomy Mikusiński poszedł za nim. Prawdopodobnie chciał dołączyć do ekipy, która miała większe doświadczenie. Wyglądało więc na to, że z największej, czteroosobowej grupy zrobiła się najmniejsza i dalej z mapą oraz zapasami żywności ruszyła tylko dwójka zbiegów – Dębowski i Klukowski. Tymczasem grupa Giertycha rozrosła się do pięciu ludzi, z których jeden nie miał ze sobą w ogóle żywności. Było niemal pewne, że wprowadzi to ferment w małym, zgranym dotąd zespole, jednak Giertych nie zdecydował się na odesłanie nieproszonych gości. Ucieczka zaczynała się od problemów i odtąd historia każdej z grup uciekinierów miała biec zupełnie innym torem.

* * *

Po odmówionej w jadalni modlitwie, która miała zagłuszyć odgłosy ucieczki, major Baranowski rozpoczął realizację drugiej części „planu osłonowego". Teraz dziesiątka pozostałych w pomieszczeniu jeńców miała stworzyć wrażenie, że jest ich co najmniej dwa razy tyle. Chodzili więc z miejsca na miejsce, przestawiali ławy, szurali stołami, prowadzili głośne dyskusje, a gdy otworzono drzwi do jadalni zaczęli kursować w kółko między nią a pomieszczeniami sypialnymi, przenosząc jedzenie, naczynia i co wpadło im w ręce. Tymczasem dziesiątka zbiegów podzielona na trzy grupy coraz bardziej zagłębiała się w świerkowo-jodłową gęstwinę Gór Sowich.

Pięcioosobowa grupa porucznika Giertycha schodziła stromym zboczem góry wzdłuż potoku. Po kilku godzinach marszu zbiegowie zauważyli światła domów. Według ustalonego planu marszruty miała to być wioska położona w wąskiej dolinie, którą przecinała szosa do Kłodzka. Po zejściu niżej zbiegowie zauważyli jednak ze zdumieniem, że zamiast szosy dolinę przecina tor kolejowy. Skąd się tu wziął?

– Panowie, zeszliśmy na złą stronę, nie na Kłodzko, a na Wrocław. Trzeba wracać – powiedział Giertych.

Porucznik zorientował się szybko, jak doszło do pomyłki. Prawdopodobnie gdy wstał po zadyszce, odruchowo poszedł za kolegami, którzy zamiast w lewo od fosy skręcili w prawo. Potem zrobiło się zamieszanie z dwoma dodatkowymi ludźmi i tak doszli do Srebrnogóry. Teraz musieli obejść ją dookoła, aby znaleźć się po drugiej stronie górującej nad nią twierdzy. Zadanie było koszmarnie trudne, gdyż cała miejscowość poprzedzielana była wysokimi żywopłotami. Wypatrywali więc dziur w gęstych krzakach i prześlizgiwali się nimi, czołgając się w błocie. Na widok ludzi padali na ziemię. Po kilku godzinach udało im się w końcu znaleźć po przeciwległej stronie doliny. Tam znów zaczęli wspinać się na strome zbocze. Był już świt, gdy przed ich oczami rozpostarł się od dawna oczekiwany widok – panorama fortów Spitzberg i Hohenstein oraz głównej cytadeli srebrnogórskiej. Chociaż byli zmęczeni i brudni, był to moment wielkiej satysfakcji. Patrząc na swoje dawne więzienie, podzielili chleb i boczek, aby zjeść pierwszy od momentu rozpoczęcia ucieczki posiłek.

Przez kolejne dni pięciu uciekinierów szło przez Sudety na południe. Nocowali w lesie, zwykle w dzień, przykryci płaszczami na zrobionych z gałęzi legowiskach. Punktami orientacyjnymi były drogi, doliny, rzeki i tory kolejowe. Chociaż starali się maszerować, kiedy było ciemno, kilkakrotnie zostali zauważeni przez miejscową ludność. Raz zdradziły ich osuwające się z nasypu kolejowego kamienie. Usłyszeli „*Halt*", ale udało im się zbiec. Innym razem wypatrzyły ich jakieś młode dziewczyny, które z krzykiem uciekły. O tym, że została zorganizowana za nimi obława, świadczył fakt, iż pewnego razu głęboko w lesie usłyszeli dźwięk motocykla. Na maszynie jechało dwóch żandarmów. Nie zauważyli jednak ukrytych w gęstwinie zbiegów.

Przez Kotlinę Kłodzką przemykali jak gromada duchów, w ciemności, deszczu i mgle. Byli coraz bardziej wyczerpani. Gdy wydawało się, że stracą całkiem siły, wyszło słońce i nastał pierwszy naprawdę ciepły dzień wiosny. W gęstym zagajniku, na polanie, która była zwykle legowiskiem dzików, mogli wreszcie zdjąć i wysuszyć ubrania oraz buty, a także zagotować na maleńkim ognisku wodę na herbatę – pierwszy gorący napój od kilku dni. Po śniadaniu padli; spali kilkanaście godzin i obudzili się z nowymi siłami do marszu.

Im dalej szli na południe, tym częściej musieli przeprawiać się przez strumienie i rzeki, najprawdopodobniej górskie dopływy Nysy. Był to znak, że powoli zbliżają się do działu wód. Tam miał zakończyć się pierwszy etap ucieczki – z Dolnego Śląska na Morawy. Pewnej ciemnej nocy natknęli się jednak na przedziwny widok: niczym zamarznięty wodospad, wysoko nad ich głowami. Co to było? Okazało się, że mają przed sobą gładką, betonową ścianę. Porucznik Giertych szybko skojarzył, że musiała to być jedna z tych zapór, które Czesi zbudowali w latach trzydziestych, spodziewając się niemieckiego ataku na ziemie sudeckie. Z takimi fortyfikacjami mogliby się bronić tygodniami, jednak nigdy nie zostały one użyte. Kraj Sudetów został „przehandlowany" przez Zachód w imię iluzorycznego pokoju z Hitlerem na konferencji w Monachium i bez jednego wystrzału przeszedł we władanie III Rzeszy. Potężna zapora była jednak dowodem na to, że znaleźli się na dawnej niemiecko-czechosłowackiej granicy.

Obchodzili długo budowlę, aż znaleźli jakieś przejście. Po kolejnym noclegu w lesie zaczęli w końcu schodzić w dół, na południową stronę górskiego pasma. Po około trzech kilometrach pojawiła się dolina, którą przecinało kilka dróg. Przy ich zbiegu stał drogowskaz z napisem „Mährisch Schönberg". To był właśnie kierunek na czeski Šumperk, jeden z głównych punktów orientacyjnych w trasie na Węgry. Byli na dobrej drodze. Od miasta dzieliła ich odległość, którą mogli pokonać w jedną noc.

Zmęczenie dało jednak o sobie znać. Chociaż porucznik Giertych planując ucieczkę, chciał poruszać się głównie po bezdrożach, wędrując przez lasy i pola, szeroka, asfaltowa, równa szosa była wielką pokusą. Większość ekipy była za tym, by skorzystać z okazji i pójść wygodnym traktem. Tak też zrobili, obiecując sobie, że będzie to wyjątek. Kiedy jednak doszli do przejazdu kolejowego, przy którym czekała gromada ludzi i nikt nie zwrócił na nich uwagi, nabrali odwagi.

– Widzisz? Nikt się nami nie przejmuje! Po co się męczyć po wertepach? Chodźmy dalej po szosie! – przekonywał porucznik Niestrzęba.

Rzeczywiście byli już w innym regionie, zarządzanym przez inną administrację i mało prawdopodobne było, by tutejsze władze oraz policja brały udział w obławie za zbiegami z drugiej strony Sudetów. Porucznik Giertych podświadomie czuł jednak, że łamiąc raz ustaloną zasadę, będą ją łamać już zawsze i w końcu to się zemści. Póki co jednak droga prowadziła prosto do Šumperku i zbiegowie nie mieli zamiaru z niej schodzić. Aby nie zwracać na siebie uwagi, nie szli w grupie, ale luźno rozproszeni po obu stronach jezdni.

Wyglądali całkiem znośnie: Giertych w skórzanym płaszczu i narciarskiej czapce, Niczko i Ficek co prawda w mundurach marynarskich, ale pozbawionych pagonów i wojskowych odznaczeń wyglądali prawie jak cywile. Niestrzęba też miał marynarską kurtkę, a Mikusiński nieprzemakalny płaszcz i zawiązany na głowie kolorowy szal. Po wmieszaniu się w grupę miejscowych nie wyróżniali się wyglądem. Zdarzyło się raz czy dwa, że przyglądał się im jakiś policjant, ale najwyraźniej nie dostrzegł nic na tyle podejrzanego, by zatrzymać ich i zażądać okazania dokumentów.

Spali w lesie lub przydrożnych krzakach. Raz zauważył ich tam jakiś parobek, który natychmiast uciekł, ale najwyraźniej policji nie powiadomił. Po minięciu Šumperku kolejnym celem na trasie ucieczki był Ołomuniec, drugie po Brnie największe miasto Moraw, leżące już na terenie Protektoratu. Minęli Zabreh, za miasteczkiem weszli do leśnej doliny. Prowadziła do położonej na wzgórzu wioski Nemile. Tam drogę zagrodziła im rzeka, ale to nie mogła być dzieląca Protektorat Czech i Moraw oraz Kraj Sudetów Morawa. Nie było wyjścia, trzeba było wracać do miasteczka i zasięgnąć języka. Zaszli do jednego z domów na przedmieściu. Otworzył młody chłopak. Giertych odezwał się do niego po niemiecku, ale ten powiedział, że nie rozumie. Był Czechem. Porucznik postanowił więc zagrać z nim w otwarte karty.

– *My sme polscy wojacy. Utiekli sme s Nimecka s lagru, s taboru. Idieme do Uherska i do Francie* – powiedział najlepszym czeskim, na jaki było go stać.

Chłopak patrzył przejęty, widać było, że zaimponowali mu ci nieznani ludzie.

– *Poczekejte, ja mam kartu* – powiedział.

Miał mapę, na której chciał pokazać, jak daleko jest do granicy z Protektoratem. Rozmowę przerwało jednak pojawienie się dwóch młodych ludzi na rowerach w mundurach Hitlerjugend. Przerażony Czech schował się w domu. Zbiegowie ruszyli dalej.

* * *

Chociaż znajdowali się na dobrej drodze, byli coraz bardziej skłóceni. Ostrożny, przewidujący i zdeterminowany porucznik Giertych nalegał, by jeszcze raz spytać kogoś o odległość od granicy i potwierdzić szczątkowe informacje uzyskane w czasie przerwanej rozmowy z młodym Czechem. Naciskał, by na noc schodzić z drogi, unikać, na ile się da, niepotrzebnych spotkań. Tymczasem reszta zespołu coraz bardziej miała dość pieszej wędrówki. „Krecią robotę” robił tu porucznik Niestrzęba nalegający, by wejść w bliższy kontakt z miejscową ludnością, postarać się o pomoc jakiejś organizacji, przedostać na Węgry samochodem lub koleją – byle szybciej. Brak zdecydowania na początku wyprawy wobec dwóch „ponadplanowych" członków grupy dawała o sobie boleśnie znać. Pod wpływem porucznika Niestrzęby coraz bardziej spadała motywacja pozostałej trójki. Tak idąc szosą w ponurych nastrojach, minęli o drugiej w nocy miasteczko Mohelnice, za którym pojawił się biegnący wzdłuż szosy tor kolejowy.

Dwa kilometry dalej wypadała pora kolejnego postoju. Znaki drogowe pokazywały, że do Ołomuńca było jeszcze trzydzieści kilometrów. Według relacji młodego Czecha do granicy z Protektoratem powinno być jeszcze dziesięć. Kilkaset metrów dalej majaczyło czerwone światełko, które uznali za przejazd kolejowy. W polu stały duże stogi siana. Uciekinierzy skryli się za nimi na krótki odpoczynek.

Porucznik Giertych ma jednak złe przeczucia. A jeśli Czech się pomylił i granica jest bliżej? Nie mogą tak po prostu przekroczyć jej, idąc szosą. Muszą zaraz odbić gdzieś w bok, do lasu i próbować przemknąć się z dala od zamieszkałych terenów. Tej nocy jest zdecydowany maszerować dalej, jednak zmęczony zasypia podobnie jak inni uciekinierzy.

– *Hände hoch!* – budzi go nagły krzyk.

Otwiera oczy i widzi przed sobą policjanta z wycelowaną bronią. W ich stronę biegną kolejni ludzie w mundurach. Po chwili cała piątka pod eskortą idzie w stronę czerwonego światełka, które okazuje się przejściem granicznym. Przeczucie nie myliło porucznika. Granica był już tutaj, zbiegowie zrobili sobie biwak zaledwie 200 metrów od strażnicy. Policjanci usłyszeli ich kroki na asfalcie, widzieli, jak poszli za stóg z sianem. Wciąż jednak nie mieli pojęcia, kogo naprawdę złapali. Nie było sensu ukrywać prawdy. Giertych opowiedział ze szczegółami historię ucieczki z obozu, dodając, że celem zbiegów było dotarcie do polskiej armii na Zachodzie. Jednak takiej reakcji strażników się nie spodziewał. Na wieść o tym, że Polacy mieli zamiar dotrzeć do Francji, policjanci omal nie padli ze śmiechu.

– Do Francji? Za późno! Wojna lada chwila się skończy. Nasza ofensywa na Zachodzie ruszyła! Belgia i Holandia skapitulowały.

Linia Maginota przebita! Paryż skapituluje lada dzień! – strażnicy trzymali się za brzuchy.

Chociaż w wartowni zrobiło się niespodziewanie wesoło, Polakom nie było do śmiechu. Stali z ponurymi minami. Dotarło do nich, że w czasie, gdy oni kryli się po lasach, Hitler rozpoczął zwycięską wojnę na Zachodzie. Był poranek 16 maja 1940 roku i chociaż później się okazało, że podane przez strażników wiadomości są mocno przesadzone – Francję dzielił od kapitulacji jeszcze miesiąc – to dla Polaków usłyszane właśnie informacje były prawdziwą katastrofą.

Policjanci szybko odesłali zbiegów do pobliskiego aresztu. Rozpoczęła się seria przesłuchań, które prowadzili w imieniu gestapo dwaj oficerowie niemieckiej policji. Potem Polaków ulokowano w więzieniu, do którego po kilku dniach przybył po nich duży konwój ze Srebrnej Góry. Jego dowódca opowiedział ze szczegółami naczelnikowi więzienia, jak polscy jeńcy uciekli z solidnie pilnowanej fortecy i dlaczego są tak niebezpiecznymi ludźmi, że musi ich zabrać stąd aż kilkudziesięciu uzbrojonych ludzi. Obecnej przy rozmowie żonie naczelnika tak spodobała się ta historia, że w nocy zakradła się pod cele, w których przetrzymywano zbiegów, by porozmawiać z nimi i wyrazić swój podziw oraz sympatię.

Tymczasem następnego dnia piątka Polaków została zapakowana do pociągu w Mohelnicy i pod silną strażą przewieziona z powrotem do oflagu VIIIB. W areszcie czekali tam już na nich Klukowski i Dębowski. Wpadli piątego dnia po ucieczce, zauważeni przez jakieś młode dziewczyny, które zawiadomiły policję. Niewykluczone, że były to te same, które później uciekły na widok grupy Giertycha. Niemcom nie udało się jednak dotąd pochwycić nikogo z trzeciej grupy zbiegów. Wyglądało na to, że Pawlak, Gerstel i Wesołowski wciąż byli w drodze na Węgry.

Klukowski i Dębowski znali już całą historię wydarzeń, które rozegrały się w forcie Wysoka Skała następnego ranka po ucieczce i z przyjemnością opowiedzieli ją kolegom. Wyglądało na to, że tego wieczora, kiedy 10 jeńców dało nogę, Niemcy nie zorientowali się w ogóle, że brakuje połowy więźniów – tak skutecznie zadziałał zastosowany przez majora Baranowskiego system dezinformacji. Sprawa wyszła na jaw dopiero następnego dnia.

Kiedy Pipablatt pojawił się na placu apelowym, stała na nim w niedbałych pozach grupa dziesięciu więźniów. Niemiec podszedł do majora Baranowskiego.

– Apel niegotowy? Dlaczego nie zdajecie mi raportu? Gdzie reszta? – spytał wyraźnie urażonym tonem.

Major wzruszył ramionami.

– Nie wiemy – odpowiedział krótko.

Pipablatt poczerwieniał:

– Jak to nie wiecie? Musicie wiedzieć, gdzie są wasi koledzy!

– Nie jest naszą rzeczą pilnować kolegów – usłyszał w odpowiedzi.

Pipablatt wciąż się nie domyślał, co mogło się wydarzyć. Przekonany, że jeńcy pochowali się dla żartu, kazał wartownikom sprawdzić wszystkie pomieszczenia. Nikogo w nich jednak nie było. Coraz bardziej wściekły rozkazał więc trzem ludziom obejść fort dookoła. Po krótkiej chwili w bramie pojawił się jeden z wartowników, krzycząc:

– *Herr Oberleutnant! Herr Oberleutnant! Sie sind enflohen!* (Oni uciekli!)

Spuszczona z okna magazynu lina z prześcieradeł powiewała na wietrze jak chorągiew. Nie było wątpliwości, co się wydarzyło.

Pipablatt miał podobno taką minę, jakby miał się rozpłakać.

– To jest dopiero wściekłe świństwo! – klął, miotając się przed szeregiem coraz bardziej rozbawionych Polaków.

Konsekwencje tego zdarzenia mogły być jednak bardzo przykre dla jeńców. Wkrótce do Srebrnej Góry zaczęły zjeżdżać komisje śledcze z Wrocławia i Berlina. Komendanta von Zerboniego i Pipablatta za dopuszczenie do kompromitującej ucieczki połowy więźniów z najlepiej strzeżonego obozu jenieckiego postawiono przed sądem wojennym. Świadkami w rozprawie byli

Klukowski i Dębowski. Ponieważ wpadli jako pierwsi, całą winę wzięli na siebie, twierdząc, że to oni przygotowali drogę ucieczki, a inni tylko z niej korzystali. Polacy bronili też przed sądem von Zerboniego i Pipablatta, mówiąc, że jeńcy cały czas byli dobrze pilnowani i ucieczka była niesłychanie trudnym przedsięwzięciem. Komendanta i jego zastępcę uniewinniono, chociaż von Zerboni musiał wkrótce pożegnać się ze swoim stanowiskiem w Oflagu VIIIB.

Być może właśnie dzięki zeznaniom Klukowskiego i Dębowskiego przebywających w forcie Hohenstein jeńców potraktowano wyjątkowo łagodnie. Widać też było, że upojeni szybkimi zwycięstwami na Zachodzie Niemcy przybrali pozę „łaskawych panów". Siódemce schwytanych uciekinierów za ich wyczyn wymierzono wyłącznie regulaminowe kary aresztu.

* * *

Tymczasem 16 maja, gdy grupa Giertycha w asyście strażników była właśnie odprowadzana do aresztu w Mohelnicach, ostatnia trójka uciekinierów była już szesnaście kilometrów dalej, za granicą z Protektoratem, w małej wsi niedaleko miasteczka Litovel. Znaleźli tam wspaniałą gościnę w domu Czechów, którzy nie tylko kupili im mapę i kompas, ale wyprawili na cześć polskich oficerów prawdziwą ucztę z pieczonym koźlęciem. Po pierwszym sytym posiłku od dziesięciu dni zbiegowie spali teraz jak królowie w czystych łóżkach. Po niesamowitym skoku, jaki wykonali w ciągu ostatnich trzech dób, pokonując w ich trakcie ponad 130 kilometrów z Hermanic w okolice Litovela, zbierali teraz siły przed kolejnym etapem – wyprawą na Słowację i dalej na Węgry.

Wyprawa Pawlaka, Gerstela i Wesołowskiego zaczęła się jednak pechowo. W czasie jednego z nocnych marszów przez Sudety obsunęło się pod nimi zbocze góry. Zjechali w dół, tłukąc się dotkliwie, zgubili czapki, podarli ubrania. Kiedy znaleźli się na dole zbocza wśród zwałów ziemi i kamieni, byli bliscy omdlenia. Mieli mocno stłuczone kolana, bolały ich kręgosłupy.

Wydawało się przez chwilę, że to już koniec eskapady, jednak nadludzkim wysiłkiem zmusili się do marszu. Spali w lesie, postoje wykorzystywali na reperowanie zniszczonych ubrań. Kiedy w jednej z wsi zauważyli suszące się na słońcu spodnie, nie zastanawiali się nawet chwilę. Potem przy jednej ze stacji kolejowych próbowali dostać się do pociągu towarowego, jednak spłoszyli ich strażnicy, innym razem strzałami przegonił ich dróżnik pilnujący przejazdu. W końcu ósmego dnia ucieczki udało im się zejść na południową stronę Sudetów do przygranicznych Hermanic. Tam w domu życzliwej Czeszki zjedli pierwszy od dawna gorący posiłek i dowiedzieli się, że Niemcy napadły na Belgię.

Z domu gościnnych Czechów koło Litovela wyruszyli następnego dnia na południe. Minęli Prościejów i skręcili na wschód, w stronę Dubu nad Morawą. Idąc wieczorem drogą, stanęli w pewnym momencie oko w oko z niemiecką wartą, ale minęli ją bezczelnie z pewnymi minami. Chociaż wojskowe buty zbiegów robiły hałas, Niemcom nie przyszło do głowy, że mogą mieć w takim miejscu do czynienia z polskimi oficerami. 19 maja minęli Kostelec, następnego – Holeszów i Kaszawę, gdzie prosili o nocleg katolickiego księdza. Jednak ten, przerażony, odmówił im pomocy. 22 maja byli już w przygranicznej miejscowości Makyta. Gościny udzieliła im prowadząca pasiekę para staruszków. Co prawda byli biedni jak myszy kościelne i do jedzenia mogli zaproponować Polakom jedynie suszone gruszki, ale za to można się było u nich umyć i ogolić.

Następnego dnia, omijając patrole, zbiegowie przekroczyli słabo pilnowaną granicę Protektoratu i weszli na Słowację. Dalsza droga prowadziła do miasta Mojtin, położonego wśród zalesionych gór. Chociaż początkowo zamierzali iść wzdłuż rzeki Wag, która przecinała drogę do Mojtina, Pawlak, Gerstel i Wesołowski uznali, że bezpieczniejsze niż bezleśna rzeczna dolina będą góry.

Nocowali w pasterskich szałasach, kempingowych górskich domkach albo często spotykanych na Słowacji wiatach z zadaszonych strychem, na którym można było schować się przed

Jędrzej Giertych (na wózku) w 1991 roku,
na spotkaniu byłych jeńców obozu w Colditz,
gdzie Polak trafił po pierwszej nieudanej ucieczce.

deszczem. Przed nimi była droga do Małych Bielic, gdzie zamierzali dotrzeć w niedzielę 26 maja. Mijał właśnie trzeci tydzień ucieczki, w czasie której pokonali ponad 600 kilometrów, oddalając się od fortu Hohenstein. Po pierwszych problemach los się do nich uśmiechnął. Na Słowacji ludzie byli biedni, ale mili i przyjaźni. Chętnie dyskutowali o polityce, zarobkach. Problemem w tych regionach był brak pracy. Jakiś bezrobotny Słowak podzielił się z nimi śniadaniem. Spotkany na drodze mężczyzna, który przedstawił się jako „inżynier”, dał zbiegom chleb, mleko i dziesięć koron w gotówce. Aby przenocować, skręcali z drogi na pobliskie wzgórza, gdzie zawsze trafiła się jakaś zadaszona budowla. Do Węgier mieli już „rzut beretem”. Co prawda następny na drodze Melek był przed wybuchem wojny słowackim miasteczkiem, ale potem został zagarnięty przez Madziarów i teraz granica przebiega tuż przed nim, na rzece Żytawie.

Most był pilnowany, więc rzekę trzeba było pokonać wpław. Pierwszy wszedł do niej Felicjan Pawlak. Woda sięgała mu do szyi. Dwaj pozostali zbiegowie byli od niego znacznie niżsi. Idąc po dnie, przeniósł więc ich ubrania, a oni popłynęli za nim. Przez resztę nocy szli polnymi drogami, aż około czwartej nad ranem znaleźli jakąś krytą strzechą budowlę. Przenocowali w niej, a koło południa Gerstel wyprawił się na zwiad, aby sprawdzić, czy rzeczywiście są na terenie Węgier. Drogowskazy nie pozostawiały wątpliwości. Od Budapesztu dzieliło ich zaledwie 120 kilometrów.

Porucznik przyniósł też inne informacje. Zapukał do domu, w którym mieszkała samotna kobieta, jak się okazało – Słowaczka. Jej mąż służył w wojsku i pilnował jednego z obozów dla internowanych na Węgrzech polskich oficerów. Kobieta ostrzegała przed Węgrami, wśród których – jak twierdziła – jest wielu agentów niemieckiego gestapo. Póki się da, radziła korzystać z gościny mieszkających po tej stronie granicy Słowaków. Idąc za jej wskazówkami, trójka zbiegów zapukała wieczorem do domu, w którym mieszkał gościnnie młody nauczyciel z żoną. Poczęstowali Polaków chlebem, paprykowaną słoniną i doskonałą kawą, a potem naszkicowali plan dalszego marszu. Okazało się, że trasa do Budapesztu wcale nie jest taka łatwa, jak się mogło początkowo wydawać. W odległości około 60 kilometrów od wsi było miasto Parkany, po słowacku Štúrovo, w którym znajdował się bardzo silnie strzeżony most na Dunaju. Praktycznie niemożliwe było przejście nim na piechotę, aby nie narazić się na kontrolę dokumentów. Trzeba było znaleźć inny sposób.

W dalszą drogę ruszają około jedenastej wieczorem. Idą całą noc, są już na terenach etnicznie węgierskich i znów mają szczęście. Kolejny gospodarz, do którego pukają, też okazuje się Słowakiem. Karmi ich, nocuje, a rano Polacy „robią handel" z jego parobkami, aby zdobyć trochę węgierskiej waluty. Sprzedają zegarek, nóż, kilka żyletek, zapasowe spodnie i kurtkę, za które dostają kilka węgierskich pengo. W kolejnej miejscowości na trasie czeka ich następna niespodzianka. Kierownikiem szkoły zawodowej jest Polak, znany przed wojną polski szpadzista, a uczniami też głównie Polacy z województw lwowskiego i stanisławowskiego. Zbiegowie dostają w stołówce prawdziwy obiad, prowiant na drogę oraz cenną rzecz – plan Budapesztu, na którym kierownik zaznacza im miejsce, gdzie znajduje się polski konsulat – Vaci utca 37. Tak wyekwipowani ruszają na pobliską stację kolejową i kupują bilety do Budapesztu.

Przesiadka jest w Parkanach. Pełno tam wojska i policji, ale Polacy siadają między funkcjonariuszami pewni, że tym sposobem unikną kontroli dokumentów. I nie mylą się. Pociąg mija Dunaj, wjeżdża do Ostrzyhomia i stamtąd kieruje się prosto w stronę węgierskiej stolicy. Na dworcu Keleti wysiadają o godzinie piątej po południu. Jest 31 maja 1940 roku. Dotarcie do celu zajęło im równo dwadzieścia pięć dni.

Polacy łapią taksówkę i – oferując kierowcy niezły napiwek – proszą go, by jak najszybciej zawiózł ich do konsulatu. Na trzecie piętro wpadają niemal biegiem, śmiejąc się jak szaleni. Kiedy chaotycznie zaczynają opowiadać historię swojej ucieczki, zbiega się niemal cały personel placówki. Formalności odłożono do jutra. Portier ambasady zaprowadził całą trójkę do specjalnie przygotowanej w mieście na takie okazje „meliny". Tam kłębił się już tłum Polaków. Był nawet kolega porucznika Pawlaka z wojska, który tego samego dnia dotarł do Budapesztu z okupowanego kraju, gdzie po piętach deptało mu gestapo.

Następny dzień upływa na przymierzaniu cywilnych ubrań, robieniu zdjęć do nowych dokumentów, rozmowach z uciekinierami z Polski i zwiedzaniu miasta. W końcu nadchodzi wieczór, o którym trójka uciekinierów marzyła od samego początku. Pawlak, Gerstel i Wesołowski idą do modnej knajpy Ostenda i kupują kilka butelek wina. Pora oblać sukces i powiadomić o nim kolegów, którzy zostali w forcie Wysoka Skała. Następnego dnia do Srebrnej Góry zostaje wysłana pocztówka z zaszyfrowaną wiadomością. W obozie wzbudzi ona nieopisaną radość. Trójce oficerów ucieczka się powiodła! Są w drodze do polskiej armii!

* * *

Kolejnym etapem trasy był obóz w Lenti, tuż przy granicy z Jugosławią. Oficjalnie było to miejsce dla internowanych polskich oficerów, w rzeczywistości stanowiło punkt przerzutowy dla tych, którzy chcieli dostać się do jednostek tworzonych przez Brytyjczyków na Bliskim Wschodzie. Władze węgierskie patrzyły na ucieczki Polaków przez palce pod warunkiem jednak, że były wcześniej o nich informowane; wtedy uciekinierzy mogli liczyć nawet na pomoc specjalnie przysłanego przemytnika. Chodziło o to, by wszystko poszło możliwie jak najsprawniej i aby o niczym nie dowiedzieli się Niemcy. Porucznicy Gerstel i Wesołowski przedostali się do Jugosławii jeszcze w czerwcu, Felicjan Pawlak dwa tygodnie później. Po dotarciu w okolice Zagrzebia został tam „zamelinowany" na kilkanaście dni przez sprawnie działającą polską siatkę przerzutową. Po tym, jak w połowie czerwca upadła Francja, sprawy się skomplikowały – trzeba było opracować nową trasę. W połowie lipca porucznik z kilkunastoosobową grupą Polaków pojechał więc pociągiem do Belgradu, a stamtąd do tureckiego Stambułu. Po kilku dniach pobytu nad Bosforem i wysłaniu kolejnej kartki do kolegów w Hohenstein został znów zapakowany do pociągu i wyekspediowany na południe, do odległego o 800 kilometrów portu Mersin. Tam już czekał na grupę polski statek „Warszawa", który 19 sierpnia wysadził ich w palestyńskiej Hajfie.

Po dotarciu do komendantury polskiej Samodzielnej Brygady Strzelców Karpackich porucznik Pawlak natychmiast zaczął poszukiwania swoich dwóch towarzyszy ucieczki, którzy dotarli do Palestyny przed nim. Okazało się, że Brytyjczycy internowali ich w obozie dla Żydów i Arabów podejrzanych o działalność przeciw administracji kolonii. Przyczyną był fakt, że Gerstel i Wesołowski nie potrafili w wystarczająco przekonujący sposób udowodnić swojej tożsamości, a w ich ucieczkę z górskiej fortecy brytyjscy biurokraci po prostu nie uwierzyli. Potraktowali ich więc jak szpiegów. Dopiero, gdy Janek Gerstel ciężko pobił w obozie jakiegoś Araba-hitlerowca, Brytyjczycy postanowili wypuścić Polaków i pozwolić im wstąpić do tworzonej w Palestynie brygady.

Cała trójka została umieszczona w obozie Masra Acre, a po trzech dniach przeniesiona w okolice Jerozolimy, do Latrun, gdzie formowała się polska brygada. Wszyscy uciekinierzy ze Srebrnej Góry walczyli w czasie wojny; Pawlak i Wesołowski w kampanii afrykańskiej oraz włoskiej, Gerstel w polskim lotnictwie w Wielkiej Brytanii. Ich eskapada z fortu Hohenstein i podróż przez pół Europy do polskiej armii była jedną z najbardziej niezwykłych ucieczek z obozów jenieckich w czasie całej II wojny światowej.

JAK FAŁSZYWE KOMANDO OŚMIESZYŁO KOMENDANTA AUSCHWITZ

KL Auschwitz, 20.06.1942

To był majstersztyk. Ta ucieczka tak zszokowała Niemców, że do jej zbadania SS powołało w Berlinie specjalną komisję. Wbrew obowiązującym w Auschwitz nieludzkim prawom nie ukarano żadnego z więźniów, z którymi mieli kontakt uciekinierzy. Za to siedmiu esesmanów ze straży obozu trafiło na front wschodni. Naziści woleli oskarżyć swoich funkcjonariuszy o niedopatrzenia niż przyznać, że czwórka skazanych na śmierć „podludzi" pokonała system obozu śmierci, który wydawał się im doskonały.

Jest maj 1942 roku, wielki magazyn SS na terenie tzw. zewnętrznego obozu KL Auschwitz. Do dwudziestotrzyletniego Kazika Piechowskiego podchodzi starszy od niego o trzynaście lat Gienek Bendera, Ukrainiec z Podola. Jest całkowicie załamany.

– Kazek, dostałem cynk od naszych w *Politische Abteilung*, że jestem na liście do gazu – mówi głuchym głosem.

Politische Abteilung, czyli Departament Polityczny to jeden z pięciu departamentów w zarządzie niemieckich obozów koncentracyjnych. Nazywany jest „obozowym gestapo". To tam powstają listy więźniów, których należy zlikwidować w pierwszej kolejności – jeśli oczywiście wcześniej sami nie umrą z głodu, chorób, wycieńczenia pracą albo nie zostaną skatowani na śmierć przez kapo lub zastrzeleni w czasie próby ucieczki. Więźniowie

1

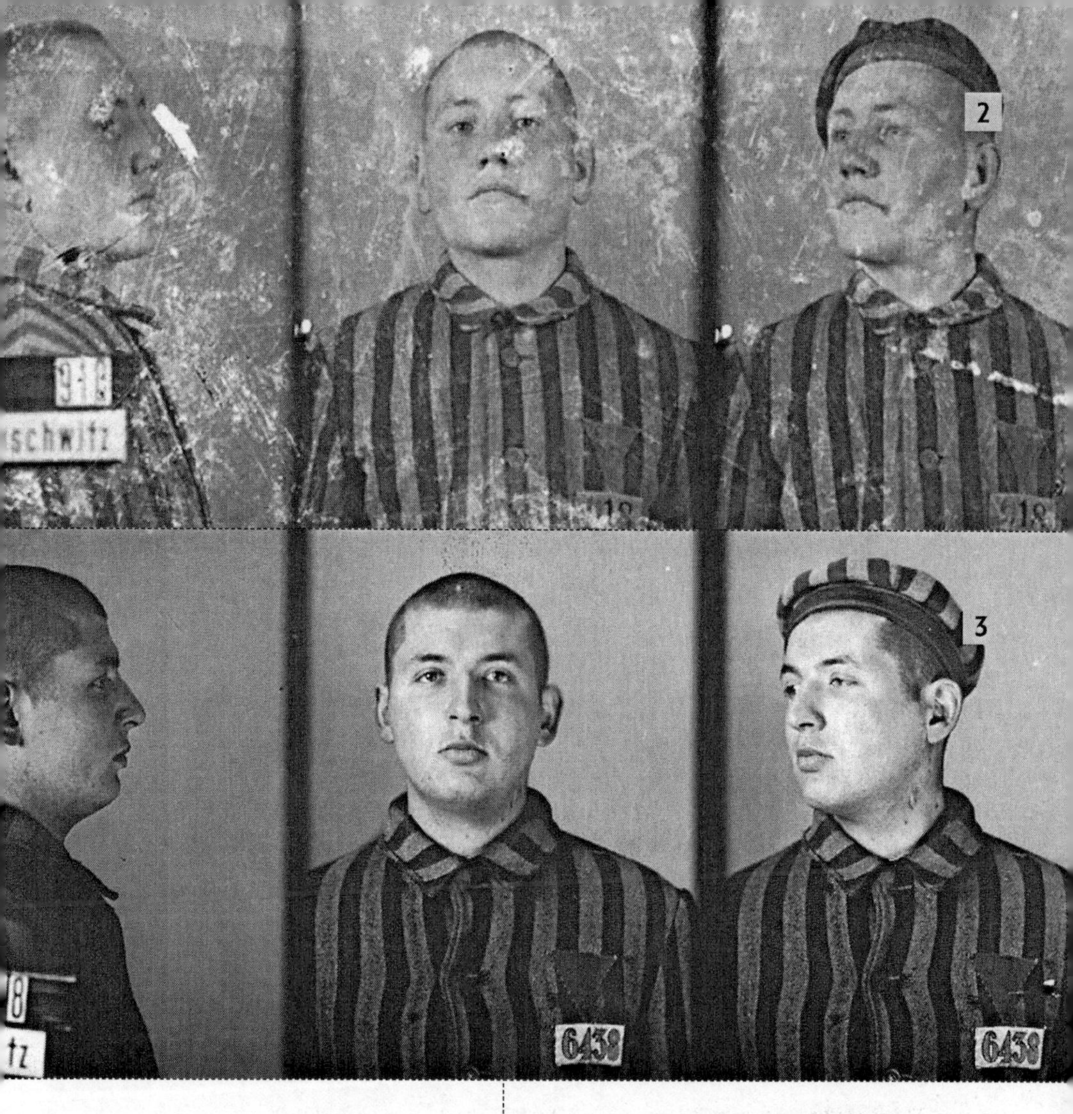

1. Stanisław Jaster, akowiec i kurier rotmistrza Pileckiego, w czasie ucieczki z Auschwitz przemycił przygotowany przez obozową konspirację raport.

2. Obozowe zdjęcie Kazimierza Piechowskiego, który trafił do Auschwitz w jednym z pierwszych transportów. Ponieważ znał niemiecki najlepiej z całej czwórki uciekinierów, cały plan opierał się w dużym stopniu na jego osobie.

3. Obozowe zdjęcie Stanisława Jastera, który trafił do Auschwitz po łapance na warszawskim Żoliborzu.

skierowani do sprzątania biur *Politische Abteilung* robili, co mogli, by podejrzeć sporządzane tam listy. Na jednej z nich zobaczyli nazwisko Bendery.

Dla trzydziestosześcioletniego Ukraińca wiadomość ta była szokiem. Spędził w obozie już szesnaście miesięcy ale wiele wskazywało na to, że być może uda mu się przeżyć Auschwitz. Bendera, zdolny mechanik samochodowy i kierowca, prawdziwa „złota rączka", był na swój sposób nawet szanowany przez Niemców. Nie musiał pracować przy ciężkich, wykańczających fizycznie i psychicznie zajęciach, takich jak rozbudowa Auschwitz czy wywożenie stert trupów spod ściany śmierci do krematoriów. Zajmował się remontami należących do SS samochodów. Niemcy pozwalali mu nawet na jazdy testowe po obozie.

W miejscu takim jak Auschwitz żadne talenty nie miały jednak znaczenia. Gwarancji przeżycia nie miał tam nikt. Obóz powstał po to, by niszczyć, mordować i wykańczać „wrogów Rzeszy". A do takich już dużo wcześniej został zaliczony Eugeniusz Bendera, Ukrainiec urodzony w Czortkowie na Podolu, ale ożeniony z Polką z Przedborza w powiecie radomszczańskim. Za co trafił do Auschwitz, nikt dokładnie nie wiedział. Wiadomo jednak było, że po aresztowaniu przez niemiecką żandarmerię bardzo szybko wysłano go do obozu koncentracyjnego, dokąd przyjechał w jednym z transportów na początku stycznia 1941 roku.

Przerażony informacją wykradzioną z *Politische Abteilung* Bendera był tym, który pierwszy rzucił pomysł zorganizowanej ucieczki z Auschwitz. Chciał jeszcze chociaż raz zobaczyć ukochanego syna, jedenastoletniego Rysia, wiedział jednak, że sam nie da rady pokonać obozowego systemu. Wierzył, że młodszy o kilkanaście lat Kazek, świetnie znający język niemiecki, także będzie gotów zaryzykować. Nie mylił się, chociaż przekonanie go nie było wcale proste.

Dwudziestotrzyletni Piechowski miał sporo dłuższy „obozowy staż" niż jego towarzysz niedoli. Kilka razy był o krok od śmierci. Pierwszy, gdy za kradzież zupy z kotła kapo Johann Siegruth powiesił go za związane łańcuchem do tyłu ręce na haku wbitym w słup podpierający dach baraku. To była wyrafinowana tortura. Przeguby rąk piekły jak przypalane ogniem, skurcze wstrząsały całym ciałem, z nosa i brody kapały strugi potu. Gdy kapo zdjął w końcu Kazika z haka, ten z trudem wstał z ziemi, ale jego ręce nie nadawały się do pracy. A to w Auschwitz oznaczało śmierć.

Piechowski widział już, jak więzień, który nie mógł wyprostować się po pchaniu taczki, stawał się dla esesmanów zwierzyną łowną. Strażnik przywoływał takiego do siebie.

– Oddaj czapkę – padało polecenie.

Więzień wykonywał je, wiedząc, że od tej chwili jego życie liczy się już tylko w sekundach. Esesman rzucał czapkę poza obręb komanda pracy.

– Przynieś! – rozkazywał.

Więzień szedł, czekając, w którym momencie padnie strzał. Strzał padał zawsze. Za takie „uniemożliwienie ucieczki" więźniowi strażnik dostawał dodatkowe dni urlopu.

Kazik miał jednak szczęście. Kapo w jego komandzie, widząc, co się dzieje, pozwolił mu przez trzy dni symulować pracę. W tym czasie ręce jakoś wróciły do normy. To był pierwszy cud, który ocalił jego życie.

Drugi raz witał się ze śmiercią 29 lipca 1941 roku, 14 miesięcy po przybyciu do obozu. Z bloku numer 19, w którym był osadzony, uciekł więzień. Zgodnie z prawami Auschwitz za coś takiego dziesięciu osadzonych z bloku uciekiniera musiało zostać skazanych na śmierć. Piechowski stanął na apelu, na którym zastępca komendanta obozu, Karl Fritzsch, rozpoczął odliczanie. I znów los był łaskawy dla Kazika. Był to ten sam apel, na którym w zamian za wskazanego przez Fritzscha Franciszka Gajowniczka na śmierć zgłosił się dobrowolnie zakonnik, Maksymilian Maria Kolbe.

Trzeci raz uciekł śmierci całkiem niedawno. Kazik wiedział, że warunkiem przeżycia w Auschwitz dłużej niż kilkanaście miesięcy jest praca pod dachem. W obozie panował głód, racje żywności były minimalne. Głód doprowadzał ludzi do szaleństwa –

byli gotowi jeść na surowo nawet złapane w obozie szczury i koty. Była to zaplanowana przez Niemców metoda upadlania więźniów: chodziło o to, by zmienić ich w walczące o żywność zwierzęta. A praca na zewnątrz – w deszczu, błocie, na mrozie – błyskawicznie wysysała siły. Kazikowi trafiały się najgorsze komanda: praca przy budowie obozu, wywożenie trupów... Jego szanse na ocalenie topniały z dnia na dzień.

Zrozumiał, co go czeka, gdy na apelu stanął obok niego całkowity „muselman" – „muzułman", jak w obozie nazywano skrajnie wyczerpanych głodem i pracą więźniów. Ten, który stał obok Kazika, już się poddał, nie chciał dalej żyć. Po apelu poszedł na druty – była to powszechna w Auschwitz forma samobójstwa. Kto nie zginął od razu porażony prądem, dostawał kulę od strażnika. „Weź się w garść, bo skończysz jak on" – powiedział wtedy do siebie Kazik. Wiedział, że lepszą pracę będzie mógł dostać tylko wtedy, gdy nie da po sobie poznać, że stracił wolę przetrwania. Wykrzesał z siebie resztkę sił.

I znów miał szczęście. Otto Küsel, kapo numer 2, wskazał mu nowe komando. Küsel był kryminalistą, nosił zielony trójkąt, ale nie był bandytą jak inni funkcyjni sadyści. Był kasiarzem i wykształconym człowiekiem – przed zesłaniem do obozu obrabiał niemieckie banki. Zaimponowała mu u polskiego więźnia doskonała znajomość niemieckiego.

Nowym przydziałem Kazika były należące do SS magazyny *Hauptwirschaftlager* zwane w skrócie HWL. Znajdowały się tuż obok warsztatów samochodowych, w których pracował Gienek Bendera. Do obowiązków zatrudnionych w HWL więźniów należało m.in. rozładowywanie wagonów i samochodów dostarczających towary dla SS i rozwożenie ich wózkami po halach magazynu. W porównaniu z poprzednimi zajęciami Kazika była to praca marzeń.

Znajomość niemieckiego, która uratowała życie Piechowskiemu, nie była przypadkowa. Pochodził z rodziny o kaszubskim rodowodzie, której szlacheckim gniazdem były Piechowice koło Kościerzyny. Przed wojną mieszkał z rodzicami w Tczewie, miał niemieckich kolegów. Kiedy jednak wybuchła wojna, należący do harcerstwa od wczesnej młodości Kazik szybko zorientował się, że tacy jak on są dla gestapo i niemieckich formacji paramilitarnych zwierzyną łowną. Okupanci uznawali polskie harcerstwo za organizację przestępczą, jej schwytanych członków czekało w najlepszym wypadku więzienie, ale najczęściej – śmierć. Po kilku tygodniach ukrywania się w Tczewie u „przyszywanych" babć i ciotek Kazik zrozumiał, że Niemcy nigdy mu nie odpuszczą. Razem z kolegą z harcerstwa, Alkiem Kiprowskim, postanowił uciekać na Węgry, a stamtąd przedostać się do Francji.

Z plecakami ruszyli na południe, by przekroczyć granicę Generalnej Guberni z Węgrami w pobliżu Cisnej w Bieszczadach. Formalnie ruch był możliwy, ale gestapo doskonale wiedziało, kto zamierza się tam przedostać. Byli żołnierze polskiej armii, harcerze i wielu młodych Polaków chciało dołączyć do tworzonej we Francji armii generała Władysława Sikorskiego. Dlatego prowadzące do przejścia granicznego na Węgry drogi znajdowały się pod stałą obserwacją, a wszystkie podejrzane osoby były natychmiast zatrzymywane i aresztowane. Gestapo określało takich jak Kazik czy Alek mianem *Legionsgänger* – „legionistami" przez analogię do tworzonych 150 lat wcześniej we Włoszech żołnierzy Legionów Polskich generała Dąbrowskiego.

Dwaj harcerze szybko rzucili się w oczy niemieckim szpiclom. Po aresztowaniu czekało ich brutalne przesłuchanie w placówce gestapo w Baligrodzie, a potem ciągnąca się prawie rok tułaczka po więzieniach w Krakowie i Wiśniczu. Któregoś letniego dnia zapakowano ich stamtąd do bydlęcych wagonów i wysłano w nieznanym kierunku. Kiedy 20 czerwca 1940 roku Kazik i Alek znaleźli się na rampie kolejowej w Oświęcimiu, byli całkowicie zdezorientowani. Przyjechali dopiero drugim transportem do tego osławionego później obozu zagłady. Kiedy dostali więzienne pasiaki i wytatuowano im numery, których mieli odtąd używać zamiast imion i nazwisk, zrozumieli w końcu, gdzie są.

Przez bramę z napisem *Arbeit macht frei*
czwórka uciekinierów wyszła jako fałszywe komando transportowe. To był jednak dopiero początek planu.

System niemieckich obozów koncentracyjnych był nakierowany na to, by całkowicie pozbawić trafiających do nich więźniów woli oporu.

Kazik Piechowski miał numer 918. Obóz koncentracyjny KL Auschwitz dopiero powstawał. Więźniowie z pierwszych „legionowych" transportów zostali skierowani do morderczej pracy przy jego budowie: setki kilometrów drutów, baraki, drogi, krematoria...

Dzięki wielkiemu szczęściu Piechowskiemu udało się przeżyć w tym nieludzkim miejscu niemal dwa lata. Ale jak długo jeszcze? Przypadek Gienka Bendery pokazywał, że nawet praca w „dobrym" komandzie, pod dachem, nie jest w stanie ochronić przed nazistowską machiną śmierci. Podobnie jak inni *Legionsgänger* Kazik był więźniem politycznym, a tacy nie mieli prawa opuścić Auschwitz żywi.

* * *

Gienek Bendera był odważnym człowiekiem, ale informacja, że został skazany na śmierć, wyzwoliła w nim desperackie odruchy.

– Kazek, sprzątasz u tego esesmana Zückera raz w tygodniu. Czy mógłbyś go zlikwidować? Byłyby mundury? – zaczepił kolejnego dnia Piechowskiego.

Ten popatrzył na niego jak na człowieka niespełna rozumu.

– To niemożliwe – odpowiedział.

– Kazek, ty się wahasz? Oni nas tu mordują tysiącami, a ty wahasz się zabić jednego?! – ciągnął dalej wzburzony Bendera.

Pierwszą reakcją Kazika na propozycję Gienka była odmowa. Obaj wiedzieli, że zabójstwo esesmana w obozie nie było dobrym pomysłem. Setki więźniów poszłyby za to na śmierć. Poza tym – jak mówią – „nadzieja umiera ostatnia". Kazik wciąż chciał wierzyć, że praca w HWL pozwoli mu przetrwać Auschwitz.

Jednak Bendera nie odpuszczał. Drążył temat przez kolejne trzy dni. W końcu rzucona przez Gienka myśl o ucieczce zaczęła kiełkować w głowie Kazika. Wiedział jednak, że aby przechytrzyć obozowy system, potrzebny jest perfekcyjny plan.

Pomysł, by przebrać się w mundury SS był dobry, ale należało szukać ich w innym miejscu niż kwatery esesmanów. Gdzie? Przecież pracował w HWL! Dawny budynek polskiego Monopolu Tytoniowego został przerobiony przez Niemców na ogromny magazyn zaopatrujący jednostki SS od Wrocławia po Dniepropietrowsk. To właśnie tu powinno być wszystko, czego potrzebowali. Należało tylko to odnaleźć.

Do obowiązków Kazika i jego kolegów z komanda pracy należało rozładowywanie wagonów i ciężarówek z węglem, żywnością i innymi towarami dla SS. Rozwozili to potem wózkami na szynach po podziemnych halach. Na wyższe piętra nie wolno było im wchodzić. Jednak pewnego razu niemiecki kierownik parteru, Zücker, wysłał Kazika na drugie piętro po puste kartony. To była okazja, aby się rozejrzeć.

Idąc długim korytarzem, Kazik zauważył na jednych drzwiach tabliczkę z napisem *Bekleidungskammer* – magazyn z odzieżą. To musiało być tu! Odtąd przy każdej nadarzającej się okazji wpadał na drugie piętro. Drzwi do magazynu były zwykle zamknięte, ale pewnego dnia po naciśnięciu klamki niespodziewanie ustąpiły…

W środku siedział na ławeczce esesman. Zobaczywszy siebie nawzajem, stanęli jak wryci.

– Panie sierżancie, proszą pana o zejście do głównego biura – wykrztusił w końcu Piechowski.

Musiał jakoś wytłumaczyć swoją obecność w tym miejscu, a to była pierwsza myśl, która przyszła mu do głowy. W tym momencie esesman rzucił się na niego z pięściami, przewrócił na ziemię i zaczął kopać.

– Ty polska świnio, nie wiesz, że nie wolno wam tu wchodzić! – ryczał z wściekłością.

Piechowski leżał skulony, chroniąc głowę przed kopniakami strażnika, ale kątem oka dokładnie obserwował pomieszczenie. Było w nim wszystko. Czegoś takiego nie spodziewał się w najśmielszych snach. Na półkach *Bekleidungskammer* leżały równo ułożone mundury, czapki i hełmy SS, stały buty, broń, skrzynki z amunicją i granatami. Dosłownie wszystko – i to za jedynymi drzwiami zamykanymi na zwyczajny zamek. Towar wart dziesiątki tysięcy marek, którego nie pilnował nikt! „Oni naprawdę uważają nas za idiotów" – taka była pierwsza myśl Kazika, gdy wściekły esesman w końcu wyrzucił go za drzwi *Bekleidungskammer*. „I będą tego żałować!"

Informacją szybko podzielił się z Gienkiem Benderą, którego udawało mu się spotykać przy rampie HWL. Ukrainiec remontował właśnie auto należące do komendanta obozu, Rudolfa Hössa, dzięki czemu mógł mieć nadzieję, że *Politische Abteilung* jeszcze przez jakiś czas nie wyśle go „na rozwałkę". Jednocześnie przygotowywał samochód, którym mieli uciec z obozu. Był to czteromiejscowy, dwudrzwiowy kabriolet marki Steyr 220 wyposażony w mocny, sześciocylindrowy silnik. Auto nie miało konkretnego właściciela, było „na stanie" obozu i służyło okazjonalnie do celów reprezentacyjnych. Chociaż czasami korzystał z niego sam komendant Höss, nie było większego ryzyka, że ktoś zabierze je właśnie w dniu planowanej ucieczki.

Gienek przygotowywał auto do podróży i po cichu gromadził do niego benzynę. Problemu z dostępem do garaży nie było. Podobnie jak w przypadku *Bekleidungskammer* nie pilnował ich żaden strażnik, chociaż w środku stały samochody warte setki tysięcy marek. W odległości sześćdziesięciu metrów od rampy HWL znajdowała się wieżyczka strażnicza zwana przez więźniów *postenbudą*. Siedział w niej esesman z gotowym do strzału cekaemem, jednak jego widok na garaże był ograniczony przez budynek magazynu i stojące przed nim wagony oraz ciężarówki. Z wyprowadzeniem auta wyposażony w dorobiony klucz Bendera nie powinien mieć problemu.

Było więc auto, były też mundury i broń. Termin ucieczki narzucał się sam. Musiało to być sobotnie popołudnie, ponieważ właśnie w tym dniu esesmani kończyli służbę o godzinie dwunastej i rozjeżdżali się *mit ihren Fräulein*. Cały ogromny dobytek HWL pozostawał chroniony tylko przez zamki, kłódki i odległą *postenbudę*. Jednak włamanie się do magazynów przez zewnętrzne drzwi nie wchodziło w rachubę. Trzeba było znaleźć inny sposób dostania się do *Bekleidungskammer*.

Przez kilka tygodni pracy w HWL Kazik zdążył dobrze poznać wszystkie ich zakamarki. Najlepszą drogą dostania się do środka był bunkier węglowy. Łączył się on bezpośrednio z kotłownią, która z kolei sąsiadowała z najniższą kondygnacją magazynów. Ładowanie węgla z wagonów do bunkra odkryło jeszcze jeden słaby punkt zabezpieczeń – klapa środkowego włazu zakręcana była od wewnątrz na zwykłą śrubę. Wystarczyło wcześniej ją wykręcić, aby podnieść ją od zewnątrz, dostać się do środka, a stamtąd do kotłowni. Drzwi między nią a magazynami mogły być zamknięte, konieczny był więc łom do ich wyważenia. Narzędzie dostarczył Gienek, a Kazik ukrył je za piecem w kotłowni. Po przedostaniu się z kotłowni do magazynów droga na wyższe piętra HWL byłaby otwarta.

Kolejna przeszkoda na drodze do wolności została rozpracowana, pozostała jednak ostatnia – i najważniejsza: jak wydostać się z wewnętrznego obozu do magazynów i garażu? Pozornie najprostszym sposobem było ukrycie się gdzieś w HWL po skończeniu pracy i po prostu nieprzejście z powrotem przez bramę z napisem *Arbeit macht frei*, ale zarówno Kazik, jak i Gienek wiedzieli, co to oznacza.

„Jeśli ktoś ucieknie z bloku, na śmierć zostanie skazanych dziesięciu więźniów z bloku. Jeśli ktoś ucieknie z komanda pracy, na śmierć pójdzie dziesięciu więźniów z komanda" – to były jedne z pierwszych słów, którymi „witał" przysyłanych do Auschwitz ludzi zastępca komendanta Hössa, Karl Fritzsch. Świadomość nieuchronnych represji wobec kolegów paraliżowała wolę ucieczki. Kazik nie chciał narażać na śmierć niewinnych ludzi. Ale jak rozwiązać ten problem? Z tą myślą położył się na pryczy w baraku. Nie zasnął tej nocy.

* * *

Myśli kłębiły się w głowie do rana. „Nie można uciec z bloku. Nie można uciec z komanda. A gdyby... gdyby uciekło całe

„Jeśli ktoś ucieknie z bloku, na śmierć zostanie skazanych dziesięciu więźniów z bloku" – to były jedne z pierwszych słów, którymi witał przysyłanych do Auschwitz ludzi zastępca komendanta Hoessa, Karl Fritzsch. Jednak uciekinierom udało się znaleźć sposób, który chronił ich towarzyszy niedoli.

Jednym z motywów ucieczki było dla
echowskiego przekonanie, że nie przeżyje
już kolejnej zimy w Auschwitz.

Na termin ucieczki spiskowcy wybrali
20 czerwca, bo tego właśnie dnia
Kazik Piechowski trafił za druty KL Auschwitz.

komando? Kto z więźniów zostanie wtedy pociągnięty do odpowiedzialności? Regulamin obozu nie przewidywał takiej możliwości, Niemcy w ogóle nie brali czegoś takiego pod uwagę!"

To było jak uderzenie pioruna. Nagle wszystko stało się proste.

– Już wiem! – tłumaczył następnego dnia podniecony Kazik Gienkowi Benderze. – Trzeba stworzyć fałszywe komando pracy. Jeśli Niemcy je wypuszczą i ono nie wróci, to nikt poza nim nie będzie ponosił za to odpowiedzialności.

Pomysł był doskonały, ale wymagał wciągnięcia w spisek dodatkowych ludzi. Najmniejsze komanda pracy w KL Auschwitz liczyły czterech ludzi. Były to tak zwane *Rollwagenkommando*, czyli ludzkie zaprzęgi obsługujące wozy zwane *rollwagami*. Transportowano nimi materiały budowlane, żywność, śmieci, ale też przeznaczone do spalenia w krematorium zwłoki pomordowanych przez Niemców ludzi. Najcięższe *rollwagi* obsługiwały zaprzęgi nawet kilkunastoosobowe, do najmniejszych, dwukołowych, potrzebnych było czterech ludzi. Brakowało dwóch.

– Mam już jednego – powiedział przy kolejnym spotkaniu Gienek. – To pewny człowiek, ksiądz, wziąłem go do pomocy w warsztatach. Teraz ty znajdź czwartego.

Znalezionym przez Gienka trzecim kandydatem do ucieczki był dwudziestosześcioletni Józek Lempart spod Wadowic. Nie miał jeszcze święceń kapłańskich, a do Auschwitz trafił dwa miesiące po Kaziku, także jako „legionista", gdyż on również zamierzał przedostać się do polskiego wojska we Francji. Józek pracował w warsztatach samochodowych, gdzie Bendera zrobił z niego swojego pomocnika. Mieli więc możliwość ciągłego kontaktu i wspólnego przygotowywania ucieczki.

Jednak znalezienie czwartego śmiałka nie było wcale proste. Alek Kiprowski, na którego Kazik bardzo liczył, odmówił. Obawiał się, że jeśli ucieknie, do Auchwitz zostanie wysłana jego rodzina. To nie były bezpodstawne obawy. Więźniowie wiele razy widzieli takie sceny. Po nieudanej ucieczce więzień szedł na szubienicę zmuszony bić w bęben z szyderczym napisem na plecach: „*Hurra, hurra, ich bin schon wieder da!*" – „Hurra, hurra, już znowu tutaj jestem!". Ale wkrótce po jego egzekucji, a czasami nawet wcześniej do obozu trafiali też jego rodzice, siostry, bracia, których publicznie, bez sądu, mordowano.

Tego bali się wszyscy: Gienek drżał o swoją żonę, Józek o matkę, Kazik o rodziców. Wiedział, że jeszcze w grudniu 1939 roku oboje zostali wysłani do przymusowej pracy w Rzeszy, mógł mieć więc nadzieję, że gestapo z Generalnej Guberni ich nie dopadnie. Ale pewności nie było żadnej. Józek liczył na to, że po ucieczce zdąży wysłać do matki list z ostrzeżeniem, aby się ukryła. Jednak myśl o śmierci własnej rodziny w odwecie za ucieczkę paraliżowała wielu nawet bardzo odważnych ludzi. Z tego też powodu udziału w spisku odmówił Kazikowi inny dobry przyjaciel, Zbyszek Damasiewicz.

W końcu udało się znaleźć zdecydowanego kandydata. Był to Staszek Jaster, dwudziestojednoletni chłopak z Warszawy. Najmłodszy z nich wszystkich, ale pod wieloma względami niezwykły. Pierwszy jego atut to ogromny wzrost i siła. Staszek mierzył 194 centymetry i był sprawny jak cyrkowiec. Kazik poznał go jeszcze przed wojną nad morzem, kiedy Staszek był instruktorem w wodniackiej drużynie harcerskiej. Dał się wtedy poznać jako prawdziwy zabijaka. Kiedy dwóch chłopaków z jego drużyny zostało pobitych w jednym z barów w Gdańsku, Staszek poszedł tam, spuścił łomot napastnikom, po czym wziął obydwu pod pachy, otworzył drzwi ich głowami i wyrzucił ich do rynsztoka. Miał też żelazne zdrowie – przeżył w obozie tyfus, a swoją wielką siłą imponował nawet Niemcom. Ponieważ miał talent do rysowania, w zamian za żywność i różne przysługi wykonywał portrety esesmanów i kapo. Wiedział, że ma lepiej niż inni więźniowie, dlatego starał się im pomagać. Kiedy w czasie rozładowywania transportów niektórzy męczyli się z dźwiganiem worka cementu z wagonów, Staszek brał dwa naraz i przerzucał na *rollwagę*. Nie musiał tego robić, ale chciał pomóc tym, którzy byli słabsi od niego.

Obozową rzeczywistość Jaster traktował z nieschodzącym z jego twarzy drwiącym uśmiechem, zepsutym nieco z powodu wybitych w więzieniu zębów. Do obozu trafił w dość pechowy sposób. W czasie wielkiej łapanki na Żoliborzu 19 września 1940 roku – tej samej, w czasie której dał się złapać Niemcom rotmistrz Witold Pilecki – udało mu się ukryć z grupą kolegów w ruinach zbombardowanej willi. Przypadkiem jednak jeden z chłopców strącił nogą cegłę, która upadła tuż obok stojącego pod budynkiem Niemca. Gestapo zatrzymało wszystkich, ale o próbę zamachu oskarżyło tylko najstarszego w grupie Jastera. Po trwającym dwa miesiące brutalnym śledztwie na Pawiaku, w czasie którego wybito mu zęby, w listopadzie wysłano Staszka do Auschwitz.

Niewątpliwie powodem takiego potraktowania go był fakt, że pochodził z bardzo patriotycznej rodziny. Jego oboje rodzice służyli w Legionach Polskich Józefa Piłsudskiego, ojciec był kawalerem orderu Virtuti Militari. Staszek także bał się o los swoich bliskich, w tym młodszego brata, jednak wiedział, że zrozumieliby oni jego decyzję. Poza tym bardzo chciał wrócić do Warszawy, by móc włączyć się w działalność zbrojnego podziemia. Udało mu się wkręcić do HWL, gdzie pracował, obsługując windę. Cała czwórka była więc na miejscu i mogła rozpocząć ostatnie przygotowania do ucieczki. Najważniejszą rzeczą było sprawdzenie, czy Niemcy dadzą się nabrać na trick z fałszywym *Rollwagenkomando*. Trzeba też było ustalić kilka innych, ważnych kwestii.

* * *

Najważniejszą była odpowiedź na pytanie, co zrobić, jeśli ucieczka się nie powiedzie. Kiedy już po przebraniu się w mundury SS i z bronią zostaną rozpoznani przez obozowe straże. Pierwszą myślą było: „Zginąć w walce", ale szybko pojawiła się druga: „Co wtedy z pozostałymi więźniami? Jakie represje spadłyby na nich za taki zbrojny bunt ich czwórki?". Kazik, Gienek, Józek i Staszek uradzili więc wspólnie, że wyjście może być tylko jedno. Kiedy zostaną zatrzymani, likwidują sami siebie. Cała czwórka popełnia samobójstwo, by ratować przed represjami pozostałych więźniów. Z SS należało walczyć, ale dopiero po wydostaniu się z obozu.

Drugą sprawą było: dokąd uciekać. Obóz mieścił się na terenach, które w miarę dobrze znał tylko Józek Lempart. Pozostali spiskowcy pochodzili z zupełnie innych stron Polski i mieli tylko blade pojęcie, gdzie się naprawdę znajdują. Map żadnych nie posiadali, bazować mogli tylko na tej geograficznej wiedzy, którą nabyli w szkołach. W tym najlepsi byli Kazik i Staszek, harcerze i miłośnicy przygód oraz podróży. Uradzili więc, że po udanej ucieczce z obozu pojadą w stronę Wadowic i dalej w kierunku Makowa Podhalańskiego, a stamtąd, już na piechotę, przez górskie pasma, doliny i lasy będą przedzierać się na wschód. Po oddaleniu się na bezpieczną odległość od Auschwitz zamierzali się rozdzielić. Staszek był zdecydowany wracać do Warszawy, Józek chciał ukryć się jak najbliżej rodzinnych stron. Gienek mógł albo iść w stronę rodzinnego Czortkowa na Podolu, albo do Przedborza, gdzie mieszkała jego żona z synem. Najtrudniejsza była sytuacja Kazika – powrót do wcielonego do Rzeszy Tczewa był w zasadzie niemożliwy. Piechowski postanowił więc, że będzie trzymał się Bendery, w razie potrzeby skorzysta z kontaktów starszego i bardziej doświadczonego kolegi.

Na początku czerwca 1942 roku plan ucieczki był już dopracowany. Spiskowcy wybrali jej termin – wczesne popołudnie 20 czerwca. Dla Kazika data ta miała symboliczne znaczenie, bo dokładnie w tym dniu, dwa lata wcześniej, trafił za druty KL Auschwitz. Pozostawało jeszcze rozdzielić ostatnie zadania pomiędzy spiskowców. Staszek Jaster miał skombinować dla Piechowskiego opaskę *vorarbeitera* – brygadzisty, gdyż to właśnie pod kierownictwem Kazika fałszywe *Rollwagenkommando* miało przejść przez posterunek kontrolny na teren obozu zewnętrznego i przedostać się do HWL. W tym samym dniu przed skończeniem pracy Kazik miał wymontować śrubę ze środkowego włazu koks-bunkra, przez który można było wejść do magazynów. Zadaniem Gienka i Józka było przygotować do podróży kabriolet steyr 220, zatankować go do pełna i skombinować zapas benzyny.

W końcu nadszedł długo oczekiwany dzień. Po skończeniu pracy w południe Kazik, Gienek, Józek i Staszek zabrali się z komandem do wyjścia do obozu wewnętrznego. To miał być już ich ostatni powrót do Auschwitz. Po zjedzeniu obiadu – talerza nędznej zupy – spiskowcy zebrali się na umówionej wcześniej zbiórce na strychu niedokończonego baraku. Gienek, najstarszy, zrobił szybką odprawę. Powtórzyli szybko plan ucieczki i sprawdzili ostatnie detale.

– Staszek, zrobiłeś „bandę" *vorarbeitera* dla Kazka?

– Tak, mam ją przy sobie.

– Józek, bak *full*?

– Tak jest i zapasowy kanister.

– I pamiętajcie, nie robimy rozróby na terenie obozu. Jeśli się nie uda, likwidujemy siebie. A teraz chwila ciszy.

Wszyscy wiedzieli, po co Gienek poprosił o przerwę. Józek zaczął się modlić, wszyscy połączyli się w myślach ze swoimi rodzinami. Po kilku minutach Bendera przerwał milczenie.

– Dobra chłopy, uda się. Idziemy!

Wyszli z baraku w stronę kuchni, gdzie stały *rollwagi*. Na jednej z nich leżały zmięte kartony i obierki ziemniaków. Kazik założył na ramię żółtą opaskę *vorarbeitera* . Złapali za dyszle i ruszyli w stronę bramy *Arbeit macht frei*.

* * *

– *Rollwagenkommando, Voraibeiter* 918 i trzech więźniów – zameldował strażnikowi Kazik Piechowski. – Jedziemy wywieźć śmieci i przywieźć cegły do remontu baraku.

Esesman przyglądał się chwilę. Spiskowcy w pasiakach, trzymając w rękach zdjęte czapki, stali sztywno, starając się, by żadne emocje nie były widoczne na ich twarzach. Wszyscy wiedzieli, że każde komando pracy z KL Auschwitz jest zapisane w księdze na posterunkach wartowniczych i każde wyjście oraz wejście powinno być odnotowane. Ich komando nie istniało, było fałszywe. Jeśli strażnik sprawdzi w księdze, będzie już po nich. „Sprawdzi? Nie sprawdzi?" Myśli kłębiły się w głowach więźniów jak szalone. Wierzyli, że esesmanowi nie będzie się chciało grzebać w papierach. Chwila niepewności i wyczekiwania dłużyła się jednak w nieskończoność.

– Iść! – padła w końcu komenda.

Nie sprawdził. Więźniowie błyskawicznie założyli czapki i chwycili dyszle wózka. Przeszli przez znienawidzoną bramę. Pierwszy krok do wolności był za nimi.

Po pokonaniu kilkuset metrów fałszywe *Rollwagenkommando* skręciło w stronę HWL. Zostawili wózek przy bocznej dróżce. W czwórkę poszli do garażu, który Gienek otworzył podrobionym wcześniej kluczem.

– Tym będziemy uciekać – pokazał na czarny kabriolet z podniesionym dachem. Bendera został w garażu, gdzie miał czekać na sygnał do wyjazdu. Pozostała trójka ruszyła w stronę HWL.

Przy rampie magazynów stały szczęśliwie dwa wyładowane wagony, które częściowo zasłaniały widok. Staszek stanął za nimi na czatach, aby obserwować, co dzieje się w oddalonej o sześćdziesiąt metrów *postenbudzie* strażnika. Kazik i Józek ruszyli w stronę włazów do węglowego bunkra. We dwóch złapali za środkową klapę.

– Nie idzie!

Pociągnęli jeszcze raz.

– Trzyma jak przyspawana!

Co się stało? Czy ktoś zauważył wykręconą od wewnątrz śrubę i zamocował ją jeszcze raz? To byłaby katastrofa. Kazik zawołał Staszka. Potężny warszawiak z trudem włożył palce pod zagiętą blachę włazu. Pociągnęli w trójkę. Klapa puściła ze zgrzytem. Po kolei skakali na leżącą pod nią stertę węgla. Ostatni Staszek zamknął za sobą właz. Byli w bunkrze.

W kotłowni czekał ukryty za łopatami łom. Wyważyli nim zamknięte drzwi do podziemnej części magazynów, a stamtąd niemal biegiem ruszyli po schodach na piętro, gdzie znajdowała się

Bekleidungskammer. Te drzwi też nie stawiły oporu. Odłożyli łom i poszli szukać pasujących ubrań oraz mundurów.

Staszek i Józek mieli przebrać się w mundury zwykłych szeregowych SS, założyć hełmy i wziąć długą broń. Dla Kazika, dowodzącego grupą, Józek znalazł pasujący mundur *Untersturmführera*, czyli podporucznika SS, i odpowiednią czapkę oraz pistolet. Przebrali się błyskawicznie, wzięli zapas amunicji i zeszli po schodach do drzwi prowadzących na rampę. Już zabierali się do ich wyważania, gdy nagle usłyszeli warkot podjeżdżającego auta.

To nie był Gienek. Bendera miał czekać w garażu na umówiony sygnał, kiedy będą gotowi. To mogli być tylko Niemcy. Co tu robią? Wejdą do magazynów czy nie?

– Jeśli wejdą: *Hände hoch*, rozbrajamy ich, wiążemy i zostawiamy w magazynie.

Kazik z pistoletem i Staszek z automatem stanęli po dwóch stronach wejścia. Chwila oczekiwania znów dłużyła się w nieskończoność. Stojące przed magazynami auto miało włączony motor, co wskazywało, że ktoś zatrzymał się tu na chwilę. W końcu usłyszeli, jak obroty silnika rosną i samochód odjeżdża. Napięcie spadło. Otworzyli drzwi. Staszek natychmiast pobiegł do wyjścia na dach magazynów, skąd białą chusteczką dał Gienkowi znak, że może już podjeżdżać pod HWL.

Kazik czekał na rampie. Bendera, wciąż w pasiaku, wysiadł z auta, zdjął czapkę, przepisowo zameldował się *Untersturmführerowi* i wszedł do magazynu, gdzie natychmiast pobiegł do *Bekleidunkgskammer* szukać ubrań i munduru dla siebie. W tym czasie Staszek z Józkiem pakowali już broń i amunicję do samochodu. Po kilku minutach wrócił Gienek ubrany w mundur szeregowego SS. Zamknęli drzwi i wsiedli do steyra – z tyłu po lewej Staszek, po prawej Józek, za kierownicą Gienek a obok niego najstarszy rangą Kazik. Kierunek: Wadowice!

Siedzący w *postenbudzie* strażnik niczego się nie domyślił. Do posterunku pilnującego wyjazdu z zewnętrznego obozu była jednak daleka droga. KL Auschwitz rozciągał się na powierzchni kilkudziesięciu kilometrów kwadratowych. Jechali wzdłuż obozu. Niedaleko za HWL spotkali pierwszego esesmana. Jedną ręką prowadził rower, w drugiej dłoni trzymał papierosa. Kiedy zobaczył nadjeżdżające czarne auto, rzucił niedopałek na ziemię, wyprężył się i wyciągnął dłoń w hitlerowskim pozdrowieniu.

– *Heil Hitler!*

Wtedy dopiero, po raz pierwszy od wyjazdu z HWL, panującą w aucie ciszę przerwał Gienek.

– Widzisz Kazek, jakoś idzie. Jesteśmy esesmanami!

Przy kolejnym spotkaniu atmosfera była już luźniejsza.

– *Heil Hitler!* – odpowiedzieli uciekinierzy dwóm kolejnym salutującym esesmanom.

Na tym etapie ucieczki niebezpieczeństwa nie było. Jadący służbowym steyrem Kazik w mundurze *Untersturmführera* budził respekt strażników z Auschwitz. Kadra oficerska w obozie była nieliczna. Chociaż Piechowski miał tylko stopień podporucznika, to wystarczyło, by na jego widok większość spotykanych esesmanów stawała na baczność i oddawała honory. W pewnym momencie sytuacja zaczęła nawet bawić uciekinierów. Im bliżej byli jednak ostatniego posterunku, tym bardziej śmiech w samochodzie zamierał.

W końcu zobaczyli ostatni szlaban. Był 200 metrów przed nimi. Po lewej przy stoliku siedział esesman. Po prawej stała budka ze strażnikiem. Obydwaj byli uzbrojeni. Widzieli nadjeżdżające auto, jednak żaden z nich nie ruszył się, by otworzyć przejazd. Co się dzieje?

Osiemdziesiąt metrów i szlaban wciąż w dole. Pięćdziesiąt metrów. Dwadzieścia metrów. Nic! Zaraz trzeba będzie się zatrzymać i co wtedy? To był moment, w którym Kazik odpłynął. Tłumaczył później kolegom, że stracił w tym momencie wiarę, że ucieczka się uda. Zagłębił się we własnych myślach, pożegnał z mamą i ojcem. Nie wiedział, jak długo to trwało, ale z tego stanu otępienia wyrwało go nagle mocne uderzenie w kark.

– Kazik, zrób coś! – syczał mu do ucha siedzący za nim Józek Lempart.

Budynki przedwojennego Polskiego Monopolu Tytoniowego przerobione w czasie okupacji na magazyny SS, z których uciekinierzy zabrali mundury i broń.

Uciekinierzy opuścili obóz skradzionym z garaży SS samochodem Steyr 220.

Piechowski błyskawicznie oprzytomniał. Kiedy auto stanęło, otworzył drzwi, wystawił ramię z pagonami munduru tak, aby wartownik mógł dokładnie zobaczyć jego szarżę i czystą niemczyzną rzucił w jego stronę wiązankę przekleństw.

– Do jasnej cholery, ty dupku zasrany, śpisz czy co?! Otwieraj ten szlaban, bo zaraz cię obudzę!

Strażnik błyskawicznie skoczył w stronę szlabanu i podniósł go do góry, nie zadając żadnych pytań. Gienek Bendera wrzucił bieg i dodał gazu. Byli wolni!

Nie musieli się już martwić o kolegów-więźniów, którzy pozostali w obozie. Teraz w każdej potyczce z esesmanami mogli już walczyć i nikt poza nimi za to nie odpowiadał. To dodawało pewności siebie, ale wciąż byli blisko Auschwitz. I co gorsza, okazało się, że zabłądzili. Zamiast wyjechać na drogę do Wadowic, skręcili w tą prowadzą do podobozu KL Auschwitz w Monowicach. Z daleka widzieli więźniów pracujących przy budowie ogromnej fabryki Buna-Werke zaopatrującego przemysł wojenny III Rzeszy koncernu IG Farben. Nagle zauważyli zmierzającego w ich stronę jeźdźca. To musiał być oficer. W człowieku na koniu szybko rozpoznali doskonale znaną sobie postać. To był *Sturmbannführer* Hans Aumeier, następca osławionego Karla Fritzscha, którego w lutym przeniesiono do KL Flossenbürg. Mijał ich zastępca samego komendanta Hössa, człowiek, który witał każdego nowo przybyłego do Auschwitz więźnia słowami, że jedyna droga ucieczki z obozu wiedzie przez komin krematorium! Teraz Aumeier najwyraźniej wracał z inspekcji Monowic do głównego obozu. Oddali mu przepisowe honory, ale nie zwrócił na nich większej uwagi. Niczego się nie domyślił. Zawrócili w stronę Wadowic, a stamtąd ruszyli na Maków Podhalański.

Będąc już daleko od obozu, zauważyli jeszcze jednego esesmana. Stał na środku drogi i dawał znaki do zatrzymania się. Bendera dodał gazu, Niemiec w ostatniej chwili odskoczył. Pogroził jeszcze pięścią za odjeżdżającym autem. Wśród uciekinierów zapanowała konsternacja. Ich ucieczka z obozu z pewnością mogła już zostać wykryta, ale czy SS tak szybko zdążyłoby powiadomić wszystkie posterunki? Czy może był to zwykły przypadek, a esesman po prostu chciał zabrać się z nimi w drogę?

Tak czy inaczej, jazda głównymi drogami stawała się coraz bardziej niebezpieczna. Po przejechaniu jeszcze kilkunastu kilometrów Gienek postanowił skręcić w leśny trakt. Przejechali nim kawałek, jednak dróżka szybko zamieniła się w strumień. Reprezentacyjny kabriolet nie był przystosowany do takiej eskapady. Po kilkuset metrach kamienie uszkodziły podwozie i silnik maszyny. Dalej trzeba było iść na piechotę. Dla Kazika, Gienka, Józka i Staszka to miała być pierwsza od dawna noc na wolności. Tymczasem w odległym o kilkadziesiąt kilometrów KL Auschwitz rozpętało się piekło.

* * *

Gdy *Lagerführer* Hans Aumeier dotarł konno do Auschwitz, więźniowie stali już w szeregach na karnym apelu. Zameldowano mu, że czterech brakuje. Gdy Aumeier usłyszał jeszcze, że wyjechali z obozu autem komendanta w mundurach SS, wpadł w panikę zmieszaną ze wściekłością. Więźniowie, którzy dobrze już poznali tego sadystę, nigdy nie widzieli go w takim stanie.

– Przecież ja ich widziałem! – krzyczał Aumeier, miotając się po placu apelowym.

Rzucał przekleństwa, wyzywał strażników. W pewnym momencie rzucił z impetem na ziemię swoją czapkę i zaczął się szaleńczo śmiać...

W tym czasie pościg już trwał. Telegramy zawierające rysopisy uciekinierów komendantura obozu rozesłała dalekopisami do wszystkich placówek gestapo, policji kryminalnej i straży granicznej na terenie Generalnej Guberni, nakazując jednocześnie wszczęcie intensywnych poszukiwań. Kontrolowane miały być wszystkie drogi, łącznie z leśnymi. Za wskazanie uciekinierów wyznaczono pół miliona złotych nagrody, a listy gończe za nimi miały zostać powieszone w najmniejszej nawet wsi. Jednocześnie Niemcy postanowili znaleźć odpowiedzialnego za ucieczkę, bo było pewne, że aferą w Auschwitz zainteresują się władze SS z Berlina.

Kierownictwo obozu nie myliło się. Wkrótce w KL Auschwitz pojawiła się specjalna komisja, która przesłuchała komendanta Hössa i pięciu podoficerów SS. Kilku z nich wysłano na front wschodni. Spośród niemieckich więźniów funkcyjnych na kozła ofiarnego wybrano Kurta Pachalę, kapo magazynów, którego gestapo oskarżyło o pomoc zbiegłym. Po brutalnym śledztwie Pachala został osadzony w głodowym bunkrze bloku numer 11, gdzie zmarł w styczniu 1943 roku. Jednak, co najbardziej zdziwiło więźniów, obozowe SS nie wprowadziło żadnych dodatkowych represji przeciw nim samym. Nie było nawet wielogodzinnych karnych stójek, na których więźniowie musieli czekać, aż obława dopadnie uciekinierów. Niemcy woleli oskarżyć o niedopatrzenie swoich funkcjonariuszy niż przyznać, że polscy więźniowie przechytrzyli system zabezpieczeń obozu zagłady, który przedstawiany był jako doskonały.

To dodawało otuchy więźniom i bardzo podniosło ich morale. Wielu uwierzyło, że ucieczka z obozu jest możliwa, trzeba tylko znaleźć odpowiedni sposób. Zaledwie pół roku po ucieczce Kazika, Staszka, Gienka i Józka kolejnych trzech Polaków: Jan Komski-Baraś, Bolesław Kuczbara i Mieczysław Januszewski wyjedzie z obozu konnym zaprzęgiem eskortowanym przez przebranego w mundur SS Otto Kusela – tego samego, który załatwił Piechowskiemu pracę w HWL. Czwórka zbiegłych ukryje się następnie w domu jednego z członków AK w Libiążu, około dziesięciu kilometrów od KL Auschwitz. Całej grupie polskie podziemie umożliwi później przedostanie się przez granicę Generalnego Gubernatorstwa.

* * *

Tymczasem czwórka naszych uciekinierów, wciąż w niemieckich mundurach, szła lasami, kierując się na wschód, w stronę Beskidu Sądeckiego. Byli już głodni i wyczerpani, gdy Gienek Bendera zauważył stojącą na odludziu chatę.

– Zapukajmy, może dadzą nam przynajmniej coś do picia – zaproponował.

Tak zrobili. Początkowo nie zamierzali zdradzać, że są uciekinierami. Mogli przecież udawać, że należą do grupy, której zadaniem jest poszukiwanie zbiegów, o których w okolicy robiło się coraz głośniej. Ale wiedzieli, że długo takiej konspiracji utrzymać by się nie dało. Byli coraz bardziej brudni, zarośnięci i wyczerpani. Kto uwierzy, że są oddziałem SS? Opowiedzieli swoją historię góralom.

Staszek pozostał na warcie na zewnątrz. Kazik, Józek i Gienek weszli do chaty. Od górali dowiedzieli się, że strumień, nad którym stoi dom, nazywa się Czarny Potok, ale nazwa ta nic im nie mówiła. Nie wiedzieli dokładnie, gdzie są. Kiedy odpoczywali w ciepłej chacie i zastanawiali się, co robić dalej, usłyszeli stukanie do drzwi. To był Staszek. Kazik wyjrzał przez okno. W górę Czarnego Potoku szła pięcioosobowa grupa esesmanów.

Trójka znajdujących się w chacie zbiegów odbezpieczyła broń. Oddział będący z pewnością grupą pościgową zbliżał się do chaty i stojącego koło niej Staszka, który też trzymał palec na spuście automatu. Jeśli esesmani zagadną go chociaż słowem, wszystko się wyda. Napięcie rosło, czas dłużył się w nieskończoność. I nagle stało się coś niebywałego. Niemiecki oddział bez słowa minął Staszka i jakby go nie widząc – poszedł dalej! Po chwili zszokowany warszawiak wpadł do chaty.

– Kazik, ty mi powiedz – oni nam odpuścili?! Chociaż było ich pięciu! Dlaczego? Przecież musieli mnie rozpoznać.

– My byliśmy ubezpieczeni, w chacie, oni na gołym polu – odpowiedział po dłuższej chwili Piechowski, który tak samo jak inni był zszokowany tym, co zobaczył. – Wiedzieli, że mamy broń i granaty. To nie są jacyś frontowi żołnierze. Dostali przydział do Auschwitz, mają nadzieję, że przeżyją wojnę, więc po co łapać ogień w ręce? Wiedzieli, że nie mają szans i poszli dalej zadowoleni, że nie częstujemy ich ogniem. Mądrze zrobili. Woleli ratować życie niż konfrontować się z nami.

Mimo szczęśliwego zakończenia spotkanie z oddziałem pościgowym było sygnałem alarmowym, że trzeba uciekać stąd jak najdalej. Wieczorem cała czwórka ruszyła wzdłuż Czarnego Potoku w przeciwną stronę, niż poszedł oddział SS. Szli całą noc. Nad ranem weszli na pole, na którym rosło dorodne zboże. Tu wreszcie mogli odpocząć. Położyli się na ziemi i zasnęli kamiennym snem. Był koniec czerwca, dzień dłużył się niemiłosiernie. Na szczęście kłosy zboża były już na tyle dojrzałe, że można było zjadać ich ziarna. Głód i pragnienie doskwierały jednak bardzo. Kiedy o zachodzie słońca grupa znów zaczęła zbierać się do marszu, Kazik zauważył, że Józkowi Lempartowi cieknie z ust krew. Był coraz słabszy, miesiące spędzone w Auschwitz dawały o sobie znać. Józek wiedział, że będzie ciężarem dla grupy.

– Zostawcie mnie chłopaki, tylko dajcie mi pistolet – poprosił.

– Mowy nie ma – odpowiedzieli.

Wspólnie postanowili, że będą holowali Józka, dopóki się da.

Przez kolejne doby znów maszerowali nocami, w dzień spali ukryci w lesie lub zbożu. Raz tylko natknęli się na obławę, ale tym razem szczęścia nie mieli. Wybuchła strzelanina, w trakcie której udało się im przegonić ścigających, ale Józek został ranny w kolano. Dalej iść już nie mógł. Pozostała trójka wiedziała też, że ich mundury SS są teraz dla obławy doskonałym znakiem rozpoznawczym. Trzeba było schować gdzieś Józka i zdobyć cywilne ubrania. Kiedy dotarli do pierwszej wsi, w której stał kościół, postanowili od razu iść na plebanię.

Ksiądz był przerażony, widząc niemieckie mundury, ale gdy usłyszał historię zbiegów, zgodził się przechować rannego pod warunkiem, że pozostała trójka zabierze jego mundur i broń. Józek Lempart przetrwa wojnę ukryty jako zakonnik w klasztorze w Starym Sączu, 155 kilometrów od obozu w Auschwitz. Kazik, Staszek i Gienek ruszyli dalej. U gospodarza w chacie pod lasem znów znaleźli gościnę i – co najważniejsze – cywilne ubrania. Od górala dowiedzieli się, że u wójta i na bramie kościoła we wsi są rozwieszone listy gończe za nimi z informacją o wysokiej nagrodzie za schwytanie zbiegów.

Dalej nie można było ryzykować wspólnego marszu. Trzeba się było rozdzielić. Staszek Jaster był zdecydowany wracać do Warszawy. Wkrótce okazało się dlaczego. Kiedy dotarli na rozstaje dróg, podszedł do Kazika, objął go i wyszeptał mu do ucha:

– Mam raport.

Chodziło o raport rotmistrza Witolda Pileckiego, przywódcy więziennej konspiracji w Auschwitz, który trafił do obozu w podobnym czasie co Jaster, a ucieknie z niego dziesięć miesięcy później. Kazik zrozumiał, że Staszek należał cały czas do obozowej konspiracji, a jego ucieczka była okazją do przesłania ważnych informacji dowództwu Armii Krajowej. Warszawiak był w konspiracji, miał swoje rozkazy. Odszedł, ale po kilkunastu krokach odwrócił się, żeby jeszcze raz spojrzeć na towarzyszy. Wtedy widzieli się ostatni raz.

Kazik z Gienkiem ruszyli na wschód przez Beskid Sądecki. Za Krynicą zaczynały się już tereny zamieszkałe przez ludność ukraińską. To właśnie wśród Ukraińców Bendera chciał szukać schronienia dla siebie i Kazika, który nie mógł wrócić na Pomorze. Szybko jednak okazało się, że ukraińskie wsie nie są dobrym miejscem dla Piechowskiego. Nie znał języka, a antypolskie nastroje były na tych terenach coraz silniejsze. Kiedy chodzili tak od wsi do wsi, Kazik musiał udawać niemowę, aby go nie zdemaskowano. W końcu obydwaj zdecydowali, że pora zmienić plany. Gienek Bendera miał znajomych sprzed wojny w Radoszycach, między Przedbórzem a Kielcami. Państwo Słupczyńscy prowadzili młyn. Tam, prawie 250 kilometrów od miejsca, w którym byli, postanowili szukać bezpiecznego schronienia.

Koło Tarnowa skręcili na północ, kierując się w stronę Gór Świętokrzyskich. Znajomi nie zawiedli. Dla Gienka Bendery zdobyli fałszywą *kenkartę* na nazwisko Stefan Pidruczny, z którą mógł w miarę bezpiecznie poruszać się po Generalnej Guberni. Znaleźli też kryjówkę dla Kazika, gdyż jego ukrywanie się w młynie, do którego często zaglądali Niemcy, było zbyt niebezpieczne. Dla dwójki uciekinierów przyszedł czas rozstania.

Gienek wyruszył z Radoszyc z myślą, by zobaczyć swoją żonę i syna. Kazik miał ukryć się niedaleko tej miejscowości.

Kilkanaście kilometrów na południe znajdowała się wieś Mnin, w której znajomy młynarzy, Nikodem Nowakowski, prowadził gospodarstwo i potrzebował ludzi do pracy. Przyjął Kazika, a ten z kolei zaprzyjaźnił się z córką gospodarza, młodszą od niego o rok Krysią. Kiedy nabrał do niej zaufania, opowiedział jej historię swojej ucieczki. Dla dziewczyny natychmiast stał się bohaterem. Okazało się, że Krysia jest łączniczką AK w Mninie. Skontaktowała Kazika z szefem miejscowej komórki, nauczycielem o nazwisku Piec. Ten zdobył dla Piechowskiego fałszywą *kenkartę* na nazwisko Władysław Sikora i postanowił wciągnąć go do konspiracji. Uciekinier z Auschwitz został wkrótce zaprzysiężony jako żołnierz Armii Krajowej. Dostał przydział do oddziału Adama Kusza „Garbatego", z którym brał udział w kilku akcjach, wykonywał też wyroki śmierci na konfidentach. W partyzantce przetrwał do końca wojny.

* * *

Wyczyn Piechowskiego, Bendery, Jastera i Lemparta przeszedł do historii Auschwitz. Szybko zaczęły krążyć o nim prawdziwe legendy: że zbiegowie zabrali samochód komendanta Rudolfa Hössa, a potem wysłali do niego pocztówkę z szyderczymi „przeprosinami". Chociaż nie była to prawda, takie historie podnosiły na duchu osadzonych za drutami ludzi i pozwalały im przetrwać. Dodawały także odwagi do podejmowania podobnych prób. W czasie istnienia obozu ten wariant ucieczki – w mundurach esesmanów – z powodzeniem zastosowało jeszcze kilku innych więźniów.

Jednak losy samych uciekinierów były dramatyczne. Józef Lempart przetrwał wojnę w klasztorze, ale jego matka w odwecie za ucieczkę syna została wysłana do Auschwitz i tam zginęła. Po wojnie Józek zrzucił duchowne szaty, ożenił się i miał córkę. Zmarł tragicznie w 1971 roku, potrącony przez autobus na ulicy w Wadowicach. Prawdopodobnie był wtedy myślami w obozie – ten oświęcimski syndrom towarzyszył uciekinierom do końca życia.

Żona Bendery w czasie jego uwięzienia w Auschwitz związała się Niemcem. To ocaliło jej życie, jednak Gienek mógł powrócić do domu dopiero po wojnie. Wybaczył żonie i mieszkał z nią w Przedbórzu do 1959 roku, pracując jako mechanik samochodowy. Kiedy się rozwiedli, wyjechał do Warszawy, gdzie zmarł w 1988 roku.

Kazimierz Piechowski po wojnie wrócił na Pomorze. Jego rodzice szczęśliwie nie byli represjonowani za ucieczkę syna. Kazik nie ujawnił komunistycznym władzom swojej akowskiej przeszłości, był jednak pod ciągłą obserwacją szpiclów UB. Po jednym z donosów bezpieka przeprowadziła rewizję w jego domu, w czasie której podrzucono mu pistolet. Za nielegalne posiadanie broni dostał wyrok dziesięciu lat więzienia. Wyszedł po siedmiu. Kazik całe zawodowe życie przepracował w Stoczni Gdańskiej. Dręczyły go obozowe koszmary. W końcu los się do niego uśmiechnął. Odziedziczona po rodzicach ziemia niedaleko Gdańska nabrała wielkiej wartości. Piechowski sprzedał ją i razem z żoną ruszył zwiedzać świat. W ciągu kilku lat, mając już osiemdziesiątkę na karku, odwiedzili kilkadziesiąt krajów na kilku kontynentach. Piechowski był jedynym z uciekinierów, któremu dane było opowiedzieć historię tego niesamowitego wyczynu. Wystąpił w filmie dokumentalnym, udzielił dziesiątek wywiadów. Zmarł pod koniec 2017 roku w wieku dziewięćdziesięciu ośmiu lat.

Najbardziej dramatyczne były losy Staszka Jastera. Po powrocie do Warszawy dowiedział się, że jego rodzice zostali już aresztowani przez gestapo. Ojciec zmarł wkrótce w Auschwitz, matka po pobycie na Majdanku także została tam wysłana i zginęła. Staszek, by pomścić śmierć ojca i mając nadzieję na uwolnienie matki, natychmiast zaangażował się w działalność zbrojnej konspiracji. Trafił do elitarnego oddziału „Osa"-„Kosa 30", którego zadaniem było między innymi dokonywanie zamachów na wysokich rangą niemieckich oficerów i urzędników. Żołnierze „Osy"-„Kosy" podkładali nawet bomby na dworcach w Berlinie i Wrocławiu, przenosząc odwet AK na terytorium samej Rzeszy. Niestety oddział przestał istnieć w tragicznych okolicznościach, które przyczyniły się bezpośrednio do tragedii samego Staszka Jastera.

Niespełna rok po jego ucieczce z obozu, 5 czerwca 1943 roku, w kościele Świętego Aleksandra na warszawskim placu Trzech Krzyży miał odbyć się ślub oficera „Osy"-„Kosy" Mieczysława Uniejewskiego z siostrą żołnierza tego oddziału, Teofilą Suchanek. Wbrew zasadom konspiracji młodzi zaprosili na uroczystość żołnierzy oddziału oraz wiele innych osób. Gestapo tylko czekało na taką okazję. Zaraz po wyjściu z kościoła zostało aresztowanych osiemdziesięciu dziewięciu ludzi, których przewieziono na Pawiak. Wypuszczono niewielu. Pozostałych wysłano do więzień i obozów koncentracyjnych, a ponad dwudziestu żołnierzy „Osy"-„Kosy" zostało wkrótce rozstrzelanych.

Utrata elitarnego oddziału wywołała panikę w dowództwie Armii Krajowej. Gorączkowo rozpoczęto poszukiwania zdrajcy, który mógł poinformować gestapo o uroczystości na placu Trzech Krzyży. A tak się złożyło, że Staszek Jaster nie przyszedł na ślub kolegi z oddziału, chociaż mieszkał blisko – na ulicy Wilanowskiej. Słusznie uważał, że to zbyt niebezpieczne. Podejrzenia kontrwywiadu AK zaczęły kierować się przeciwko niemu. Prowadzący śledztwo oficerowie podejrzewali nawet, że to gestapo umożliwiło Jasterowi ucieczkę z Auschwitz, aby uwiarygodnić go w ten sposób w oczach kierownictwa podziemia.

Staszek wiedział, że jest teraz tropiony zarówno przez gestapo, jak i kontrwywiad AK. Prosił swojego dowódcę o przeniesienie na wschód. W czasie spotkania na ulicy w Warszawie 12 lipca 1943 roku obaj zostali jednak aresztowani przez gestapo. Staszek nie poddał się: kiedy auto przejeżdżało przez plac Unii Lubelskiej, obezwładnił gestapowca i razem z nim wyskoczył z jadącego samochodu. Mimo postrzału w nogę udało mu się ukryć w bocznych uliczkach i uciec.

Z NIEWOLI NIEMIECKIEJ...

W takie kolejne szczęśliwe ocalenie Staszka Jastera kontrwywiad AK nie chciał już uwierzyć. Zwabiono go do konspiracyjnej kryjówki i po brutalnym przesłuchaniu zastrzelono bez sądu, chociaż poza podejrzeniami nie było żadnych dowodów jego zdrady. Jaster został kozłem ofiarnym mającym przykryć potężne wpadki akowskiego kontrwywiadu, takie jak rozbicie „Osy"-„Kosy 30" czy aresztowanie komendanta głównego Armii Krajowej, Stefana Roweckiego-Grota, które nastąpiły w ciągu zaledwie trzech tygodni, między 5 a 30 czerwca 1943 roku. Po wojnie wersję o zdradzie Jastera powtórzyło wielu historyków podziemia.

Kazimierz Piechowski do końca życia walczył o pamięć kolegi – towarzysza legendarnej ucieczki. Nie wierzył, że człowiek, któremu Niemcy zabili oboje rodziców, był w stanie współpracować ze służbami wroga. Staszek Jaster, bohaterski uciekinier z Auschwitz, wciąż czeka na odzyskanie dobrego imienia.

BUNTOWNICY Z OBOZU ŚMIERCI

Sobibór, 1943

Jego zadaniem było grabienie „drogi do nieba", piaszczystej alejki prowadzącej do komór gazowych. Codziennie widział na niej setki odciśniętych stóp. Były ostatnim śladem po ludziach, którzy zniknęli na zawsze, zagazowani i spaleni w krematoryjnych piecach. Odciski dużych stóp dorosłych i małe ślady dziecięcych nóżek. Pojedyncze ślady nóg kalek podtrzymywanych przez przyjaciół. Długie ślady pozostawione przez tych, którzy po transporcie do obozu nie mieli siły iść sami i teraz ciągnięto ich po piachu. Grabiąc tę „drogę do nieba", zauważył wdeptane w piasek różnokolorowe papierki. Zaczął je zbierać; to były pieniądze: sowieckie ruble, amerykańskie dolary, holenderskie guldeny, francuskie franki… Ci, którzy je tu porzucili, w ostatnim geście oporu wdeptywali je w piach, by nie wpadły w ręce Niemców. Nie mieli już złudzeń, co ich czeka za bramą Lagru III.

Szesnastoletni Tomasz, czyli po żydowsku Teivi Blatt, był w obozie już kilka miesięcy. Trafił tu pod koniec kwietnia 1943 roku w ostatnim transporcie z getta w Izbicy. Jego matka i młodszy brat zostali od razu wysłani do gazu. On i ojciec pozostali przy życiu, by pracować. Chłopak wiedział doskonale, co dzieje się w Sobiborze. Chociaż za bramę Lagru III nie miał prawa zajrzeć pod groźbą śmierci żaden z pozostawionych przy życiu więźniów,

Obóz w Sobiborze ruszył w maju 1942 roku. Transport z Izbicy, w którym do obozu trafiła rodzina Blattów, był jednym z ostatnich z terenów polskich. Potem zaczęli tu trafiać niemal wyłącznie Żydzi z Holandii, Francji i Związku Radzieckiego.

Zeznanie mjra Hansa Wagnera
dotyczące działań podjętych przez 689. batalion bezpieczeństwa w czasie powstania w Sobiborze.

Tomasz pracował najpierw po dziewięć godzin dziennie przy sortowaniu ubrań, potem przy paleniu dokumentów, a teraz tu, grabiąc „drogę do nieba". To były setki i tysiące ludzi mordowanych każdego dnia. I każdego dnia myślał o tym, jak uciec z tego piekła.

Ucieczki z Sobiboru początkowo nie były rzadkością. Już po kilku dniach od trafienia za druty obozu Tomasz razem z innymi więźniami został wywołany na karny apel. Okazało się, że poprzedniej nocy uciekli, przecinając druty, Josel Pelc z Tyszowiec i jakiś murarz z Chełma. Teraz za ich ucieczkę z każdej grupy więźniów miało zostać zabitych dwóch jeńców wybranych przez Niemców. Teivi czuł paraliżujący, zwierzęcy strach, gdy esesman z długą szpicrutą chodził wzdłuż szeregu, wybierając tych przeznaczonych na stracenie. Kogo dotknął batem, ten był już martwy. Ale gdzieś oprócz tego strachu chłopak czuł też wielką zazdrość wobec tych, którzy uciekli. Wielu płaciło teraz za to śmiercią, ale świadomość, że wolność jest możliwa, podtrzymywała na duchu pozostałych.

Innym razem uciekło kilku więźniów z pracującego w lesie *Waldkommando*. Jednego z nich, rówieśnika Tomasza noszącego to samo nazwisko co on, esesmani zachłostali na śmierć. Chłopak błagał o strzał, który zakończyłby jego życie, ale niemieccy i ukraińscy sadyści nie zamierzali spełnić jego życzenia. To miało być ostrzeżenie dla pozostałych – zobaczcie, co was czeka, jeśli spróbujecie. Jednocześnie zwiększono środki bezpieczeństwa. Za trzema rzędami drutów kolczastych wokół obozu powstało szerokie na piętnaście metrów pole minowe. Kilka razy miny wybuchały, alarmując strażników. W większości wypadków detonacje były spowodowane przez zwierzęta, sarny i zające. Ale raz na polu minowym znaleziono ślady butów. Prawdopodobnie byli to partyzanci, którzy podeszli pod obóz, by zobaczyć, co dzieje się za drutami.

Więźniowie szybko zdali sobie sprawę, że samodzielne próby ucieczek nie miały już szans. Z obozu zagłady można się było wydostać, tylko organizując zbiorowy bunt. Zaczęła tworzyć się konspiracja, której przywódcą został trzydziestotrzyletni Leon

Feldhendler z Żółkiewki, przed wojną handlarz zbożem oraz właściciel tartaku, w czasie okupacji prezes *Judenratu* – rady żydowskiej w tym mieście. Wtajemniczonych przybywało, jednak nikt nie wiedział, jak zorganizować bunt. Żydowscy więźniowie Sobiboru, przywiezieni tu z gett znajdujących się na terenie dystryktu lubelskiego, nie mieli doświadczenia wojskowego. Byli rzemieślnikami, przedsiębiorcami, urzędnikami – nie żołnierzami. Jednak w drugiej części obozu przebywali od sierpnia 1942 roku więźniowie przywiezieni z getta w Mińsku. Wśród nich, jak głosiła fama, znajdowało się kilku doświadczonych oficerów i żołnierzy Armii Czerwonej wziętych do niewoli przez Wehrmacht, ale później z powodu żydowskiego pochodzenia wysłanych do obozu śmierci. Przywódcą grupy był trzydziestoczteroletni porucznik z Rostowa nad Donem, rosyjski Żyd Sasza Peczerski. Pod koniec lata 1943 roku obie grupy konspiratorów nawiązały bliskie kontakty. Pośredniczył w nich także Tomasz Blatt, któremu do pomocy przy paleniu coraz większej liczby dokumentów z holenderskich transportów przysłano Saszę Szubajewa, jak się okazało, zaufanego człowieka Peczerskiego.

Aby obie grupy nawiązały współpracę, trzeba było pokonać nie tylko barierę językową, ale także ogromną barierę wzajemnej nieufności. Peczerski i jego ludzie byli komunistami z doświadczeniem walki z Niemcami. Polscy Żydzi z Izbicy i innych gett byli dla nich drobnomieszczańskimi cywilami bez żadnego bojowego doświadczenia albo wręcz kapitalistami, którym nie należało ufać. Z kolei ludzie tacy jak Leon Feldhendler mieli swoje powody, by nie ufać komunistom. Pamiętali, jak po 17 września 1939 roku i wejściu Armii Czerwonej do wschodnich województw Rzeczypospolitej należące do Żydów przedsiębiorstwa i sklepy zostały od razu upaństwowione. Dlatego Leon postanowił przedstawić się Peczerskiemu jako krawiec Boruch. Doszło do pierwszych kontaktów na najwyższym szczeblu.

„Nie liczcie na to, że wyzwolą was tu partyzanci. Oni mają swoje rozkazy. Naszej roboty nikt za nas nie zrobi" – te słowa Peczerskiego, które padły na spotkaniu z Feldhendlerem, zrobiły wielkie wrażenie wśród więźniów. Stało się jasne, że chodzi o zbrojny bunt, taki jak w warszawskim getcie, o którym Tomasz zdążył jeszcze usłyszeć, nim zabrano go z rodziną i sąsiadami z Izbicy.

* * *

Przed wojną w położonej na drodze między Lublinem a Zamościem Izbicy mieszkało 3600 Żydów i 200 chrześcijan. Ojciec Tomasza był znanym w miasteczku wolnomyślicielem; nie był religijny, nie przestrzegał szabasu, ostentacyjnie jadł wieprzową szynkę, a nawet częstował nią dzieci. Spokojne małomiasteczkowe życie zmieniło się po klęsce Polski we wrześniu 1939 roku, gdy chłopak miał dwanaście lat. Początkowo tę część Lubelszczyzny zajęli Rosjanie, a nie Niemcy, o których wiedziano już, że na podbitych terenach urządzają prawdziwe polowania na Żydów. Dlatego niemal nikt nie zdecydował się na ucieczkę z miasteczka na wschód. Jednak po kilkunastu dniach w wyniku korekty postanowień paktu Ribbentrop-Mołotow Rosjanie odeszli, a do Izbicy weszli Niemcy. Rozpoczęło się tworzenie gett w okręgu lubelskim, w których znaleźć się miało 250 tysięcy ludzi. Izbica miała stać się jednym z nich – częścią „lubelskiego rezerwatu dla europejskich Żydów", jak nazwał ten pomysł *Reichsführer* SS, Heinrich Himmler.

Jednak początek okupacji nie zapowiadał jeszcze koszmaru, który miał nadejść. Najpierw Niemcy wprowadzili na terenach podbitych takie same rasistowskie prawa, jakie obowiązywały już od kilku lat w III Rzeszy. Na początku wydano przepisy pozbawiające Żydów ochrony prawnej, następnie przeprowadzono blokadę kont bankowych, konfiskatę oszczędności i przelewów zagranicznych, potem nałożono na społeczność żydowską kontrybucje, domy, firmy, sklepy i warsztaty były przejmowane przez instytucje powiernicze. Od godziny siódmej wieczorem do piątej rano obowiązywała w Izbicy godzina policyjna, ale Tomasz niewiele sobie z niej robił. Znał miasteczko jak własną kieszeń i zawsze udało mu się jakoś przemknąć, nie zwracając uwagi żandarmów. Raz omal nie doprowadził do zawału matki, waląc w drzwi i krzycząc: „Gestapo!". Wtedy jeszcze uważał to za dobry dowcip.

Tymczasem z terenów na zachodzie dochodziły wieści, że zaczyna dziać się coś bardzo złego. Jeden z kuzynów Tomasza mieszkający w Kole przysłał list, w którym pisał, że w obozie w Chełmnie nad Nerem „Niemcy duszą Żydów gazem". Nikt w to nie uwierzył. „To niemożliwe, przecież mamy XX wiek!" – powtarzał pan Blatt, ojciec Tomka. Wkrótce Niemcy zaczęli urządzać w Izbicy łapanki uliczne i wysyłać ludzi do odległego o siedemdziesiąt kilometrów Bełżca, który wówczas był obozem pracy.

Koszmar zaczął się wiosną 1942 roku. Z podbitych przez Niemcy terenów na wschodzie zaczęły dochodzić informacje o masowych morderstwach. Pojawili się też ubrani na czarno Ukraińcy z kolaborujących z nazistami formacji, którzy rozpoczęli w Izbicy „polowania na Żydów". Ludzie znikali, miasteczko pustoszało. W tym czasie Tomasz podjął próbę przedostania się przez południową granicę na Węgry, gdzie – jak głosiła wieść – można uzyskać opiekę od polskiego rządu, a nawet przedostać się stamtąd do formowanej w Palestynie polskiej armii. Ucieczka była krótka: skończyło się wpadką, a potem więzieniem i gettem w Stryju, skąd odesłano go do Izbicy.

Gdy wrócił, wielu dawnych mieszkańców już nie było. Zamiast nich pojawiło się tysiąc Żydów deportowanych z Rzeszy. Miejscowi łudzili się jeszcze, że hitlerowcy zrobią z Izbicy „pokazowe żydowskie miasto", ale nadzieje trwały krótko. Pewnego dnia Niemcy i Ukraińcy zaprowadzili pięć tysięcy Żydów na kirkut i po prostu ich rozstrzelali. Tym, którzy uciekli przed obławą, przekazano wiadomość: „To już koniec, możecie wracać". W tej grupie był też Tomasz i jego rodzina. Gdy wrócili, zapakowano ich na ciężarówki i wywieziono w stronę odległego o osiemdziesiąt kilometrów Sobiboru. Tam zobaczyli zielony płot i wielką bramę z napisem *SS Sonderkommando*. To był koniec podróży rodziny Blattów.

Zdjęcie lotnicze z 1941 roku przedstawiające teren przyszłego obozu w Sobiborze.

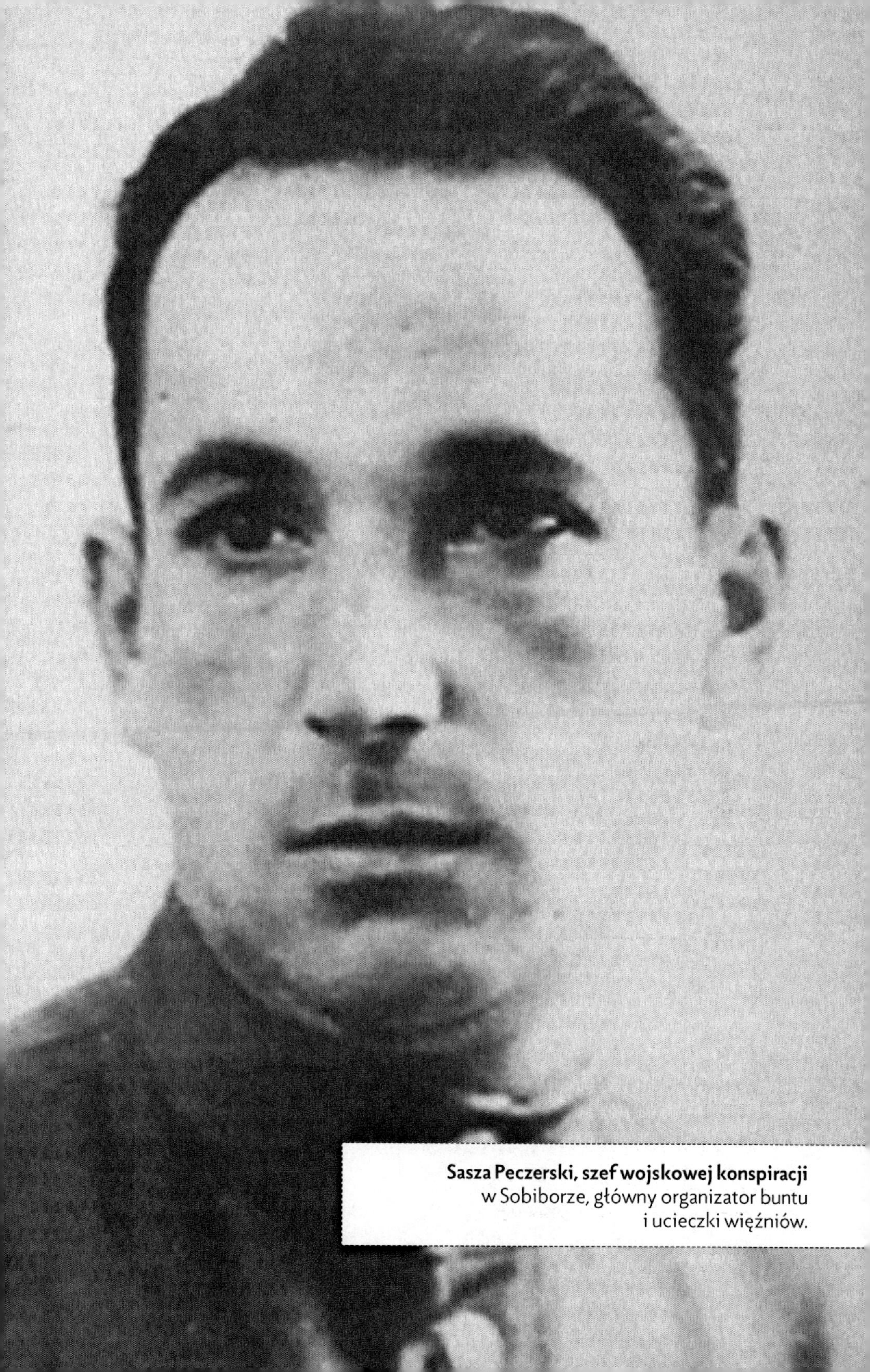

Sasza Peczerski, szef wojskowej konspiracji w Sobiborze, główny organizator buntu i ucieczki więźniów.

Obóz w Sobiborze ruszył w maju 1942 roku, w czasie gdy pierwszy z niemieckich obozów zagłady w Bełżcu przechodził rozbudowę. Trzy z sześciu największych takich jednostek – Bełżec, Sobibór i Majdanek – zbudowano właśnie na terenie „lubelskiego rezerwatu dla Żydów". Stąd było też blisko do gęsto zamieszkałych przez ludność żydowską terenów na wschodzie, aż po Lwów i Mińsk. Transport z Izbicy był już jednym z ostatnich z terenów polskich; potem do Sobiboru zaczęli trafiać niemal wyłącznie Żydzi z Holandii, Francji i Związku Radzieckiego. 28 kwietnia 1943 roku rodzina Blattów widziała się po raz ostatni.

* * *

7 października 1943 roku Sasza Peczerski i Leon Feldhendler-Boruch spotkali się w baraku kobiecym. Pretekstem była randka Saszy z osiemnastoletnią Luką z transportu holenderskiego. Leon przekazał Rosjaninowi informacje o wcześniejszych próbach ucieczek, organizacji i topografii obozu oraz jego zabezpieczeniach. Były to cenne dane. Wielu ludzi z grupy Leona pracowało m.in. przy kopaniu dołków, w których później układano miny, mieli więc rozeznanie, gdzie jest ich najwięcej. Feldhendler rzucił też pomysł wykopania tunelu, który zaczynałby się pod piecem w warsztacie stolarskim i przechodził pod drutami oraz polem minowym. Peczerski milczał, Leon wyczuł jego rezerwę. Chwycił go za rękaw bluzy.

– Dziwisz się pewnie, żeśmy dotąd nie uciekli. Nie myśl, że nie planowaliśmy tego. Ale nie wiemy, jak to wykonać – powiedział patrząc mu w oczy. – Weź to na siebie. Jesteś wojskowym. Powiedz, co trzeba zrobić, a my to wykonamy. Rozumiem, że mi nie ufasz, ale tak czy inaczej musimy się dogadać. Oświadczam ci w imieniu mojej grupy – my ci ufamy.

– Dobrze, przemyślę to. Spotkajmy się wieczorem – odpowiedział Peczerski.

Spotkali się pod pretekstem gry w szachy. Peczerski odrzucił pomysł z tunelem.

– Nawet, gdyby udało się go wykopać, przeczołganie się nim przez kilkuset ludzi zajęłoby wiele godzin – mówił. – Nie zdążylibyśmy wyjść wszyscy przed porannym apelem.

Potem rozmowa zeszła na rozkład dnia obozowych straży. Poza Ukraińcami, którzy pełnili dyżur w wartowniach, niemiecka obsada Sobiboru nie była duża. Kluczową rolę odgrywało w niej zaledwie kilkunastu najwyższych rangą esesmanów. Było jasne, do czego zmierza Peczerski, chociaż nie powiedział tego jeszcze wprost. Chodziło o wyeliminowanie dowódczej kadry obozu, wywołanie chaosu, a następnie zbiorową ucieczkę. Do ustalenia pozostało jednak wiele ważnych szczegółów, a przede wszystkim – wybór właściwych ludzi do realizacji planu. Ścisły trzon konspiracji miało stanowić zaledwie kilkudziesięciu mężczyzn, mniej niż dziesięć procent więźniów Sobiboru. Pozostali mieli dowiedzieć się o ucieczce dopiero tuż przed jej rozpoczęciem.

Kolejne dni szefowie obu grup poświęcili na zebranie najbardziej zaufanych więźniów. Decydujące spotkanie zostało zaplanowane na 10 października. Dzień wcześniej Leon Feldhendler wziął na stronę Tomasza Blatta i poprosił o przysługę.

– Zasłoń śmieciami okno spalarni dokumentów tak, żeby nie było widać, co dzieje się w środku. To miejsce będzie nam wkrótce potrzebne – powiedział.

Tomasz obiecał pomoc. Było jasne, że szykuje się duża akcja.

10 października o dziewiątej wieczorem spotkało się ścisłe kierownictwo konspiracji. Obecni byli Peczerski, Feldhendler, pełniący rolę tłumacza Szlomo Leitman, kierownik stolarzy – Janek, kierownik krawców – Józef, szewc Jakub i kilku innych. Był też kapo Brzecki, któremu wcześniej Sasza i Leon nie ufali, a który sam zgłosił się do konspiracji, widząc, że coś się dzieje. Brzecki mógł oddać znaczne przysługi, gdyż tacy jak on – więźniowie funkcyjni – mogli poruszać się po obozie o wiele bardziej swobodnie niż pozostali. Ostrzeżono go jednak, że jeśli Niemcy w jakikolwiek sposób dowiedzą się o planie ucieczki, on właśnie będzie pierwszym podejrzanym.

– Jeśli wpadniemy, zabijemy cię od razu – powiedział zimno Peczerski.

– Rozumiem. Bądźcie spokojni – odrzekł Brzecki.

Skład grupy nie był przypadkowy. Peczerski szybko przeszedł do przedstawienia planu.

– Musimy zgładzić grupę oficerów, która dowodzi obozem – zaczął. – Rzecz jasna, każdego z osobna – cicho, sprawnie i szybko. Będziemy mieli na to godzinę, nie dłużej. Inaczej mogliby się połapać, że któregoś z nich brakuje i podnieśliby alarm. To zadanie – zamach na niemieckich oficerów – wykonają ludzie wyznaczeni spośród jeńców sowieckich, których znam osobiście i wiem, że można na nich polegać. Mogą to zrobić tylko ludzie zdecydowani i o pewnej ręce. Sekunda wahania lub niezręczności może zgubić nas wszystkich. Utworzymy trzy trzyosobowe grupy bojowe uzbrojone w siekiery i noże. Siekiery – małe, ostre, łatwe do ukrycia – muszą przygotować zaufani ludzie w ślusarni.

Wszyscy słuchali, Peczerski kontynuował:

– O godzinie wpół do czwartej, po obiedzie, kapo wprowadzi do obozu drugiego trzech ludzi, których mu wskażę. Oni zabiją pierwszych czterech esesmanów. Boruch postara się, aby Niemcy wchodzili pojedynczo do pomieszczenia, gdzie będą zabijani. Musi też zadbać o to, aby od chwili, gdy rozpoczniemy akcję, nikt nie wyszedł z Lagru II. Jeśli ktoś podniesie wrzawę, trzeba go będzie uspokoić albo zabić.

Jak zwabić Niemców w umówione miejsca? Tę część planu opracował Feldhendler. Wykorzystał fakt, że esesmani kazali wybierać dla siebie najlepsze płaszcze i buty, które pozostawały po ludziach z kolejnych transportów. Ich przeróbki zlecali obozowym krawcom i szewcom.

– Józef i Jakub zaproszą Niemców na przymiarki między czwartą a piątą. Dokładnie co piętnaście minut. Będą wchodzili po kolei, ciała zabitych ukryjemy pod ubraniami. Liczymy na punktualność Niemców – Leon uśmiechnął się ironicznie. – Tak samo zrobimy w magazynie z odzieżą, do którego zwabią ich niebudzący podejrzeń chłopcy – dodał.

Po zabiciu esesmanów egzekutorzy z grup bojowych mieli zabrać ich pistolety, ale na tym etapie akcji nie wolno ich było użyć. Likwidacja Niemców miała odbyć się w zupełnej ciszy.

– Do trzech miejsc nie wystarczy mi ludzi – powiedział Peczerski.

– Mamy takich, którym ręka nie zadrży – odpowiedział Feldhendler.

Eliminacja esesmanów miała nastąpić między godziną czwartą a piątą. Potem więźniowie mieli zostać przeprowadzeni przez kapo z Lagru II do Lagru I na wieczorny apel. Dopiero wtedy reszta uwięzionych powinna zostać powiadomiona o planach ucieczki. W tym czasie elektryk Walter Schwarz, niemiecki Żyd, miał uszkodzić obozowy generator prądu, inna grupa – przeciąć druty telefoniczne, jeszcze inna – ukraść karabiny i amunicję z wartowni Ukraińców. Kwadrans przed szóstą wszystko musiało być gotowe do ataku oddziału specjalnego na zbrojownię, a potem na główną bramę. Gdyby nie udało się jej sforsować, miały zostać przecięte druty za stolarnią, niedaleko której stały domy oficerów. Peczerski oceniał, że w tym miejscu za ogrodzeniem zakopane są co najwyżej miny sygnałowe. Na wszelki wypadek część więźniów miała jednak uzbroić się w deski, drągi i kamienie, które rzucaliby przed siebie, aby zdetonować miny.

– Możemy wyprowadzić stąd 500–600 ludzi – ocenił.

– A co z ludźmi z Lagru III? – zapytał ktoś.

Niestety nie było żadnej możliwości powiadomienia ich o planowanej akcji. Zatrudnieni do palenia zwłok więźniowie Sobiboru byli całkowicie odizolowani od pozostałych części obozu. Nie mieli szans na ucieczkę.

Datę akcji ustalono na 13 października. Poprzedzające ją dni wypełnione były przygotowaniem noży i siekier – były to małe, ciesielskie toporki, ale naostrzone jak brzytwy. Za dobry znak przyjęto fakt, że 12 października na urlop wyjechał z Sobiboru esesman Wagner, najgorszy ze wszystkich hitlerowców. Był nie tylko bezwzględny i okrutny, ale też obdarzony szczególną inteligencją; zawsze podejrzliwy, ruchliwy, pojawiał się znienacka w najmniej spodziewanych miejscach. Był też mężczyzną potężnej postury, obdarzonym wielką siłą i istniała obawa, że trudno byłoby zgładzić go za pomocą prymitywnej broni, jaką mieli do dyspozycji więźniowie. Wyjazd Wagnera tuż przed planowaną datą ucieczki był więc szczęśliwym zrządzeniem losu. Zastępujący go *SS-Oberscharführer* Frenzel, który właśnie wrócił z urlopu w Niemczech, nie był nawet w połowie tak groźny jak on.

13 października Tomasz Blatt wymknął się do magazynu z ubraniami i zabrał z niego zimowy płaszcz oraz ciepłą bieliznę. Na terenie obozu miał też zakopane zawiniątko z biżuterią i pieniędzmi, które miały pomóc mu przetrwać na wolności, a które zamierzał wydobyć tuż przed akcją. Rozpoczęło się pełne napięcia oczekiwanie na wyznaczoną godzinę, gdy nagle z esesmańskiej części obozu dały się słyszeć krzyki i hałasy. Konspiratorzy zamarli przekonani, że Niemcy odkryli spisek. Okazało się jednak, że do Sobiboru przyjechała z niezapowiedzianą wizytą załoga obozu pracy w pobliskim Osowie. Przybysze zwiększali siłę przeciwników i chociaż wieczór zakończył się pijatyką esesmanów, wybuch powstania przełożono na następny dzień. Na szczęście dobrze podpici już Niemcy bez problemu zaakceptowali przesłaną im w pośpiechu informację, że na umówione przymiarki płaszczy i butów mają się zgłosić dopiero nazajutrz.

* * *

14 października po południowym apelu wtajemniczony w spisek kapo Pożycki zabrał Saszę Peczerskiego, Borysa Cybulskiego, Siemiona Rosenfelda, Saszę Szubajewa oraz Arkadego Weisspapiera z ich normalnego miejsca pracy i zaprowadził do warsztatu stolarskiego, który miał stać się sztabem powstania. Tam Peczerski wydał ostatnie rozkazy. W warsztacie szewskim zaczaili się na Niemców Weisspapier i Rosenfeld. Uzbrojeni w topory Szubajew i Jehuda Lerner z Warszawy czekali w warsztacie krawieckim. W magazynie z ubraniami ukrył się uzbrojony

w siekierę Borys Cybulski, potężny, trzydziestopięcioletni kierowca z Donbasu, zaufany człowiek Peczerskiego.

O czwartej po południu wszystko było już gotowe. Punktualnie o tej godzinie podjechał na przymiarkę płaszcza pełniący obowiązki komendanta obozu *SS-Untersturmführer* Niemann. Niczego niespodziewający się Niemiec wszedł do środka, odpiął pas z pistoletem i niedbale rzucił go na stół, a następnie stanął przed krawcem Mundkiem do przymiarki. Ten obrócił go tyłem do miejsca, w którym ukryli się zamachowcy, kazał się wyprostować się i stanąć nieruchomo.

Jehuda Lerner siedział z tyłu i udawał, że przyszywa guzik do płaszcza, pod którym miał ukrytą siekierę. Gdy zobaczył przed sobą wysokiego, potężnie zbudowanego Niemca, zamarł. Nigdy w życiu nie zabił człowieka. Wahanie trwało jednak tylko ułamek sekundy. Siedemnastoletni Lerner cicho wstał, wziął zamach i precyzyjnie uderzył Niemca w sam środek głowy, rozłupując ją na pół jak kawałek drewna. Potem uderzył jeszcze raz. Wtedy niespodziewanie jeden z więźniów rzucił się na martwe ciało Niemanna i zaczął dźgać je nożyczkami, krzycząc histerycznie o żonie i dzieciach zamordowanych w Sobiborze. Dla bezpieczeństwa związano go, zakneblowano i zamknięto w komórce. Zwłoki Niemanna zamachowcy przeciągnęli do drugiego pokoju, zakrwawiona podłoga została wytarta szmatami. Sasza Szubajew wziął pistolet Niemca i zaniósł do Peczerskiego. Pierwsza sztuka broni była w rękach powstańców. Cała akcja trwała zaledwie kilka minut.

Chwilę później do warsztatu szewskiego wszedł odpowiedzialny za ukraińskich strażników *SS-Oberscharführer* Graetschutz. Szewc Icchak Lichtmann poprosił go, by usiadł i zaczął pomagać Niemcowi w zdejmowaniu butów. W pewnym momencie chwycił nogę hitlerowca w mocnym uścisku, a z sąsiedniego pokoju wynurzyli się Weisspapier i Rosenfeld. Padły zabójcze ciosy. Zamachowcy nie zdążyli jeszcze dobrze ukryć ciała, gdy do warsztatu wszedł zastępca Graetschutza, Ukrainiec Iwan Klatt. Zanim zorientował się, co się wydarzyło, również został zabity.

Czwartą ofiarą był *SS-Unterscharführer* Josef Wolf zwabiony do magazynu z ubraniami, gdzie czekać miał na niego elegancki, markowy, skórzany płaszcz dokładnie w jego rozmiarze. Jeden z więźniów podszedł do Niemca, by pomóc mu go założyć. Kiedy Wolf wygiął ręce do tyłu, by włożyć je w rękawy płaszcza, jego los został przesądzony. Więzień przytrzymał je jak w kaftanie bezpieczeństwa, gdy tymczasem Borys Cybulski zadał cios siekierą. Dla pewności więźniowie dobili Wolfa nożami. Kolejną ofiarą był esesman Vallaster, zaproszony „na przymiarkę" do magazynu przez Tomasza Blatta.

Następny miał być *Oberscharführer* Beckmann. Esesman przyszedł pod magazyn za namową Tomasza, jednak w ostatniej chwili jakby coś go tknęło. Zawahał się chwilę, po czym zawrócił do biura. Blatt zaalarmował Peczerskiego, ten natychmiast zorganizował specjalną grupę, w której skład weszli Leon Feldhendler, Chaim Engel i Hersz Pożycki. Poszli do biura Beckmanna, prosząc o jakieś wyjaśnienia. Gdy pozwolił im wejść, rzucili się na Niemca. Dwóch go trzymało, a Engel zadał mu kilka ciosów nożem. Kilka minut później w sąsiednim biurze w ten sam sposób zginął *SS-Scharführer* Steffl. Nie żyło już ośmiu esesmanów. Kolejne pistolety trafiły w ręce powstańców.

Jako dziewiąty został zabity esesman Walter Ryba, który zaplątał się w pobliżu garaży. Początkowo nie planowano jego egzekucji, jednak pracujący tam więźniowie wykorzystali szansę. Po nim zginął jeszcze *SS-Unterscharführer* Friedrich Gaulstich, który niespodziewanie pojawił się w pobliżu baraków i został zwabiony do środka przez Szlomo Leitmana. W tym czasie blacharz Szlomo Szmajzner wszedł do baraków ukraińskich strażników i wyniósł z nich kilka karabinów oraz pasów z amunicją, które ukrył w rurze od piecyka. Wszystko przebiegało dotąd jak w zegarku. Była godzina piąta i nie żyło już dziesięciu esesmanów – ginęli średnio co sześć minut. Wciąż nie można było jednak znaleźć *SS-Oberscharführera* Frenzla, jednego z głównych katów Sobiboru. Niemiec jakby rozpłynął się w powietrzu, a w warsztacie wciąż czekał na niego Siemion Rosenfeld z siekierą. Nie zdarzało się dotąd, by Frenzel nie zgłosił się na umówioną przymiarkę.

Nie było sensu czekać dłużej. Zgodnie z obozowym rozkładem dnia o godzinie szóstej po południu niemiecka załoga miała zebrać się na wieczorny apel. Wtedy z pewnością zauważyliby brak swoich towarzyszy i podnieśli alarm. Na rozkaz Peczerskiego kapo Pożycki zwołał więc więźniów na apel piętnaście minut wcześniej. Wieść o planowanej ucieczce zaczęła szerzyć się lotem błyskawicy. Peczerski zaczął formować z więźniów kolumnę, by poprowadzić ją w stronę bramy głównej, gdy nagle w obozie dały się słyszeć strzały. Okazało się, że jeden z esesmanów, *SS-Oberscharführer* Bauer, wrócił z Chełma i odkrył w biurze ciało martwego Beckmana. Nie namyślając się, zaczął strzelać do przypadkowych więźniów, którzy rozładowywali ciężarówkę.

Strzały zaalarmowały ukraińskich strażników. Peczerski zrozumiał, co się dzieje. Wskoczył na stojący na placu apelowym stół i spokojnym głosem wygłosił krótką mowę po rosyjsku:

– Większość Niemców w obozie została zabita. Nie mamy odwrotu. Straszna wojna niszczy świat i każdy więzień jest jej częścią. Żywi czy umarli zostaniemy pomszczeni. Ci, którzy przeżyją, powinni przez całe życie dawać świadectwo tej zbrodni. Naprzód! Zwyciężymy! Śmierć faszystom!

Więźniowie, którzy nie znali rosyjskiego, gorączkowo dopytywali się pozostałych, o co chodzi. Karabiny na wieżyczkach milczały; najwyraźniej Ukraińcy byli za daleko, by usłyszeć słowa Peczerskiego. Gdy w końcu więźniowie z różnych krajów, mówiący różnymi językami zrozumieli sens jego słów, w obozie rozległ się jeden potężny krzyk i tłum ludzi ruszył z impetem w stronę ogrodzenia.

* * *

Do obozu wjeżdżał właśnie przez bramę na rowerze komendant straży, *volksdeutsch* Schreiber.

– Dlaczego pchacie się jak wściekłe bydło?! Ustawić się w szeregu! – zdążył krzyknąć, zanim został powalony na ziemię i zadźgany nożami.

W tym czasie pod eskortą *SS-Scharführera* Wedlanda i ukraińskich strażników szła spóźniona na apel pięćdziesięcioosobowa grupa rosyjskich Żydów. Gdy zobaczyli, co się dzieje, natychmiast rzucili się na swoich oprawców, by zabrać im broń. Wtedy posypał się na nich grad pocisków z jednej z wież strażniczych; większość więźniów padła zabita lub ranna, ale ci, którzy przeżyli, ruszyli ze zdobytą bronią w stronę bramy, strzelając w powietrze. Inni wymachiwali pałkami, siekierami i innymi narzędziami, które zabrali z pracy.

Wtedy dopiero pojawił się Frenzel z pistoletem maszynowym. Razem z drugim esesmanem zmobilizowali zszokowanych ukraińskich strażników. Na więźniów posypał się grad pocisków, padło wielu zabitych. Dojście do bramy głównej było zablokowane. Tłum ruszył więc w prawo w stronę kwater obozowej straży. Szedł z nim również Tomasz Blatt. W chaosie krzyków, strzałów i wybuchów granatów znalazł się z małą grupą więźniów w wąskim korytarzu między drutami, przeznaczonym dla patrolujących obóz Ukraińców.

Byli tam już Sasza Peczerski i Szlomo Szmajzner, którzy z pistoletu i karabinu ostrzeliwali strażników będących na wieży, a także jeszcze dwóch mężczyzn uzbrojonych w siekierę i łopatę, którymi cięli druty ogrodzenia. Gdy jednak nadbiegła w to miejsce większa grupa, posypał się grad pocisków. Ludzie wpadli w panikę. Nie czekając na wycinaną w ogrodzeniu dziurę, zaczęli wspinać się po nim jak po drabinie. W pewnym momencie płot nie wytrzymał ich ciężaru i zawalił się, przewracając na Tomasza Blatta. Chłopak był przekonany, że to już koniec, ale okazało się, że to zdarzenie uratowało mu życie. Leżąc pod drutami widział biegnących przez pole ludzi, rozrywanych wybuchami min. W końcu wyślizgnął się jakoś spod płaszcza, który miał na sobie, wyczołgał spod zwału martwych ciał i biegiem ruszył w stronę odległego o 200 metrów lasu przez niegroźne już pole minowe.

Po kilkunastu minutach kanonady nad Sobiborem zaległa cisza. Kilku ocalałych Niemców: Karl Frenzel, Erich Bauer, Willy Wendland, Fritz Rewald, Franz Wolf, Richter i Floss zebrało przerażonych ukraińskich strażników. Zszokowani Niemcy nie byli w stanie ocenić sytuacji. Co tu się wydarzyło? Czy Żydzi sami zorganizowali ten bunt, czy była to akcja partyzantów z zewnątrz? Co teraz? Telefony nie działały, w obozie robiło się ciemno – linia telefoniczna i generator zostały wcześniej uszkodzone zgodnie z planami konspiratorów. Dwóch Niemców z Frenzlem na czele pobiegło więc do najbliższej stacji kolejowej, by wezwać pomoc. Stamtąd zadzwonili do komendy SS w Chełmie i wysłali depeszę do Gestapo w Lublinie: „Żydzi zbuntowali się. Część uciekła. Część oficerów SS, podoficerów i strażników obcego pochodzenia nie żyje. Część Żydów ciągle w obozie. Przyślijcie pomoc".

Kiedy wrócili do Sobiboru, natychmiast zaczęli przeszukiwać obóz przy świetle naftowych lamp. W magazynie, warsztatach i biurach znaleźli ciała zabitych esesmanów. Wstępna ocena sytuacji była szokująca. W buncie wzięło udział ponad 500 więźniów. Około 200 zostało zabitych w czasie szturmu na bramę, przy drutach i na polu minowym. Na wolność wydostało się ponad 300 Żydów.

Jeszcze tego samego wieczora do zwierzchnika SS w Generalnej Guberni, *Obergruppenführera* Friedricha Krügera, dotarła depesza o powstaniu w Sobiborze i niemieckich stratach. Krüger natychmiast wydał rozkazy: do ścigania zbiegów miało zostać wysłanych ponad 100 żołnierzy, 100 policjantów konnych oraz 150 Ukraińców i esesmanów. Potem do pościgu włączono jeszcze 500 niemieckich kawalerzystów, dwa samoloty obserwacyjne z bazy lotniczej w Dęblinie oraz lokalną policję. Zakładano, że większość Żydów ruszy na wschód, by sforsować Bug i dołączyć do operujących za nim sowieckich oddziałów partyzanckich. Tam też miały zostać skierowane główne siły obławy. Niemcy nie wzięli pod uwagę, że większość więźniów Sobiboru stanowili ludzie z Lubelszczyzny, którzy zamierzali powrócić w dobrze znane sobie okolice rodzinnych miasteczek i tam szukać schronienia. Błędna ocena sytuacji dawała przynajmniej niektórym zbiegom szansę na przetrwanie.

Szacuje się, że w ramach „Akcji Reinhard" do października 1943 roku Niemcy wymordowali w Sobiborze ok. 250 tysięcy Żydów.

Grupa ocalałych z powstania w Sobiborze w 1944 roku. Na górze, pierwszy z prawej, stoi Leon Feldhendler.

Tomasz Toivi Blatt po ucieczce z obozu ukrywał się w okolicach rodzinnej Izbicy do odejścia Niemców. Po wojnie wyemigrował do USA.

Tymczasem wyczerpani szaleńczym biegiem uciekinierzy zbierali się w pobliskim lesie. Z każdą chwilą grupa rosła. Oprócz Polaków byli w niej Rosjanie, Francuzi, Holendrzy... Co teraz? Ci, którzy byli wtajemniczeni w plan ucieczki, mieli czas, żeby się do niej przygotować – zabrali żywność, ciepłe ubrania, kosztowności i pieniądze z obozowych magazynów. Ale większość uciekła tak, jak stała. Wszyscy patrzyli z nadzieją na Saszę Peczerskiego, niekwestionowanego przywódcę buntu. Razem z Żydami rosyjskimi zamierzał iść na wschód i tam dołączyć do sowieckich partyzantów. Jego kilkudziesięcioosobowa grupa była dobrze zorganizowana, karna i uzbrojona; mieli osiem pistoletów, cztery karabiny, kilka siekier i noże. Z nią właśnie zamierzał przedostać się za Bug.

Do Peczerskiego „przykleiło się" jednak więcej zbiegów. Według niego o wiele za dużo, żeby przebijać się przez tereny, na których zaczynała się właśnie zmasowana obława. Tym bardziej, że połowę uciekinierów w grupie stanowili cywile bez żadnego wojskowego doświadczenia, niepotrafiący nawet poruszać się we właściwy sposób po lesie, do tego mówiący w kilku językach. Dzień po ucieczce, 15 października, nadszedł dramatyczny moment. Grupa Peczerskiego ulotniła się, pozostawiając resztę zbiegów w lesie. Wśród nich był także Tomasz Blatt. Teraz uciekinierzy musieli pojedynczo lub w małych grupach szukać ratunku na własną rękę.

* * *

Tomasz w towarzystwie Szmula Wajcera i Fredka Kostmana ruszył w stronę odległej o osiemdziesiąt kilometrów Izbicy. Zabrane z obozu jedzenie szybko się skończyło. Po czterech dniach zapukali do drzwi stojącej na odludziu chaty. Otworzyła im starsza kobieta, dała chleb i mleko. Nie chciała pierścionka, który Tomasz zabrał z Sobiboru razem z innymi kosztownościami.

– Jezus mówił: głodnych nakarmić. Wy, chłopcy, z Sobiboru, tam, gdzie palą ludzi? – powiedziała.

Przytaknęli.

– Skąd pani wie?

– To niedaleko – odpowiedziała.

Okazało się, że od Sobiboru dzieliło ich tylko półtora kilometra. Przez cztery dni kręcili się po lasach wokół obozu!

Następnego dnia wzięli azymut na Lublin. Dzień spędzali w lesie, w nocy maszerowali. Tak minęli Paski, Krasnystaw i po dwóch dniach dotarli do wsi Wólka niedaleko Izbicy. Tam mieszkali już polscy chłopi, których Tomasz poznał przed wojną. W osadzie panował jednak strach. W zagrodzie Zawadów nakarmiono ich, ale na noc zostać nie mogli. Bała się też mieszkająca po sąsiedzku pani Bazylkowa. Dała Tomaszowi chleb, ale kazała mu zjeść go na miejscu.

– Jeśli znajdą go przy tobie, zabiją mnie za udzielanie pomocy Żydom. Mój mąż jest w Auschwitz, córka utonęła, został mi tylko syn. Chcę żeby przynajmniej on przeżył – prosiła.

Tomasz odszedł załamany. Wtedy przypadkiem spotkał chłopa Bojarskiego, z którego córką chodził kiedyś do szkoły. Postanowił zagrać z nim w otwarte karty.

– Panie Bojarski, potrzebujemy schronienia. Mamy pieniądze i biżuterię, zapłacimy za pomoc – zaproponował.

Chłop zaprosił ich do chaty. Tomasz, Szmul i Fredek rozłożyli przed nim na stole skarby, które zabrali ze sobą z Sobiboru. Były tam brylanty, biżuteria, złote monety, pieniądze niemieckie, amerykańskie, francuskie, holenderskie. Bojarski zgodził się i przygotował im w stodole kryjówkę. Był to duży stół obłożony ze wszystkich stron słomą i sianem. W tej „drewnianej klatce", jak ją nazwali, spędzili kolejne pół roku. Bojarski okazał się jednak złym człowiekiem. Wieczorem 23 kwietnia 1944 roku przyszedł do stodoły w towarzystwie jeszcze jednego mężczyzny. Byli uzbrojeni. Padły strzały. Fredek zginął, ranni Tomasz i Szmul zdołali uciec.

Kryjówkę znaleźli w opuszczonej cegielni. Trzy dni spędzili schowani w piecu, w końcu głód stał się nie do zniesienia. Tomasz postanowił iść do mieszkającego w okolicy pana Podgórskiego, swojego nauczyciela z podstawówki. Dostał chleb, mleko i mógł się w końcu umyć. Potem u jego sąsiada, za posiadane jeszcze kosztowności, wykupił całą spiżarnię jedzenia, umówił się też na stałe dostawy raz w tygodniu. Nastąpił krótki czas stabilizacji; razem ze Szmulem znaleźli nową kryjówkę w opuszczonym młynie, rany goiły się, mieli zapewnioną żywność. Tak dotrwali do czerwca 1944 roku. Mijało już osiem miesięcy od ich ucieczki z Sobiboru i wydawało się, że doczekają w końcu odejścia Niemców. Ktoś jednak węszył.

Pewnego dnia znów trzeba było się ewakuować. Wtedy, uciekając przed pościgiem, Tomasz rozstał się ze Szmulem. Nie spotkali się już więcej. Został sam. Wciąż krążył po dobrze znanych sobie wsiach wokół Izbicy. Niektóre z nich, jak Mchy, miały opinię przyjaznych Żydom, w innych lepiej było się nie pokazywać. W końcu w lipcu 1944 roku rozpoczęła się długo wyczekiwana ucieczka Niemców z Lubelszczyzny. Kiedy Tomasz zobaczył pierwszych rosyjskich żołnierzy, poszedł do ich dowódcy.

– Nie mam gdzie iść. Moja rodzina zginęła. Chcę jechać z wami i mścić się na Niemcach – prosił.

Jednak czerwonoarmiści kazali mu odejść. Wrócił do Izbicy i zatrudnił się w tamtejszej piekarni. Potem wyjechał do Lublina. Po wojnie Tomasz Blatt wyemigrował do USA.

Dzięki pomocy Marii i Michała Mazurków koło Izbicy przeżyli też dwaj inni uczestnicy buntu, Filip i Symcha Białowicze. Jakub Biskupicz po ucieczce dołączył do oddziału partyzanckiego, a następnie wstąpił do polskiego wojska. Holenderki Selma Wijberg i Ursula Stern oraz Chaim Engel z Wielkopolski przetrwali dzięki pomocy polskich chłopów. We wsi Maciejów, a następnie w oddziale partyzanckim ukrył się jeden z liderów buntu, Leon Feldhendler. Jehuda Lerner, członek „oddziału egzekutorów", razem z Mordechajem Goldfarbem dołączyli do oddziału Chila Grynszpana, partyzanckiej samoobrony ochraniającej ukrywające się w Lasach Parczewskich żydowskie rodziny. Zelda Metz dotarła do Lwowa i pracowała tam do końca wojny jako katolicka służąca o imieniu Janina. Estera Terner po ucieczce z obozu ukrywała się w gospodarstwie Polaków – przyjaciół rodziny. Tam spotkała się z bratem.

Części uciekinierów z grupy rosyjskich Żydów, którzy odeszli z Saszą Peczerskim, udało się przedostać przez Bug. W okolicach Brześcia dołączyli do działającego tam sowieckiego oddziału partyzanckiego. Walczyli w nim m.in. Arkadij Weisspapier i Słanisław Szloma Szmajzner. Sam Peczerski po nadejściu Armii Czerwonej został jednak aresztowany i oskarżony o zdradę, jak wielu sowieckich oficerów, którzy dostali się wcześniej do niemieckiej niewoli. Wcielono go do karnego batalionu szturmowego. Cudem udało mu się przeżyć i doczekać końca wojny, jednak w ZSRR długo żył z piętnem zdrajcy.

Los większości uciekinierów z Sobiboru był jednak tragiczny. Około 170 zabito w czasie pościgu w ciągu pierwszych pięciu dni po buncie. Między 14 a 18 października 1943 roku niemiecki Pierwszy Szwadron Policji Konnej przy pomocy oddziałów Wehrmachtu i straży granicznej zabił około stu Żydów czterdzieści kilometrów na północny wschód od Chełma. Między 17 a 19 października policja wojskowa zabiła czterdziestu czterech Żydów pięćdziesiąt dwa kilometry na północ od Chełma, a piętnastu aresztowała. Znaleziono przy nich jeden karabin oraz pistolet i granat ręczny.

Ze 150 uciekinierów, którym udało się ukryć przed obławą, pięciu zginęło potem, walcząc w oddziałach partyzanckich lub wojsku. Dziewięćdziesięciu dwóch zginęło w czasie ukrywania się. Tomasz Blatt był jednym z pięćdziesięciu trzech uciekinierów z Sobiboru, którym udało się przeżyć.

CZĘŚĆ 4
Z NIEWOLI SOWIECKIEJ...

Z SOWIECKIEGO ŁAGRU PRZEZ DZIKĄ TAJGĘ DO POLSKIEJ KONSPIRACJI WE LWOWIE

Bronisław Szeremeta, 1940

Rzeka była bardzo szeroka. Przeciwległego brzegu nie było widać, jedynie zarysy sięgającej po horyzont tajgi. Woda wydała się zbiegom spokojna, niemal jak jezioro, bez wirów i fal. Trzeba było tylko zbudować tratwę. Nie było to trudne; dobrze wiedzieli, że ścięte w tajdze i pocięte na kloce pnie spławia się do najbliższego miasta, odległego o 250 kilometrów Kotłasu. Szybko wypatrzyli na brzegu budulec i chociaż byli na nogach od kilku godzin, zabrali się do jego gromadzenia.

Było ich czterech. Dwudziestosześcioletni Bronisław Szeremeta spod Tarnopola, kapitan Szatkowski z Warszawy i jego ordynans Franciszek Konopka oraz Andrzej Krzyżoszczak ze Śląska. Jeszcze tego samego dnia rano byli więźniami łagru Meżog 112 w sowieckiej Republice Komi. Mieli tam budować linię kolejową Kotłas–Workuta. Otaczały ich setki tysięcy kilometrów kwadratowych nieprzebytej tajgi, pełnej bagien i dzikich zwierząt. Nawet strażnicy z łagru nie wierzyli, że ktoś odważy się z niego uciec w nieznaną, niebezpieczną gęstwinę.

Jednak Polacy byli od dawna zdecydowani, że to zrobią. Kiedy tego dnia rano ich brygada wyruszyła do pracy w lesie, Szeremeta, Szatkowski, Konopka i Krzyżoszczak, niezauważeni przez strażników, zaczęli pojedynczo wymykać się do tajgi, zabierając ze sobą siekiery. Szybko znaleźli skrytki z ukrytą wcześniej żywnością, menażkami, manierkami i peleryną. Zabrali tobołki i biegiem ruszyli w stronę odległej o kilkanaście kilometrów rzeki Wyczegdy. Chcieli odejść od łagru jak najdalej, zanim strażnicy, po skończonej przez więźniów pracy, zorientują się, że brakuje czterech.

Przez gęstwinę i bagna biec było niezwykle trudno, ale strach przed pościgiem z psami (gdyby strażnicy jakimś cudem wcześniej zauważyli ich zniknięcie) powodował, że pędzili bez wytchnienia. Jeden torował drogę, pozostali biegli za nim gęsiego, zmieniając się, gdy „czołowy" był już u kresu sił. W pewnym momencie prowadzący grupę sierżant Krzyżoszczak zapadł się po pas w lepkim błocie, gdyż to, co wziął wcześniej za zwykłą kałużę, okazało się jakimś bagiennym oczkiem. Wyciągali go we trzech, dysząc z wysiłku, ale po krótkim odpoczynku znów ruszyli. Do rzeki dotarli tak, jak planowali – o zmierzchu, który jednak latem w tych północnych rejonach Rosji bardziej przypominał zachmurzony dzień niż początek prawdziwej nocy.

Nawet jednak ta szaruga miała trwać zaledwie kilka godzin. Trzeba było je wykorzystać na przeprawienie się na drugą stronę Wyczegdy prowizorycznie skleconą tratwą. Czy zdążą to zrobić, zanim słońce wyjdzie znad horyzontu? Czasu było bardzo niewiele. W wielkim pośpiechu zbierali drewniane kloce i wtedy Bronisław zauważył coś, co wydało mu się początkowo jakimś niezwykłym złudzeniem.

Kilkadziesiąt metrów od nich stała łódź. Nie mówiąc nic kolegom, podbiegł do niej, by przekonać się, czy na pewno nie jest to przywidzenie. Dopiero kiedy jej dotknął, zawołał na całe gardło: „Mamy łódź!". Wszyscy natychmiast przybiegli, równie zaskoczeni i uradowani jak on. Zepchnęli łódź na wodę, aby sprawdzić, czy nie przecieka; była cała i w dobrym stanie. Jak to możliwe, że biegnąc na ślepo kilkanaście kilometrów przez tajgę, trafili akurat w to miejsce? To był prawdziwy cud, znak, że Opatrzność sprzyja ich planom. Dzięki znalezieniu łodzi zaoszczędzili mnóstwo sił i czasu. Momentalnie zabrali swoje tobołki i wsiedli do łódki, zabierając zamiast brakujących wioseł długie drągi.

Łódź była mała, z trudem w czwórkę się na niej mieścili, a po zabraniu na pokład wszystkich rzeczy jej burty ledwo wystawały z wody. Przeciążeni, bojąc się wywrotki, odpłynęli z prądem, kierując łódź drążkami w stronę przeciwległego brzegu. Modlili się tylko, by na rzece nie pojawił się nagle jakiś statek lub łódź patrolowa, bo w jasną noc zostaliby zauważeni natychmiast. Przeprawa była powolna; gdy dobijali do przeciwległego brzegu, zaczynało już świtać. W końcu wysiedli, a pustą łódź puścili z prądem rzeki, patrząc na wyłaniające się znad horyzontu słońce. Zaczynał się 18 lipca 1940 roku; pierwszy dzień wolności po wielu miesiącach sowieckiej niewoli. Uczucie radości, którą przeżywała czwórka mężczyzn, mógł zrozumieć tylko ten, kto takiego momentu sam doświadczył.

Szeroka rzeka odgradzała ich teraz od obozowego koszmaru i dawała cenne godziny przewagi nad pościgiem. Dopiero gdy opadło nerwowe napięcie ostatnich dwudziestu czterech godzin, poczuli, jacy są zmęczeni i głodni. Od ponad doby nie mieli nic w ustach oprócz popijanej z manierek wody. By nie zatrzymywać się w odsłoniętym miejscu, przeszli jeszcze kilka kilometrów w głąb tajgi, aż w końcu znaleźli suchą, słoneczną polanę.

– Panowie, a teraz pora na ucztę! – zakomenderował kapitan Szatkowski.

Suchych gałęzi w tajdze było pod dostatkiem. Wkrótce płonęło ognisko, na którym w menażce ugotowali dwa litry zupy z żytniej mąki, a potem jeszcze herbatę. To było naprawdę solidne śniadanie: pół litra zupy na każdego, kawał chleba, a na deser słodka herbata z keksem, który kapitan, ku radości kolegów, przechował jeszcze z poprzedniego obozu. Zapasy żywności musiały starczyć na dwa tygodnie życia w tajdze, ale tego dnia nie martwili się o to. Pierwszy posiłek na wolności mieli zapamiętać na długo. Musiał dać im siły do ucieczki, której trasa liczyła niemal trzy i pół tysiąca kilometrów.

* * *

1. Polacy przebywający na zesłaniu w Spassku, Celinogradzka obłast, Kazachstan, ZSRR, już po zakończeniu wojny. Od lewej: Władysław Pietkiewicz, Bronisław Szeremeta, Kazimierz Zienkiewicz, Józef Rymkiewicz.

2. Więźniowie łagru w Kazachstanie, skazani za działalność niepodległościową. Od lewej: Józef Rymkiewicz, NN (Rosjanin), Gułyk, Bronisław Szeremeta, Kazimierz Zienkiewicz, Władysław Pietkiewicz.

3. Współczesna rekonstrukcja wnętrza typowego baraku, w którym przebywali osadzeniu w sowieckich łagrach

Bronisław Szeremeta dobrze zapamiętał dzień 22 września 1939 roku. Właśnie wtedy w miejscowości Tłumacz na Pokuciu dostał się do sowieckiej niewoli razem z całym 52 Pułkiem Piechoty Strzelców Kresowych ze Złoczowa. Żołnierze chcieli przebić się do granicy rumuńskiej, ale ze względu na słabe uzbrojenie oddziału dowódca, major Kiczka, zdecydował się poddać. Komu udało się zdobyć cywilne ubrania u miejscowej ludności, opuszczał pułk i ratował się przed niewolą. Ucieczka w mundurze była zbyt niebezpieczna; takich ludzi grasujące w okolicach ukraińskie bandy natychmiast mordowały. Bronisławowi nie udało się zdobyć cywilnego ubrania, dlatego postanowił oddać się do niewoli z nadzieją, że przy najbliższej okazji z niej ucieknie.

Idąc do tymczasowego obozu jenieckiego w Horodence, dwudziestoczteroletni Szeremeta przeżył najbardziej upokarzający moment w życiu, gdy wciąż wspaniale prezentujących się polskich żołnierzy w zielonych mundurach prowadziła do niewoli banda oberwańców, czerwonoarmistów w brudnych drelichach. W Horodence umieszczono ich w opróżnionych magazynach cukrowni, gdzie przez kilka dni nie dostawali niczego do jedzenia. Potem załadowano do bydlęcych wagonów, każdemu wręczono kawałek czarnego chleba oraz słonego śledzia i tak zawieziono do Wołoczysk. Tam, w szczerym polu na olbrzymiej przestrzeni ogrodzonej drutem kolczastym i pilnowanej przez krasnoarmiejców z psami, zgromadzono pod gołym niebem dziesiątki tysięcy polskich żołnierzy, szeregowych i oficerów. Po kilku dniach zaczęto wywozić ich stopniowo w głąb Rosji. Pierwszeństwo mieli oficerowie.

Bronisławowi jakiś głos podpowiadał, by zataił stopień oficerski i pozostał z szeregowymi. Namawiał kolegów, by zrobili podobnie, ale bez skutku. Nikt jeszcze nie wiedział, jak tragiczny los spotka wyższych rangą żołnierzy.

Po oficerach zaczęto wywozić szeregowych. W pierwszych dniach listopada 1939 roku transport, w którym był Bronisław, dotarł do Margańca Stalinowskiego koło Krzywego Rogu. Tu polscy jeńcy mieli pracować w kopalniach rudy manganu. Łagier był otoczony zasiekami z drutu kolczastego i wieżyczkami strażniczymi, ale po brudzie, głodzie, zimnie i robactwie ostatnich tygodni warunki pobytu w nim wydały się Polakom całkiem znośne. W barakach były drewniane prycze, a w niektórych nawet żelazne łóżka z siennikami. Dzienne wyżywienie stanowiło 400 gramów czarnego chleba, dwie ciepłe zupy z krupy jęczmiennej i 120 gramów kaszy na obiad.

Warunki pracy w kopalni były ciężkie i prymitywne; wypadki śmiertelne na porządku dziennym. Oficjalnie Polacy byli wynagradzani za pracę, ale dużą część zarobku potrącano im za utrzymanie. Z ludnością cywilną udawało się natomiast prowadzić handel wymienny: koce, bielizna, płaszcze za żywność. Ruble, za które prawie nic nie można było kupić z powodu powszechnej reglamentacji, nie miały wartości. Niektórzy ze słabiej zorientowanych kolegów Szeremety sprzedawali rzeczy za ruble i nagromadzili ich takie ilości, że teraz służyły żołnierzom do namiętnej gry w karty, która bardzo się rozwinęła mimo ostrego zakazu obozowych władz.

Polacy szybko zorientowali się, że wydobywana przez nich ruda jest eksportowana do Niemiec. To wystarczyło, aby przestali pracować. Bezpośrednią przyczyną strajku były jednak święta Bożego Narodzenia, kiedy w Wigilię chciano ich zmusić do pracy na nocną zmianę. Cały polski obóz podjął wtedy zgodną decyzję, że nikt w ten dzień ani w Boże Narodzenie do pracy nie wyjdzie. Do spacyfikowania strajku władze obozu wysłały więc nieuzbrojony oddział kilkunastu żołnierzy. Sołdaci wtargnęli do jednego z baraków, by wyprowadzić z niego siłą ludzi wyznaczonych do pracy na nocną zmianę. Doszło do utarczek i przepychanek, które szybko przemieniły się w bójki, a potem w otwarty bunt. Gdy Polacy z innych części obozu usłyszeli, co się dzieje, wyszli na plac uzbrojeni w pałki oraz deski i otoczyli barak z żołnierzami. Dowódca oddziału w porę zorientował się, czym grozi ta sytuacja; odwołał żołnierzy i opuścił z nimi obóz. Natomiast Polacy nabrali pewności siebie i postanowili, że wydobywać rudy dla Niemców więcej nie będą.

Administracja obozu w Margańcu wpadła w panikę. Próbowała prośbą, groźbą, strachem i głodem skłonić Polaków, aby wrócili do pracy. Zmniejszono dzienną rację wyżywienia – jeńcy dostawali teraz tylko *strafnyj pajok* (karne jedzenie): 300 gramów chleba i pół litra wodnistej zupy na cały dzień. Uaktywnili się politrucy obiecujący złote góry, jeśli jeńcy wrócą do kopalni. Ci w zażartych dyskusjach zawsze mieli jednak nad nimi przewagę, pytając Rosjan, dlaczego trzymają ich w niewoli, maltretują i robią swymi wrogami, kiedy Polacy nie z nimi walczyli, lecz z Niemcami. Nie potrafiąc odpowiedzieć, politrucy wycofywali się w milczeniu. Intensywnie szukali jednak wśród jeńców oficerów, twierdząc, że to oni są prowodyrami strajku. Było w tym sporo prawdy, jednak nie wykryli ani jednego wyższego rangą żołnierza.

Bronisław Szeremeta i inni jeńcy z Margańca przeżyli zimę, dokarmiając się żywnością z handlu wymiennego, w którym pośrednikami byli pilnujący ich strażnicy. W końcu wiosną 1940 roku sowieckie władze uznały, że nie da się złamać oporu Polaków. W drugiej połowie maja załadowano więc wszystkich po raz kolejny do bydlęcych wagonów, w których, w trudnych do zniesienia warunkach, jechali ponad dwa tygodnie, aż w końcu znaleźli się w mieście Kotłas w Autonomicznej Republice Komi. Tam umieszczono ich w olbrzymim łagrze zbiorczo-rozdzielczym, gdzie spotkali tysiące polskich jeńców przywożonych ze wszystkich obszarów sowieckiego imperium. Celem tej zbiórki było wysłanie więźniów do budowy liczącej ponad tysiąc kilometrów drogi kolejowej Kotłas–Workuta. Codziennie odprawiano w tajgę transporty jeńców, a na ich miejsce przybywali nowi. W jednym z transportów znalazł się w końcu Bronisław. Z tysiącem jeńców załadowano go na statek i wysłano do leżącego 250 kilometrów w górę rzeki łagru. Nazywał się Meżog i nosił numer 112.

* * *

Z Kotłasu Bronisław płynął Wyczegdą dwa dni na przepełnionym więźniami Stalina statku. Im głębiej zapuszczali się w odludną Republikę Komi, tym czarniejsze myśli przychodziły mu do głowy. Dlaczego nie uciekał z Margańca? Warunki do wyjścia z obozu były tam znakomite. Z ukraińskiego Zagłębia Donieckiego miałby do rodzinnych stron niespełna tysiąc kilometrów. Myśl o ucieczce nigdy go nie opuszczała, ale za radą kowala, z którym pracował przez pewien czas w kuźni przy kopalni, odkładał ją do lata. Tymczasem wiosną zapakowano go w pociąg i wysłano dwa tysiące kilometrów na północ. Teraz znalazł się w dzikiej tajdze. Nikt nie słyszał o próbach ucieczek podejmowanych przez więźniów przez te północne pustkowia. Czy to w ogóle możliwe?

Wyładowano ich na brzegu rzeki, skąd maszerowali przez kilkanaście godzin, by w końcu znaleźć się w łagrze. Przed przybyciem Polaków usunięto trzymanych tam skazańców. Była druga połowa czerwca i nawet tu, na dalekiej północy, na dobre zapanowała już wiosna. Śniegu prawie nie było, drzewa i krzewy pokryły się zielenią, rosła bujna i soczysta trawa. Było pogodnie, ciepło i jasno niemal przez całą dobę. Wszędzie unosił się zapach lasu, szczególnie intensywnie odczuwany po wielomiesięcznej izolacji w przemysłowym Margańcu. To budziło jeszcze większą tęsknotę za wolnością. Bronisław szybko zorientował się, że nie tylko u niego.

W łagrze była kuchnia, budynek administracji, łaźnia i kilka baraków. Do przyjazdu Polaków i ich eskorty pozostawała w nim tylko obsługa składająca się z więźniów lub byłych więźniów, którym po ukończeniu wyroku nie pozwolono wyjechać do domu. Szeremeta spotkał dwóch Polaków z Winnicy, prawdziwych weteranów sowieckich gułagów. Aresztowano ich zimą 1937 roku, w apogeum rozpętanej przez Stalina operacji NKWD, w której zginęły setki tysięcy mieszkających w Rosji i na Ukrainie Polaków. Jeden z więźniów był inżynierem drogowym i spędził w tym miejscu już trzy zimy. Z transportu, w którym go przywieziono, przeżył już tylko on.

– Przyjechaliście tu na dobre warunki w porównaniu do tych, na jakie trafiłem zimą 1937 roku. Po prostu wyrzucili nas w tej dzikiej i mroźnej tajdze pokrytej grubą warstwą śniegu, a mróz dochodził do minus pięćdziesięciu stopni. Zanim wybudowaliśmy baraki mieszkalne, musieliśmy spać w skleconych z gałęzi szałasach. Ludzie z głodu, zimna i wyczerpania morderczą pracą umierali jak muchy, ale na ich miejsce przybywali wciąż nowi. Do dziś przeżyły tylko jednostki – wspominał inżynier.

Jego słowa jeszcze bardziej utwierdzały Bronisława w przekonaniu, że trzeba uciekać. I to szybko, bo wiosna i lato trwają w tych rejonach zaledwie trzy miesiące, a potem przychodzi od razu dziewięciomiesięczna zima z mrozem dochodzącym do minus pięćdziesięciu pięciu stopni. Tymczasem praca przy karczowaniu pni, plantowaniu terenu, zasypywaniu dołów, robieniu nasypów i kopaniu rowów przed ułożeniem torów kolejowych była mordercza. Długo nie wytrzymaliby tu nawet najsilniejsi. Zimą szanse przeżycia w takich warunkach spadały do zera. Nie można było zwlekać.

Przywiezionym z Margańca Polakom wydano granatowe robocze spodnie, bluzy i watowane kurtki-kufajki. Każdy dostał też siatkę na głowę chroniącą przed powszechną w tajdze plagą komarów i muszek. Potem podzielono ich na dwudziestopięcioosobowe brygady robocze, w których mieli codziennie budować wyznaczony odcinek drogi kolejowej, wykonując naznaczoną normę. Każdą grupę prowadził jeden strażnik z bronią i pilnował jej przy pracy. Sowieci nie wierzyli, że ktokolwiek będzie stąd uciekał. Swobodnie odnosili się do reżimu i zasad pilnowania więźniów. Często dwóch–trzech strażników z sąsiadujących brygad spotykało się na dłuższą pogawędkę i wypalenie papierosa, nie zwracając uwagi na Polaków. Liczono ich dopiero, gdy zebrani w kolumnę mieli odmaszerować z powrotem do łagru. W czasie pracy więzień mógł też wyjść do tajgi dla załatwienia fizjologicznej potrzeby, zgłaszając to strażnikowi, ale kiedy nie było go w pobliżu, wszyscy oddalali się, kiedy chcieli. Bronisław prędko zorientował się, że zniknięcie z brygady roboczej będzie wyjątkowo proste i najprawdopodobniej nie zostanie zauważone przez strażnika aż do końca zmiany.

Szybko też zauważył, że takich jak on, badających możliwość ucieczki, było kilku. Pierwszym był saper, inżynier kapitan Szatkowski. Urodził się w Kijowie, gdzie żyła jeszcze jego matka i dwaj bracia. Będąc w Margańcu, nawiązał z nimi kontakt; bracia przygotowali mu dokumenty i wyznaczyli termin ucieczki. Do Kijowa miał stamtąd zaledwie 500 kilometrów, jednak realizację planów pokrzyżowało nagłe wywiezienie Polaków do Kotłasu. Kapitan był jednak zdeterminowany – w Warszawie zostawił żonę i dwoje dzieci, które chciał za wszelką cenę zobaczyć. Drugim chętnym do ucieczki był jego ordynans, Franciszek Konopka, także saper. Trzecim Ślązak, sierżant Straży Granicznej, Andrzej Krzyżoszczak.

Kapitanowi udało się przechować i przewieźć mapę, Bronisław miał kompas. Razem obliczyli, że od stacji kolejowej dzieli ich około 500 kilometrów przez tajgę – odcinek możliwy do pokonania w ciągu dwóch tygodni. Najpierw mieli przemaszerować kilkanaście kilometrów do Wyczegdy, przeprawić się zrobioną naprędce tratwą, a następnie kierować się na Piniug leżący na linii Kotłas–Kirow. Tam można się już było dostać do pociągu jadącego do Moskwy.

Na naradzie konspiratorzy zgodnie stwierdzili, że ucieczka jest możliwa, należało tylko zdobyć odpowiednią ilość pożywienia oraz kilka niezbędnych przedmiotów i ukryć je w tajdze blisko miejsca pracy. Wyżywienie w łagrze w Meżogu było takie samo jak w Margańcu. Kto starał się zdobyć dodatkowe porcje jako nagrodę za ciężką pracę, ten szybko się wykańczał, ponieważ zdobyte w ten sposób jedzenie nie rekompensowało strat energii. Szansę na przetrwanie mieli ci, którzy nauczyli się oszczędzać siły. Należało więc wkładać w pracę jak najmniej energii, próbować oszczędzać chleb i oczywiście kombinować. Tu zadania zostały jasno podzielone.

Szeremeta i Konopka suszyli chleb na suchary oraz gromadzili zdobywane od kucharzy suszone ryby, zadbali też o zapas soli i zapałek. Krzyżoszczakowi udało się zdobyć od kolegi pracującego w kuchni kilka kilogramów żytniej mąki. W najlepszej sytuacji był kapitan Szatkowski, który w Margańcu dostawał paczki od braci z Kijowa; przywiózł ze sobą puszkę smalcu, cztery konserwy rybne, trochę słodkich sucharów i kostek cukru. Przez prawie miesiąc czteroosobowa ekipa gromadziła i zdobywała żywność na różne sposoby, zabierając ją potem w niewielkich partiach do pracy i ukrywając w dobrze zabezpieczonym miejscu w tajdze. Ponieważ ich brygady pracowały w sąsiedztwie, Bronisław z Andrzejem w jednej, a kapitan Szatkowski z Konopką w drugiej, łatwo było porozumiewać się ze sobą. Gdy spiskowcy w końcu uznali, że ukryta w tajdze żywność wystarczy na dwa tygodnie marszu do Piniuga, zapadła decyzja o ucieczce. Wybór padł na 17 lipca. Wcześniej w sprawę zostało wtajemniczonych kilku kolegów z instrukcją, by jak najdłużej ukrywali fakt zniknięcia czterech Polaków. Strażnicy mieli zorientować się dopiero wieczorem przed odmarszem do łagru, kiedy rutynowo sprawdzali obecność więźniów.

Ta część planu została zrealizowana. Teraz przed uciekinierami było 1700 kilometrów do Moskwy, z której zamierzali ruszyć dalej na zachód.

* * *

Gdy po kilku godzinach głębokiego snu obudzili się, leżąc na miękkim mchu i w cieniu drzew, słońce stało w zenicie. Dzień był pogodny i ciepły, na niebie ani jednej chmurki, w tajdze panowała cisza niezmącona odgłosem jakiegokolwiek ptaka ani zwierzęcia. Sprawdzili raz jeszcze zapas żywności, dzieląc dzienne porcje tak, by starczyło jej na dwa tygodnie marszu. Za pomocą mapy oraz kompasu Szeremeta i kapitan Szatkowski wyznaczyli azymut na Piniug i cała czwórka ruszyła w drogę.

Szybko zorientowali się, że w tajdze nie zagrażają im dzikie zwierzęta ani pościg, ale zupełnie co innego. Prawdziwym wrogiem były miliardy komarów i muszek, które atakowały bez przerwy i wisiały nad głowami uciekinierów jak wielka, brzęcząca chmura. Ciężkie siatki na głowach niewiele pomagały, a wytrzymać w nich było trudno z powodu coraz większego upału. Pokąsani do krwi, zlani potem, który coraz bardziej szczypał w zadanych przez owady ranach, przedzierali się przez leśną głuszę, idąc aż do zmierzchu. Wtedy rozpalili ognisko, którego dym nieco przepędził komary i muszki, ugotowali zupę, herbatę i położyli się spać jak najbliżej żaru, który dawał ochronę przez zimnem i owadami.

Odtąd każdy dzień ucieczki planowali tak samo. Z powodu krótkiej nocy wstawali, gdy słońce było już wysoko, ruszali w drogę i maszerowali do południa. Wtedy zatrzymywali się w miejscu, gdzie można było rozpalić ognisko i gotowali zupę z mąki, którą jedli z kawałkiem chleba albo sucharem. Po obiedzie i krótkim odpoczynku ruszali dalej, zbierając po drodze na deser zeszłoroczne, wysuszone żurawiny, których pełno było w podmokłych częściach tajgi. Wieczorem znów rozpalali ognisko, gotowali herbatę, by wypić ją z kawałkiem suchara i napełnić manierki. Rano już nie rozniecali ognia, tylko ruszali w drogę z herbatą w manierkach.

Pogoda sprzyjała uciekinierom. Dni były piękne, słoneczne, ani razu nie padało. Ku swojemu zdziwieniu w głębi tajgi nie spotykali na swej drodze żadnych zwierząt ani ptaków. Robili od dziesięciu do kilkunastu kilometrów dziennie w zależności od ukształtowania terenu. Gdy był bagnisty lub spalony przez pożar, a na ziemi leżały kłody powalonych przez ogień drzew, tempo spadało. Zdarzały się jednak w tajdze miejsca tak piękne, że mieli ochotę zostać tam na dłużej, by cieszyć się pięknem przyrody.

W czternastym dniu wędrówki skończyła się żywność. Mijał wyznaczony czas dotarcia do Piniuga, a wciąż byli w leśnej głuszy. Odtąd żywili się już tylko jagodami, malinami, poziomkami i borówkami, które szczęśliwie dojrzewały bardzo szybko, niemal na ich oczach. W tym samym dniu drogę przez tajgę przecięła im szeroka rzeka – prawdopodobnie była to Luza, przez którą przeprawili się bez trudności, żałując tylko, że nie mają wędki, by nałowić ryb. Ponieważ i tak nie mieli z czego ugotować obiadu, wykorzystali popołudniowy odpoczynek na kąpiel i pranie bielizny, która na słońcu schła błyskawicznie. Coraz bardziej głodni, ale wypoczęci i odświeżeni ruszyli w dalszą drogę.

Następnego dnia zobaczyli widok, który zmroził im serca. Przed nimi na leśnej polanie stał łagier. Początkowo na widok wieży strażniczej i ogrodzenia z drutu kolczastego spanikowali i instynktownie rzucili się do ucieczki. Kiedy jednak z ukrycia przyjrzeli się obozowi, zauważyli, że nikogo w nim nie ma. Łagier był od dawna opuszczony, niedaleko pozostały tylko ślady budowanej w tym miejscu niegdyś drogi, na której leżały porozbijane taczki. To był dobry znak – droga musiała prowadzić do zamieszkałej miejscowości. I rzeczywiście – następnego dnia zobaczyli na polanie człowieka koszącego trawę.

Sierżant Krzyżoszczak zauważył coś jeszcze. W sporej odległości od kosiarza na krzaku wisiał płaszcz, pod którym leżał zwinięty tobołek, zapewne z jakimś jedzeniem. Ujawniać się nie chcieli, wiedzieli dobrze, że na terenach wokół łagrów sowiecka milicja miała sieć agentów, których zadaniem było donoszenie o pojawieniu się podejrzanych osób. Za jednego uciekiniera wskazanego władzom była wyznaczona nagroda kilkuset rubli i sto kilogramów mąki. Dla biednych ludzi była to wielka wartość. Nic więc dziwnego, że polowali wręcz na zbiegów.

Polacy byli jednak bardzo głodni. Krzyżoszczak podpełz więc do tobołka, pozostawił w jego miejscu pięć rubli i przytargał zdobycz. W środku był kawałek chleba i suszony śledź. Podzielili zdobycz między siebie, jedząc pierwszy posiłek od trzech dni. Wieczorem dotarli w końcu do leżącej na skraju tajgi stacji kolejowej Piniug. Nie wychodząc z lasu, zatrzymali się na naradę, co robić dalej i jak zdobyć coś do jedzenia. Nagle w wieczornej ciszy usłyszeli głos wołającej po polsku dziewczynki: „Tatusiu, tatusiu, ziemniaki są już wielkości włoskiego orzecha!". Bronisław Szeremeta aż poderwał się, by pobiec nawiązać kontakt z Polakami-zesłańcami, ale koledzy powstrzymali go. Ostatecznie ustalili, że urodzony w Kijowie Szatkowski, perfekcyjnie znający rosyjski, pójdzie sam do Piniuga, by zdobyć coś do jedzenia; kupić za ruble lub wymienić za wełniany szalik. Wrócić miał najpóźniej za pół godziny.

Mijały jednak godziny, a kapitan nie wracał. Gdy zapadła noc Franciszek Konopka postanowił, że pójdzie go szukać. On jednak również nie wrócił. Na poszukiwania ruszył więc Szeremeta; sierżant Krzyżoszczak, który prawie w ogóle nie znał rosyjskiego, musiał pozostać w lesie. Bronisław zauważył w osadzie dom, którego lewą część zajmował otwarty jeszcze sklep; to tam najpewniej poszedł kapitan. Jednak w prawym skrzydle budynku znajdowało się okno, za którym widać było jasno oświetlony pokój. W nim Szeremeta ku swojemu przerażeniu wypatrzył siedzącego przy stole Szatkowskiego. Naprzeciw niego siedział milicjant i mocno gestykulował. Franciszka Konopki nie było widać, ale możliwe, że również znajdował się w pokoju. Bronisław pobiegł do tajgi.

– Andrzej, wpadli! – zawołał do Krzyżoszczaka. – Pewnie milicjant spotkał kapitana w sklepie, a widząc obcą twarz, wylegitymował go i zatrzymał.

W pierwszej chwili chcieli uciekać w głąb tajgi, ale ostatecznie uznali, że nie ma to sensu.

– Słuchaj Bronek, a jeśli oni powiedzą milicji, że była nas czwórka? Tamci zaraz rano zaczną poszukiwania, z psami szybko nas znajdą.

Nie wiedzieli, co robić, siedzieli więc zrezygnowani na skraju tajgi. W końcu usnęli.

Obudzili się o świcie. W miejscowości nie było widać żadnego ruchu, nikt ich nie szukał. Najwyraźniej Szatkowski i Konopka nie zdradzili, że w tajdze jest jeszcze dwóch uciekinierów. Głód był jednak coraz większy, więc Bronisław i Andrzej ruszyli w stronę, z której poprzedniego dnia słyszeli głos polskiej dziewczynki. Rzeczywiście w polu znajdował się tam zagon młodych ziemniaków. Szybko wybrali z ziemi, ile dali radę i niemal biegiem ruszyli do tajgi. Rozpalili ognisko i ugotowali ziemniaki, część zjadając od razu, by zaspokoić czterodniowy głód, a część chowając w menażkach na dalszą drogę. Potem położyli się w miękkim mchu i momentalnie zapadli w głęboki sen.

Kiedy otworzyli oczy, zapadał zmrok. Wstali i ruszyli w stronę stacji kolejowej. Stały na niej dziesiątki wagonów naładowanych drewnem. Jeden z transportów był już przygotowany do odjazdu, nie było tylko lokomotywy. Idąc wzdłuż składu, zauważyli przez niedomknięte drzwi jednego z krytych wagonów, że nie jest on całkowicie załadowany, a między sufitem wagonu, a kłodami drewna jest wolna przestrzeń, w której można się ukryć i wygodnie leżeć. Nie namyślając się, weszli do środka, domknęli drzwi od wewnątrz i położyli się na stercie. Nocą obudziło ich silne szarpnięcie: pociąg ruszył.

* * *

Skład jechał bardzo wolno, postoje na stacjach były długie. Gdy na jednej z nich Bronisław zauważył, że pociąg jest na bocznym torze, a parowóz został odczepiony, wyskoczył z wagonu, by napełnić manierki wodą i zdobyć coś do jedzenia. Ślązak, który prawie nic nie rozumiał po rosyjsku, został w wagonie. Takich postojów było wiele, w końcu Szeremeta nabrał pewności siebie. Gdy pociąg zatrzymywał się w miasteczku, szedł na bazar, gdzie można było kupić od wiejskich kobiet placki-lepioszki, pierogi czy kiszone ogórki. Chleba nie było – jego sprzedaż była reglamentowana przez sowieckie władze.

Podróż w wagonie z drewnem trwała osiem dni. W końcu pociąg zatrzymał się na stacji Oriechowo-Zujewo, gdzie kończył się jego bieg. Szeremeta zorientował się, że są już niedaleko Moskwy. Od wyjścia z Piniuga pokonali ponad tysiąc kilometrów, do stolicy sowieckiego imperium pozostała im zaledwie setka. Tam jednak nie można już było dotrzeć w ukryciu. Trzeba się było doprowadzić do porządku i liczyć na łut szczęścia.

Niedaleko stacji kolejowej znajdował się mały zagajnik ze stawem. Bronisław i Andrzej ruszyli tam umyć się i ogolić przechowaną przez Ślązaka brzytwą. Następnie poszli do miasta, gdzie w barze mlecznym za kilka rubli zjedli pierwszy od dawna normalny posiłek: mleczną zupę i podwójną porcję kaszy jęczmiennej. Szybko zauważyli, że po ruchliwym Oriechowie mogą poruszać się, nie budząc niczyich podejrzeń; większość ludzi wokół była tak samo ubrana w zniszczone, robocze drelichy jak zbiegowie z łagru. Z baru poszli więc od razu na stację kolejową, by kupić bilety do Moskwy.

Do samej stolicy podróż okazała się niemożliwa – do tego potrzebna była przepustka milicyjna – ale kupili bilet do ostatniej stacji kolejowej przed Moskwą. W kolejce Bronisław zauważył, że przygląda się im młody mężczyzna, który kupował bilet do tej samej miejscowości. Rosjanin nieoczekiwanie zagadnął Polaków. Zaczął opowiadać, że skończył właśnie trzyletnią odsiadkę w łagrze i chciał wrócić do Moskwy, gdzie została jego rodzina, ale mimo odbycia kary ma zakaz powrotu i zamieszkania w tym mieście. Był jednak zdeterminowany, by tam pojechać.

– Pewnie wy też jesteście w takiej sytuacji? – zagadnął.

Bronisław nie wyprowadzał go z błędu. Rosjanin musiał mieć doświadczenie w takich akcjach, prawdopodobnie nie była to jego pierwsza próba dotarcia do Moskwy.

– Chodźcie ze mną do wagonu w środku pociągu – zaproponował nieznajomy. – Będziemy obserwować, z której strony idzie kontrola biletów – wy będziecie patrzyli w jedną, ja w drugą. Kiedy zauważymy, że kontroler idzie z przodu, cofniemy się kilka wagonów do tyłu, na najbliższej stacji wysiądziemy i przesiądziemy się do przednich wagonów, gdzie kontrola już była. Zanim kontroler dojdzie do ostatniego wagonu, pociąg będzie już w Moskwie – mówił.

Zgodzili się bez wahania.

Pomysł był dobry. Bez przeszkód dojechali na moskiewski Dworzec Kurski. Ale co dalej? Byli w sercu sowieckiego imperium, nie znali miasta, a czekała ich jeszcze długa droga. Bronisław postanowił zaryzykować.

– Słuchaj – powiedział do Rosjanina. – Nie zostaliśmy zwolnieni z łagru. Uciekliśmy z niego i chcemy jechać dalej na zachód, do naszych domów.

Reakcja nieznajomego była taka, na jaką liczył.

– Pomogę wam – powiedział. – Trzeba jechać stąd na Dworzec Białoruski i kupić bilety do Borysowa, bo do Mińska potrzebna jest milicyjna przepustka. Chcecie jechać tramwajem czy metrem?

– Tramwajem – odpowiedział Bronisław. – Nigdy nie widzieliśmy Moskwy.

Jechali z przesiadkami prawie trzy godziny. Była noc, w tramwajach było prawie pusto. Apatyczni, zobojętniali ludzie nie zwracali na nich uwagi, tylko trzech mężczyzn w mundurach wyglądało na dobrze odżywionych i zadowolonych z życia. Na Dworcu Białoruskim nieznajomy kupił Polakom bochenek chleba i kawałek salcesonu, a sam poszedł po bilety do Borysowa. Nie było to proste. Pociąg odjeżdżał dopiero rano, a przed kasą stała olbrzymia kolejka. Kupił więc bilety na pociąg podmiejski do odległej o ponad 200 kilometrów na zachód Wiaźmy.

– Będzie dla was lepiej, jeśli jak najprędzej opuścicie Moskwę. W kolejce po bilety do Borysowa spędzilibyście całą noc, a kontrole dokumentów są tu bez przerwy. Na stacji w Wiaźmie jest bezpieczniej, nie ma tylu tajniaków i kontroli, łatwiej dostać bilet – poradził nieznajomy.

Robił to zupełnie bezinteresownie, więźniarska i ludzka solidarność okazywały się silniejsze niż nakazy sowieckiego systemu. Ten człowiek mógł przecież oddać ich w ręce NKWD. Może nawet kupiłby sobie za to pozwolenie na pobyt w Moskwie? Nie zrobił jednak tego. Był jak prawdziwy anioł stróż, który zjawił się nagle, by im pomóc.

– Weź to, proszę – Bronisław wyjął z torby nieużywane wełniane skarpety, ostatnią cenną rzecz, jaką miał.

Rosjanin odmówił:

– Nie trzeba, przed wami przecież daleka droga.

– Weź, nie marudź, jak dojadę do Lwowa, kupię nowe – nalegał Szeremeta.

W końcu mężczyzna, bardzo ucieszony, przyjął prezent. Pożegnał się serdecznie i kiedy wsiedli do kolejki do Wiaźmy,

Bronisław zauważył, że wciąż stoi na peronie i czeka, aż pociąg odjedzie. Dopiero wtedy machnął ręką na pożegnanie i odszedł.

W Wiaźmie wcale nie było jednak łatwiej niż w Moskwie. Zbiegowie dwa dni spędzili w kolejce, zanim dostali bilety do Borysowa. Kontroli dokumentów udało się im uniknąć – na takich jak oni, „czarnoraboczych" z workami pod pachą, milicjanci nie zwracali uwagi, a nawet ich unikali. Gdy w końcu z biletami w kieszeniach zajęli miejsca w wagonie, poczuli ulgę. Do Borysowa, przez Smoleńsk, dotarli przed południem następnego dnia. W barze na stacji zjedli obiad, a potem – cóż za rarytas – udało im się kupić za jednego rubla po szklance piwa, którego smaku nie czuli już od wielu miesięcy. Kupili też kilka bułek i tak wyekwipowani ruszyli pieszo w stronę Mińska.

Z Moskwy prowadziła przez Borysów szeroka szosa. Szli wzdłuż niej, a czasem samą szosą, żywiąc się znalezioną w polu marchwią, rzepą lub ziemniakami ugotowanymi albo upieczonymi na ognisku w lesie. Pierwszą noc spędzili w polu w stercie słomy, drugą w lesie tuż przed Mińskiem. Do miasta weszli po południu po dwóch dniach wędrówki, w czasie której pokonali prawie osiemdziesiąt kilometrów. Poszli na zdewastowany przez komunistów polski cmentarz, gdzie przenocowali w kaplicy. Co dalej? Bronisław i Andrzej wiedzieli, że przebiegająca zaledwie dwadzieścia pięć kilometrów za miastem przedwojenna granica polsko-sowiecka była nadal strzeżona. Tak jak przed wojną obowiązywała tam strefa przygraniczna, w której poruszać się mogli tylko miejscowi; wszyscy pozostali musieli mieć przepustkę. Zrobili naradę. Bronisław przekonywał, by maszerować na południowy zachód, w stronę odległych o sto kilometrów Stołpc. Miasto leżało przed wojną po polskiej stronie, przy trasie kolejowej Mińsk–Baranowicze–Brześć–Warszawa, która wiodła tam częściowo przez leśne i bagienne tereny. W takim właśnie miejscu mieli zamiar przekroczyć granicę.

* * *

Do magistrali dotarli bez przeszkód. Był jeszcze dzień, schronili się więc w lesie, aby w nocy pokonać pas graniczny. Był to szeroki na kilkaset metrów teren, którego pierwsza część była wyłożona suchymi gałęziami. Dalej ciągnął się pas zaoranej i dokładnie zabronowanej ziemi, potem szły zasieki z drutu kolczastego, a na końcu znajdował się głęboki rów. Było ciemno i padał lekki deszcz, gdy Bronisław z Andrzejem wyszli z kryjówki i ruszyli przed siebie. Zmoczone gałęzie nie robiły wielkiego hałasu, łamiąc się pod ich ciężarem. Przez pas zaoranej ziemi przeszli tyłem, by pozostawić ślady świadczące o tym, że ktoś przekraczał granicę w przeciwnym kierunku. Bez problemów pokonali przeszkody i niezauważeni przez nikogo znaleźli się po polskiej stronie wśród niewysokich świerków i sosen. Przeszli jeszcze dwa kilometry, zanim zatrzymali się na krótki wypoczynek.

Już zbierali się do odejścia, gdy nagle zza krzaków wyskoczył wilczur i chwycił Bronisława za lewe ramię. Andrzej zdążył odskoczyć, ale wtedy jak spod ziemi wyrosło dwóch strażników. Jeden z nich został pilnować Bronisława, drugi wziął psa i poszedł szukać Andrzeja. Po chwili obaj zbiegowie byli już pod bronią eskortowani do strażnicy. Ich licząca niemal trzy tysiące kilometrów, trwająca miesiąc eskapada z łagru kończyła się...

W areszcie strażnicy siedziało już kilkunastu młodych mężczyzn – Polaków, Białorusinów, Ukraińców. Sowieci zwerbowali ich do pracy w głębi Rosji, obiecując złote góry, kiedy jednak perspektywy wspaniałej pracy i dobrych zarobków okazały się wielkim oszustwem, uciekali z powrotem do domów. Jednemu z nich, Polakowi, który wydał się godny zaufania, Bronisław powiedział, że jest oficerem uciekającym z sowieckiej niewoli i jako dowód pokazał ukryty pod roboczymi drelichami mundur. Polak poradził, aby nie mówić o tym w czasie przesłuchania.

– Podajcie jakieś inne nazwiska i mówcie, że uciekacie z Nowosybirska z powodu złych warunków pracy. Ja właśnie stamtąd uciekłem i teraz złapali mnie na granicy – mówił. – Za dzień, dwa, kiedy w areszcie zrobi się pełno, odwiozą nas wszystkich do Mińska i każą wracać tam, skąd uciekliśmy. Są tu tacy, których trzeci raz łapią na granicy i nie ma żadnych kar, tylko każą wracać do miejsca pracy. Wiem, co mówię, bo siedzę tu już kilka dni i rozmawiałem z takimi.

Przewidywania Polaka się sprawdziły. Tego samego dnia wieczorem pod areszt podjechała ciężarówka. Więźniowie zostali zawiezieni do najbliższego miasteczka i przekazani milicji. Tam jednak, ku zdziwieniu Bronisława i Andrzeja, prawie ich nie pilnowano. Wyszli więc po prostu z posterunku i – maszerując całą noc – rankiem znów znaleźli się w Mińsku. Koło południa, idąc przez miejski park, spotkali tych samych ludzi, z którymi siedzieli w areszcie, a wśród nich znajomego Polaka.

– Dobrze zrobiliście, uciekając z posterunku – powiedział na powitanie. – Bez dokumentów mielibyście kłopoty i nie wiadomo, czy w ogóle by was puścili.

Byli więc znów wolni i mogli podjąć kolejną próbę przedarcia się przez granicę, był jednak poważny problem: skończyły się pieniądze. Z łagru uciekali ze sporym zapasem gotówki, ponieważ Franciszek Konopka, zapalony hazardzista, jeszcze w obozie w Margańcu wygrał w karty poważną sumę rubli. Teraz byłyby jak znalazł, niestety, przepadły razem z Konopkąw w Piniugu. Ostatnią cenną rzeczą, jaką mieli, była peleryna Andrzeja. Kupca na nią znaleźli łatwo, sierżant Krzyżoszczak nie chciał już jednak próbować ucieczki w stronę Lwowa.

– Będę szedł na Baranowicze, a stamtąd na Warszawę – postanowił.

Bronisław i znajomy Polak chcieli mu to wyperswadować.

– Nie znasz rosyjskiego. Jak będziesz mówił po polsku, możesz trafić na ludzi, którzy od razu zameldują NKWD. Miejscowi Białorusini są wrogo ustosunkowani do Polaków. Poza tym będziesz miał do pokonania dwie granice, a nie jedną. Chodź z nami – przekonywali.

Andrzej był jednak zdecydowany:

– Tam też są bolszewicy i będę musiał się przed nimi ukrywać. W Warszawie są Niemcy, a ich nie będzie obchodzić, skąd uciekłem. Mam tam krewnych, którzy mi pomogą.

Pożegnali się, dzieląc po połowie pieniądze za pelerynę. Dalej każdy ruszał już sam.

Bronisław poszedł na stację kolejową w Mińsku, gdzie wisiała wielka mapa. Długo na nią patrzył, wyznaczając trasę dalszej ucieczki. „Najpierw pociągiem do Korostenia, stamtąd pieszo przez Nowograd Wołyński, Korzec, Równe, Zdołbunów, Dubno, Brody do Lwowa" – powtarzał sobie w myślach. W Mińsku spędził półtora dnia, polując na bilet do odległego o niemal 500 kilometrów Korostenia. Teraz granicę chciał przekroczyć dużo dalej na południu, na Wołyniu. Do pierwszego celu podróży dotarł wieczorem. Znalazł czynny bar, najadł się do syta i natychmiast ruszył w stronę Nowogradu Wołyńskiego, by oddalić się od miasta, nim zapadnie noc. Na peryferiach zauważył stary, zarośnięty cmentarz, na którym przenocował.

Nowograd Wołyński leżał w strefie przygranicznej, gdzie obowiązywały przepustki, ale tu okolica była gęsto zamieszkana. Z tych stron pochodził kowal, z którym Bronisław pracował w Margańcu. Dobrze pamiętał jego rady, jak poruszać się po tych terenach. „Noce spędzaj z dala od ludzi i osiedli, w lesie, stercie słomy albo siana. Pomocy szukaj tylko u najbiedniejszych kołchoźników mieszkających na skraju wsi w małych chałupkach. Taki zawsze nakarmi, chociaż sam biedny, i nie odda w ręce NKWD. Trzeba też pamiętać nazwę miejscowości, którą się opuściło, i najbliższej na swej drodze, do której się zdąża. Ponieważ mieszkańcy wsi nie posiadają dowodów osobistych, łatwo się wytłumaczyć w razie jakiejś przygodnej kontroli" – dźwięczały mu w głowie słowa współwięźnia.

Po kilku dniach Szeremeta, udając miejscowego, drobnymi skokami od wsi do wsi dotarł do Nowogradu Wołyńskiego. Z daleka rozpoznał stare koszary, w których niespełna rok wcześniej był przetrzymywany jako jeniec w okropnych warunkach. Samo wspomnienie budziło grozę, przeszedł więc przez miasto jak najszybciej, kierując się na odległy o 130 kilometrów Korzec, przed wojną małe miasteczko graniczne między Polską a sowiecką Rosją.

To była właściwa decyzja. W Korcu Bronisław znalazł się po południu i postanowił jeszcze tej samej nocy przekroczyć granicę. Już pierwsze rozmowy z miejscowymi utwierdziły go w przekonaniu, że nielegalne przekraczanie pasa granicznego jest dla mieszkańców miasteczka chlebem powszednim. Miejscowa ludność, trudniąc się przemytem, robiła to i przed wojną, i obecnie, świetnie orientowała się więc w topografii okolic, rozstawieniu wart i zwyczajach samych strażników. Chętnie też służyła radą i pomocą. Jeszcze kiedy było widno, jeden z mężczyzn zaprowadził zbiega za miasteczko i pokazał, gdzie znajduje się placówka graniczna i gdzie najwygodniej przejść granicę, kierując się na wysokie topole po drugiej stronie. Wieczorem Szeremeta zajął upatrzoną za dnia pozycję. Gdy zrobiło się ciemno i zaczął padać deszcz, ruszył w wyznaczonym kierunku, mając po prawej stronie światło granicznej placówki. O tym, że jest po polskiej stronie, zorientował się po chłopskich, polnych zagonach. Szedł po nich aż do świtu.

* * *

Rano zorientował się, że zabłądził. Kiedy stał, zastanawiając się, gdzie iść, zza zakrętu wyjechała furmanka z trzema mężczyznami. Nie miał szans, by się ukryć, więc pozdrowił ich po rusku:

– *Sława Isusu Chrystu!*

– *Sława na wiki* – odpowiedzieli przyjaźnie.

Wtedy spytał ich o drogę na Równe.

– W przeciwną stronę, teraz idziesz w kierunku granicy – ostrzegli chłopi.

Najwyraźniej po akcencie zorientowali się, że mają do czynienia z Polakiem, bo zaczęli opowiadać, że spotykają tu często młodych Polaków wracających z Rosji. Radzili wstąpić do najbliższej osady, gdzie mieszka pan Gajewski, który pomaga rodakom w potrzebie. Rzeczywiście wskazana polska rodzina przyjęła Bronisława serdecznie. Wypoczęty i zaopatrzony w kanapki, po południu ruszył w kierunku Równego. Na szosie spotkał dwie

Bronisław
Szeremeta

Powroty
do
Lwowa

W 1989 roku w drugim obiegu ukazała się
wspomnieniowa książka Bronisława Szeremety.

wiejskie kobiety, które zatrzymały wojskową ciężarówkę, zabrał się więc z nimi. Wieczorem tego samego dnia był już w odległym o prawie osiemdziesiąt kilometrów Równem .

Gdy szedł przez miasto, by na jego peryferiach znaleźć jakieś miejsce na nocleg, usłyszał dwóch rozmawiających po polsku chłopaków w gimnazjalnych mundurkach. Po krótkiej rozmowie zaproponowali Bronisławowi, by przenocował u nich w domu. Rodzice byli początkowo wystraszeni, ale kiedy usłyszeli historię ucieczki, przyjęli gościa serdecznie. Od nich Szeremeta dowiedział się, co działo się na tych terenach w ciągu ostatniego roku: o masowych deportacjach polskich rodzin na Sybir i do Kazachstanu, organizowaniu kołchozów, wywłaszczaniu bogatszych rolników, o wypełnionych Polakami więzieniach, egzekucjach. Wszyscy żyli w strachu, że w każdej chwili mogą być aresztowani z powodu donosu Ukraińca czy Żyda-komunisty. Mimo przerażających wieści gościna u rodziny w Równem wydawała się zbiegowi rajem. Po raz pierwszy od dawna mógł wziąć gorącą kąpiel, a jego rzeczy zostały wyprane. Następnego dnia przy śniadaniu pani domu zaproponowała Bronisławowi, aby poszedł z nią do kościoła na poranną mszę podziękować Bogu za udaną ucieczkę i pomodlić się o szczęśliwe jej zakończenie.

Mimo wczesnej pory kościół był pełny. Gdy po mszy ksiądz zaintonował *Serdeczna Matko* i głosy wiernych wypełniły mury świątyni, do oczu Bronisława napłynęły łzy. Poczuł, że jest wreszcie wśród rodaków na polskiej, chociaż zniewolonej ziemi. Po powrocie z kościoła pożegnał się serdecznie z gościnną rodziną i ruszył pieszo do oddalonego o pięćdziesiąt kilometrów Dubna.

Do miasta dotarł wieczorem. Z daleka widział wieżę kościoła, poszedł więc prosić o nocleg na plebanię, przy której stała duża stodoła. Ksiądz początkowo był bardzo nieufny i starał się jak najszybciej pozbyć intruza, dopiero pokazanie munduru pod sowieckim drelichem przekonało go, że ma do czynienia z oficerem polskiego wojska. Przepraszał za swoją nieufność, tłumacząc, że jest pod stałą obserwacją, a władze często przysyłają mu konfidentów, aby sprawdzali, czy ktoś obcy nie nocuje na plebanii. Po kolacji ksiądz dał Bronisławowi dziesięć rubli drobnymi, najwyraźniej z datków na tacę, i polecił schować się w stodole. O świcie Szeremeta był już w drodze do Brodów. Na drodze widział polskich żołnierzy-jeńców pracujących pod strażą przy budowie szosy Lwów–Równe–Kijów. Ten widok przypomniał mu sytuację, w jakiej sam był zaledwie miesiąc wcześniej.

Przed Brodami przenocował w stercie siana, by rano wejść do miasta. Dobrze je znał. Za ofiarowane przez księdza ruble poszedł do fryzjera, by się ostrzyc i ogolić, a potem do baru mlecznego na śniadanie. W końcu wyszedł na drogę do rodzinnej wsi Adamy. Miał do pokonania trzydzieści kilometrów i chciał dotrzeć tam po zmroku, by żaden z mieszkańców wsi go nie zauważył.

Kiedy dotarł do Adamów, było jeszcze widno. Bronisław czekał w lesie, aż zapadnie noc i dopiero wtedy podbiegł do sadu, z którego zobaczył stojący na wzgórzu rodzinny dom. Nie widać było przy nim żadnego człowieka. „Pewnie rodzinę wywieźli na Sybir" – pomyślał z rozpaczą i już zaczął zastanawiać się, gdzie spędzić noc, gdy nagle usłyszał głos swojej dziesięcioletniej siostrzenicy Danusi:

– Tatusiu, chodź na wieczerzę.

Z wrażenia przez chwilę nie mógł się ruszyć, ale zaraz popędził w stronę idącego do domu szwagra. Ten, widząc Bronisława, rzucił się w jego stronę z radością, która jednak szybko zamieniła się w strach. Okazało się, że jeden pokój w domu zajmował oficer NKWD nadzorujący budowę lotniska wojskowego niedaleko wsi. Wracał późno, więc przed jego przyjściem Bronisław zdążył się wykąpać, przebrać i najeść, gdy tymczasem szwagier przygotował mu kryjówkę w stercie słomy.

Po kilku dniach do Adamów przyjechała poinformowana przez szwagra ciocia Szeremety. Nie mogła uwierzyć, że siostrzeniec żyje i wydostał się z odległego o tysiące kilometrów sowieckiego łagru. Przywiozła podrobioną przepustkę. Po kilku dniach ukrywania się w rodzinnej wsi Bronisław w towarzystwie cioci wyjechał do Lwowa. Tak kończyła się jego ucieczka z sowieckiego łagru licząca trzy i pół tysiąca kilometrów, z których prawie połowę przebył na własnych nogach.

We Lwowie nie skończyły się jednak kłopoty z ukrywaniem się przed NKWD. Dopiero zdobycie dowodu osobistego na inne nazwisko pozwoliło Szeremecie uniknąć aresztowania i doczekać inwazji niemieckiej, która uwolniła go od koszmaru ukrywania się przed sowiecką władzą. Bronisław wstąpił do lwowskiej AK i walczył przeciwko Niemcom oraz ukraińskim nacjonalistom. Po powtórnym zajęciu Lwowa przez sowiecką armię w marcu 1945 roku na trop Szeremety wpadł jednak sowiecki kontrwywiad Smiersz.

Druga ucieczka z sowieckiego więzienia we Lwowie 5 marca 1945 roku nie była już dla Bronisława tak udana. Postrzelony przez strażnika, został ciężko ranny w prawy bark i stracił władanie w ręce. Przewieziono go do Moskwy, gdzie śledczy próbowali zmusić Polaka, by został świadkiem oskarżenia w słynnym „procesie szesnastu". Po odmowie Szeremeta został skazany za działalność w AK na karę śmierci zamienioną po dwóch miesiącach na dwadzieścia lat katorgi i pięć lat pozbawienia praw obywatelskich. Na zesłaniu w Kazachstanie spędził ponad czternaście lat. „Ostatni polski łagiernik w ZSRR" został odesłany do Polski dopiero w 1959 roku, ale jako... więzień. Sąd darował mu jednak resztę kary. Bronisław Szeremeta pracował później jako lekarz weterynarii, zmarł we Wrocławiu w 2009 roku.

JAK MIŁOŚĆ MATKI POKONAŁA SOWIECKĄ BEZPIEKĘ

Władysława Pawłowska, 1941

Zaczynała się niedziela 6 kwietnia 1941 roku. Tuż nad ranem Władzię Pawłowską obudził jakiś głos. Usłyszała wyraźnie słowo „Idź". Zgrabna, szczupła brunetka o miłej twarzy usiadła na łóżku, próbując zrozumieć, co się stało. W pokoju nikogo nie było, w domu wszyscy jeszcze spali. Władzia nigdy nie miała żadnych widzeń ani halucynacji. Ale ten głos słyszała wyraźnie, jakby ktoś mówił jej prosto do ucha. To musiał być znak dany jej w szóstym dniu modlitw do Matki Bożej Nieustającej Pomocy, do której odmawiała nowennę przed zbliżającymi się świętami Wielkanocy. W modlitwie prosiła o radę, czy ma uciekać do odległego o tysiące kilometrów domu. Teraz nie miała już wątpliwości, że musi to zrobić.

W Poniedziałek Wielkanocny miał minąć rok, od kiedy trzydziestojednoletnia Władzia została zabrana przez sowiecką bezpiekę z mieszkania rodziców w Brodach i rozdzielona ze swoim ukochanym, zaledwie piętnastomiesięcznym wówczas synkiem Jędrusiem. Pamiętała ten dzień doskonale. O świcie 14 kwietnia 1940 roku do służbowego mieszkania państwa Millerów, rodziców Władysławy, na stacji kolejowej w Brodach, sto kilometrów na wschód od Lwowa, załomotali funkcjonariusze NKWD w towarzystwie miejscowego Ukraińca. Mieli ze sobą nakaz aresztowania żony i syna polskiego oficera Jana Baptysty Pawłowskiego.

Porucznik Pawłowski z 22 Pułku Ułanów Podkarpackich przebywał w obozie jenieckim w Kozielsku. Ostatnia kartka przyszła od niego w marcu – później wiadomości już nie było.

Ojciec Władzi, Władysław Miller, doskonale wiedział, co oznacza taki nakaz. Już w lutym dziesiątki tysięcy Polaków z terenów zajętych przez Związek Radziecki po 17 września 1939 roku zostało zapakowanych w pociągi i zesłanych w odległe rejony sowieckiego imperium. Od poprzedniego dnia, 13 kwietnia, nadchodziły wieści o kolejnych aresztowaniach. Sowieci szykowali kolejną deportację „wrogów ludu" i ta miała teraz objąć także jego córkę i małego wnuka.

Na uratowanie przed wywózką Władzi, która za trzy dni miała obchodzić trzydzieste urodziny, nadziei nie było. Władysław Miller wierzył jednak, że jego silna, wysportowana i zahartowana córka poradzi sobie na dalekim zesłaniu. Dziecko mogło jednak takiej podróży nie przeżyć. Ojciec, mama Antonina oraz córka bez słowa wymienili spojrzenia i wiedzieli już, co mają robić. Babcia wzięła śpiącego jeszcze Jędrusia, położyła w dużym łóżku i przykryła całego wielką pierzyną. Gdy Władzia pakowała swoje rzeczy, jej ojciec wziął Ukraińca do piwnicy i pozwolił mu zabrać stamtąd tyle zapasów jedzenia, ile tylko udźwignie. W zamian prosił tylko o jedno – żeby nikomu nie zdradził, że mały Jędruś jest w domu dziadków. Po krótkim czasie do mieszkania przyszedł oficer NKWD nadzorujący deportację w Brodach.

– Władysława Pawłowska, *żena oficera bywszej Polszi* – wyczytał z listy. – A gdzie syn?

Władzia spuściła wzrok i zaczęła płakać.

– Moje dziecko zmarło w czasie ostatniej epidemii tyfusu – zaszlochała.

Enkawudzista rozejrzał się po mieszkaniu, ale niczego nie zauważył. Ukrainiec milczał. Władzia rzuciła ostatnie spojrzenie rodzicom i poszła pod eskortą tam, gdzie już z całego miasta i okolic sowiecka bezpieka spędzała setki przeznaczonych do deportacji Polaków.

Teraz była zesłańcem we wsi Liniejewka niedaleko kołchozu Oktabrskij. Wokół rozciągały się bezkresne kazachskie stepy, od rodziny dzieliło ją niemal pięć tysięcy kilometrów. Chociaż była silna i nie chorowała ani nie bała się głodu czy ciężkiej pracy, jedna myśl rozsadzała jej mózg i doprowadzała niemal do szaleństwa. Kiedy znów zobaczy synka? Jak on teraz wygląda? Czy pamięta jeszcze mamę? Kiedy znów będzie mogła go przytulić i pocałować? Tęsknoty matki za dzieckiem nie da się porównać z niczym innym. Władzia była gotowa na wszystko, żeby tylko zobaczyć Jędrusia. Ale jak uciekać w tym ogromnym kraju, gdzie odległości liczy się na tygodnie, a ludzie giną bez śladu i nikt nie wie, co się z nimi stało?

Towarzyszki niedoli z Brodów, z którymi mieszkała – żona sędziego i żona wojskowego lekarza – tłumaczyły jej, że ucieczka to szaleństwo. Kiedy wysłała do rodziców list, pisząc, że „gdyby poszła wcześniej na długi spacer, być może na święta byliby znów razem", w odpowiedzi także ojciec zaklinał ją, żeby tego nie robiła. Ale ten głos, który słyszała dziś nad ranem, nie pozostawiał wątpliwości. Skoro Matka Boża Nieustającej Pomocy, którą prosiła o radę odezwała się do niej i powiedziała wprost, co ma robić, to znaczy chyba, że pomoże jej w ucieczce, nie zostawi w potrzebie. Władzia ubrała się szybko i pobiegła do sąsiedniego Oktiabrska, żeby opowiedzieć swojej przyjaciółce Stefanii Froli o niesamowitym zdarzeniu i ostatecznej decyzji. Stefa nie wahała się ani chwili.

– Idę z tobą – powiedziała.

Przyjaciółki wiele razy snuły plany ucieczki. Frola była sporo starsza od Władki, w zasadzie mogłaby być nawet jej matką. Jej syn Franciszek był zaledwie o rok młodszy od Władysławy i jako wzięty do niewoli przez Sowietów oficer rezerwy był więziony razem z Janem Pawłowskim w obozie w Kozielsku. Od niego również od ponad roku nie było żadnych wiadomości.

– Musimy mieć pieniądze – powiedziała Stefa. – Po świętach trzeba zacząć sprzedawać rzeczy. Kiedy uciekamy? – zapytała.

Głęboko wierząca Władzia nie miała wątpliwości.

Władysława Pawłowska.

Jan Baptysta Pawłowski w mundurze
z Korpusu Kadetów we Lwowie.

– W maju, to miesiąc Matki Bożej, Ona nas będzie prowadzić. A 10 maja jest święto Matki Bożej Łaskawej. To najlepszy moment.

Decyzja została podjęta.

Święta minęły szybko; w polsko-niemieckim gronie, gdyż większość zesłańców w Liniejewce stanowili deportowani z Ukrainy Niemcy. Wiedzieli, co Hitler zrobił Polakom, wobec zesłanych na kazachskie stepy kobiet zachowywali się bardzo przyjaźnie. Rodzina Birmanów, u której mieszkała Władzia, wyznawała tradycyjne wartości i również była bardzo religijna. Młoda kobieta siadała czasem na ławce przy piecu ze starym panem Birmanem, razem palili skręty z zawiniętej w gazetę machorki i rozmawiali o ostatnich politycznych wydarzeniach na świecie. Często pisała do rodziny o swoim zdumieniu, jak mogą ułożyć się losy rozpędzonych po świecie ludzi. „Jesteśmy w Azji wśród Niemców z Rosji. Co za kombinacja" – dziwiła się .

Korespondencja szczęśliwie dochodziła, najczęściej w ciągu siedmiu–ośmiu dni. Kiedy tylko decyzja o ucieczce została podjęta, ton pisanych przez Władzię listów stał się o wiele bardziej radosny. „Często przypominam sobie te chwile, jak raz wybiłam Jędrusia, on tak płakał, a wyście wszyscy tak na mnie krzyczeli, a moje kochanie nie chciało iść do mamusi i mówiło «mama be». Nigdy już mateńka nie będzie biła, kiedy Bozia da powrócić do Ciebie. Ale i czasem da w skórę, no bo co będę miała zrobić, jak mi powiesz «mama dupa» albo «mamo dam ci w molde»" – pisała Władzia. Ostatni list wysłała do Brodów 25 kwietnia, uprzedzając, że przez dłuższy czas może nie być od niej wiadomości. Zaczynał się ostatni etap przygotowań do ucieczki przez bezkresne sowieckie imperium.

* * *

10 maja, w pochmurny, chłodny dzień, Władzia i Stefa ruszają na stację kolejową w Liniejewce odprowadzane przez dwie Polki. Wcześniej było wzruszające pożegnanie z Birmanami,

którzy szybko domyślili się, jakie plany ma ich współlokatorka. „Chcesz iść do swojego dziecka, niech cię Bóg prowadzi" – mówiła babcia Birmanowa, kropiąc Władzię święconą wodą, a dziadek kreślił znak krzyża. Każdemu z rodziny Władzia zostawiła coś na pamiątkę. Resztę swoich rzeczy, które zabrała na zesłanie, sprzedała lub rozdała. Prezenty dostała córka naczelnika stacji w Liniejewce, który również szybko domyślił się, jakie zamiary mają zesłane na kazachskie stepy kobiety. Nie było sensu ukrywać prawdy, powiedziała mu wszystko.

Naczelnik okazał się porządnym człowiekiem. A może pomógł fakt, że Władzia też była córką urzędnika kolejowego? Sprzedał Polkom bilety na pociąg Karaganda–Moskwa i kolejny z Moskwy za zachód oraz uprzedził, że koniecznie muszą mieć ze sobą paszporty, gdyż w przypadku ich braku po pierwszej kontroli zostaną natychmiast aresztowane. Paszportami były dokumenty wydawane zesłańcom przez pobliską placówkę NKWD, ważne pięć lat i uprawniające do poruszania się po terenie obwodu, ale nie dalej. Dodatkowo w swoim paszporcie Władysława Pawłowska miała adnotację *żena oficera bywszej Polszi*, co natychmiast czyniło ją podejrzaną, ale innego wyjścia nie było. Władzia i Stefa mogły się tylko modlić, żeby na liczącej tysiące kilometrów trasie do Moskwy jakimś cudem udało im się uniknąć kontroli. Wydawało się to prawie nierealne, ale głęboka wiara, z jaką obie kobiety planowały ucieczkę, dawała im nadzieję. Obie miały też ze sobą różańce, aby w czasie podróży odmawiać modlitwy w intencji jej szczęśliwego zakończenia.

Poza tym Władzia i Stefa, idąc na stację w Liniejewce, wyglądały jak typowe sowieckie kołchoźnice. Lekkie ubrania wymieniły na grube spódnice i kufajki, na głowach miały chusty. Tak wyglądały miliony kobiet w sowieckim imperium i uciekinierki miały nadzieję ukryć się w tym przemieszczającym się na wielkie odległości tłumie prostych, biednych ludzi. Na tę okazję zmieniły też imiona – Władzia miała być odtąd Wierą, a Stefa – Walą. W zawiniątkach, które ze sobą niosły, miały tylko ciepłą bieliznę, po jednej sukience, szczotki do zębów, mydło, ręczniki i bochenek chleba z odrobiną masła – luksusu na zesłaniu – które podarowali Birmanowie. Ich majątek stanowiło kilkaset rubli na bilety, jedzenie i łapówki, bez których – jak już wiedziały – podróż na drugi kraniec Związku Radzieckiego była niemożliwa. Władzia miała też list adresowany do znajomych w Liniejewce na wypadek, gdyby została aresztowana przez NKWD. Miała go zamiar wcisnąć wtedy jakiejś przygodnej osobie z nadzieją, że informacja o jej zatrzymaniu dotrze do zaufanych ludzi i zostanie przekazana do Brodów.

Na stacji mieszczącej się w małym, drewnianym budynku na stepie nikogo nie było. Nadjechał pociąg, Władzia i Stefa szybko weszły do wagonu. Przyjaciółki-Polki pożegnały je z płaczem. Zaczęła się podróż w nieznane, ucieczka, której końca nie sposób było przewidzieć.

* * *

Zaczęło się źle. Czy to wywołany ucieczką stres, czy też fakt, że w przepełnionym pociągu było ciepło, spowodował, że Polki niemal natychmiast usnęły. Władzię obudziło jakieś szturchanie. Kiedy otworzyła oczy, w pociągu było pełno czerwonych otoków – enkawudzistów, którzy kontrolowali właśnie dokumenty pasażerów. Władzia z przerażeniem zobaczyła, że do ich przedziału wszedł sam komendant lokalnego NKWD, człowiek, który wydawał im paszporty! Teraz musiała pokazać mu swój dokument. To oznaczało, że ucieczka skończy się, zanim się jeszcze na dobre zaczęła. Podała paszport enkawudziście i zaczęła się modlić. Ten po zobaczeniu adnotacji w dokumencie Polki tylko cicho gwizdnął i dotknął palcem daszka czapki. Władzia zaczęła gorączkowo się tłumaczyć:

– Jadę szukać pracy. W Kazachstanie po prostu nie da się wyżyć – mówiła.

Komendant popatrzył na nią i odpowiedział:

– Dojeżdżamy do Petropawłowska, a tam zrobimy z wami porządek.

I oddał dokument. Władzia nie mogła w to uwierzyć, przecież mógł zatrzymać paszport i natychmiast wezwać straż. Czy ta groźba była zakamuflowanym ostrzeżeniem? Czy nastąpił jakiś cud i enkawudzista postanowił zignorować ich ucieczkę?

Teraz nie było jednak czasu o tym myśleć, pociąg dojeżdżał już do Petropawłowska. Kiedy tylko kontrola przeszła przez wagon, spanikowana Władzia pobiegła do kierowniczki pociągu. Szybko opowiedziała jej o ucieczce, zostawiła trochę rubli i list z prośbą o jego wysłanie do Liniejewki. Zostawiła też bilet, aby w razie aresztowania nie było dowodu, że chciała jechać aż do Moskwy. Konduktorka nie zdążyła o nic spytać, kiedy Władzia i Stefa niemal w biegu wyskoczyły z wagonu, wmieszały się w tłum i pobiegły schować się za stojący na stacji wielki zbiornik na wodę.

Stały za nim ukryte, ciężko dysząc. Mijały minuty, ale nic się nie działo, nie było żadnych poszukiwań, żadnej obławy. Czy komendant NKWD po prostu nie chciał robić sobie kłopotu z formalnościami związanymi z zatrzymywaniem zbiegów, wiedząc, że i tak prędzej czy później wpadną? W końcu była sobota, może śpieszyło mu się do domu po całym tygodniu pracy? Jakkolwiek było, ruch na stacji powoli malał. Władzia i Stefa wiedziały, że pociąg zatrzymał się w Petropawłowsku na dłużej, gdyż kolejne wagony do Moskwy miały być doczepione do niego dopiero wieczorem. Trzeba było jednak odzyskać pozostawiony u konduktorki bilet. Polki ostrożnie, okrążając stację, ruszyły w stronę stojącego składu. Naprzeciw nich szedł kolejarz.

– Niech pan pójdzie do konduktorki w tamtym wagonie i przyniesie mój bilet, proszę – zatrzymała go Władzia, wyciągając rękę z pieniędzmi.

Mężczyzna popatrzył na nią.

– Przecież pociąg zaraz odjeżdża.

– Jak to? – spytała spanikowana.

– Rozkład został zmieniony – odpowiedział mężczyzna.

Polki, nie pytając już o nic, ruszyły pędem w stronę kładki nad torami. Z góry zobaczyły, że na peronie znów pełno jest czerwonych otoków. Ich konduktorka stała przy drzwiach ostatniego wagonu, szykując się do dania znaku maszyniście, aby ruszał. „Najświętsza Panienko, ratuj" – wyszeptała Władzia i razem ze Stefą ruszyły biegiem w dół po prowadzących na peron schodach. Wpadły w grupę enkawudzistów, roztrącając ich na boki. Konduktorka zauważyła zamieszanie, rozpoznała czerwoną spódnicę Władzi. Skinęła do niej ręką. Kiedy Polki znalazły się przy niej, niemal siłą wepchnęła je do środka, dała znak odjazdu, wskoczyła do wagonu i błyskawicznie zatrzasnęła drzwi. Znów były w drodze i – co więcej – wyglądało na to, że mają zaufaną opiekunkę.

Rzeczywiście tak było. Całą rodzinę konduktorki Nadii wymordowali komuniści. Uratowała się tylko ona. Aby ocalić życie, wyszła za mąż za funkcjonariusza nowej władzy, bo tylko tak mogła ukryć fakt, że pochodzi z kręgu „wrogów ludu". Ale nigdy nie zapomniała krzywdy, którą wyrządzili jej Sowieci. Kiedy usłyszała historię Władzi i Stefy, wiedziała, że musi im pomóc. Ukryła uciekinierki w części wagonu zajętej przez Cyganów. Z powodu brudu i wszechobecnych wszy było to miejsce mało komfortowe, ale bezpieczne, bo enkawudziści zwyczajnie bali się tam zaglądać. Przynosiła Polkom herbatę, uprzedzała, gdzie mają się schować, kiedy przyjdzie kontrola. Doskonale znała pociąg oraz zwyczaje NKWD i miała swoje sposoby, aby przechytrzyć władzę.

Godziny mijały monotonnie, aż w pewnym momencie pociąg zaczął zwalniać. Trasa kolejowa zaczęła się wznosić, spod kół składu sypały się iskry. Jechali pod górę. Ural! Niedługo z powrotem przekroczą granicę Azji i Europy, za chwilę będzie wielka stacja Swierdłowsk. Władzi natychmiast przypomniało się, jak ponad rok temu jechała tą samą trasą, ale w drugą stronę. Komendant wiozącego zesłańców składu zapytany: „Gdzie nas wieziecie?" z uśmiechem odpowiedział: „Wieziemy was, żebyście pozdychali". Enkawudzista drogo zapłacił za te słowa. Następnego dnia, kiedy pijany wszedł na tory, zmiażdżyła go jadąca lokomotywa.

Ze Swierdłowska do Moskwy było niemal 1800 kilometrów – ponad dzień drogi. Tam kończył się pierwszy etap ucieczki. Bilety, które miały Władzia i Stefa, były jednak wystawione na znacznie dalszą trasę – aż do jakiejś małej miejscowości za Kijowem, najdalej, jak dał radę to zrobić ich zaufany naczelnik stacyjki w Liniejewce. Dalej już nie było można. Tam zaczynała się „zona", pilnowana przez wojsko i NKWD dawna granica sowiecko-polska. Chociaż zagarnięte przez Związek Radziecki po 17 września polskie tereny formalnie zostały przyłączone do sowieckich republik Ukrainy i Białorusi, wciąż były odgrodzone policyjnym kordonem od reszty państwa. Stalin najwyraźniej nie ufał mieszkającym tam ludziom.

Aby jechać dalej, bilety trzeba było w Moskwie prolongować, czyli przedłużyć ich ważność i zdobyć jakieś miejscówki. Tu nieocenioną pomocą służyła doskonale zorientowana w tych sprawach Nadia. Wskazała tramwaj, którym uciekinierki miały przejechać na Dworzec Kijowski i radziła, by tam od razu stanęły w kolejce, gdyż chętnych do podróży na zachód ZSRR mogą być tysiące. Władzia i Stefa, zmęczone i brudne, zrobiły, jak im poleciła. Po drodze na dworzec kupiły jakiś chleb, ser i wódkę, jedyne, co można było dostać w sklepie, bo wszystkie zapasy z Kazachstanu zjadły już w ciągu kilkudniowej podróży.

Dworzec Kijowski, piękny biały budynek, w środku zapełniony był szarą, otępiałą ludzką masą. W hali koczowały całe rodziny z dobytkiem – ofiary stalinowskiej polityki przesiedleń, kolektywizacji i industrializacji kraju, ludzie przenoszeni z dnia na dzień z miejsca na miejsce, kiedy tylko zażyczyła sobie tego komunistyczna władza. W tej ciżbie podobnych do siebie jak dwie krople wody ludzi uciekinierki mogły czuć się bezpiecznie, nie wyróżniały się niczym. Tylko ile czasu będą tu tkwić, aż uda im się prolongować bilet?

I znów miały szczęście. Władzia stała właśnie blisko okienka kasy, gdy nagle pojawiła się w nim urzędniczka. Na koczującą w hali masę zrezygnowanych, zobojętniałych ludzi podziałało to jak uderzenie pioruna. Nagle setki ludzi poderwały się z miejsc i biegiem ruszyły w stronę miejsca, w którym stała Władzia. „Stefa!!!" – zdążyła jeszcze tylko krzyknąć do przyjaciółki i już była przy okienku, czekając na stempel, który umożliwiał im dalszą ucieczkę. Stefania przybiegła błyskawicznie i podała swój bilet. Teraz pozostało już tylko z powrotem wmieszać się w tłum i czekać na przyjazd pociągu, który miał zabrać ich jak najbliżej wytęsknionego domu.

* * *

Siedziały oparte o siebie, lekko drzemiąc. W tym stanie, pół snu, pół jawy, cała ta sytuacja wydała się Władzi nierealna. Moskwa, stolica krwawego imperium, NKWD, ucieczka, wojna... Przed oczami stanęły szczęśliwe chwile życia. Dzieciństwo w mieszkaniu przy stacji kolejowej w Dubnie. Dojazdy do szkoły w centrum miasta własnymi końmi. Zabawy z braćmi Rudolfem, Mietkiem i Edwardem, lekcje tenisa, konne przejażdżki, pływanie w rzeczce Ikwie. A potem przenosiny do Brodów, gdzie ojciec dostał nowe stanowisko na kolei i poznanie tego jedynego, który całkowicie zawładnął jej sercem – Janka. W Brodach stacjonował właśnie 22 Pułk Ułanów Podkarpackich i starszy od Władzi o rok Jan Baptysta Pawłowski, absolwent lwowskiego Korpusu Kadetów, mistrz sportu, ale też utalentowany śpiewak i malarz, zrobił ogromne wrażenie na małej, żywiołowej brunetce. Ślub wzięli pod koniec 1937 roku, a w styczniu 1939 roku urodził się ich ukochany Jędruś. Rodzinne szczęście trwało krótko – już w sierpniu porucznik Pawłowski został wezwany na ćwiczenia i zaraz potem zmobilizowany. 29 sierpnia widziała go po raz ostatni.

Władzia została sama dziewięciomiesięcznym synkiem. Kiedy Niemcy zaatakowały Rzeczpospolitą, na Kresach zaczęły się napady Ukraińców na polskie domy. Władzia zabrała synka i ukryła się z nim w jakiejś leśniczówce, aby przeczekać czas morderstw i grabieży. Kiedy weszli Sowieci, wróciła do domu rodziców. Od Janka wiadomości żadnych nie było, chociaż na zajętych przez Armię Czerwoną terenach było mnóstwo obozów jenieckich, w których przetrzymywano polskich jeńców. Władzia za ostatnie oszczędności wynajmowała ludzi, żeby przedzierali się w ich pobliże z nadzieją, że zdobędą jakąś wiadomość o losach jej męża. Bezskutecznie.

W końcu w grudniu 1939 roku przyszła wreszcie pierwsza wiadomość od Janka. Od 1 października był w sowieckiej niewoli. Pisał, że jest w obozie w Kozielsku, niedaleko Kaługi, w jakimś dawnym klasztorze, razem z setkami innych polskich oficerów. Prosił o przysłanie zdjęcia Jędrusia. W marcu 1940 roku zdążył przysłać jeszcze kilka listów i kartkę. Potem korespondencja nagle się urwała. Miesiąc później Władzia sama stała się zesłańcem.

Na hali dworca zaczyna się ruch. Polki, zamroczone jeszcze snem, wstają i jak automaty idą za innymi ludźmi na peron, gdzie czeka już pociąg, wsiadają do wagonu. Z odrętwienia budzi je widok czerwonych otoków – enkawudziści wyrywkowo legitymują podróżnych. Pryskają resztki snu, strach nie pozwala myśleć. Jedyne, co pozostaje, to modlić się o ratunek. Władzia i Stefa zamykają oczy, udają, że śpią, ale w myślach odmawiają różaniec. Czerwone otoki omijają je, jak gdyby były niewidzialne.

Zapada noc. Po drodze pociąg mija stacje, których nazw nawet nie zdążą zauważyć. Wsiadają różni ludzie. Jakiś pijany oficer mówi o nadchodzącej wojnie, NKWD szybko zabiera go z wagonu. Im dalej na zachód, tym więcej kontroli, ale jakimś cudem wciąż omijają one uciekinierki. W końcu nad ranem pociąg wtacza się na jakąś małą stację. Polki wychodzą na peron, nie zwracając niczyjej uwagi i natychmiast kierują się w stronę pobliskiego lasu. Tu znajdują jakieś zarośla, chowają się w nich i zjadają kawałek chleba, drżąc z zimna i emocji. Nerwowe napięcie ostatnich kilkunastu godzin powoli opada, na chwilę udaje się im nawet zasnąć.

Budzi je przyjemne ciepło. Słońce jest już wysoko w górze, czas ruszać. Nie mają pojęcia, gdzie są. Wiedzą tylko, że trzeba maszerować na zachód, trzymać się jak najbliżej lasów, unikać głównych dróg i dużych miejscowości, o drogę pytać tylko ludzi starszych. Do Brodów mają ze 300 kilometrów, prawie nic w porównaniu z odległościami, które pokonały, ale niedaleko stąd jest już silnie strzeżona pograniczna „zona", najgorsza przeszkoda na drodze do domu. Po odmówieniu różańca Władzia i Stefa wstają i ruszają dalej. Zaczyna się ostatni, najtrudniejszy etap ucieczki.

* * *

Szły kierując się słońcem, skrajem lasu, bocznymi drogami przecinającymi doliny, łąkami. Omijały wsie, aby nie budzić podejrzeń. O drogę pytały rzadko. Wiedziały już, że trzeba kierować się na Berdyczów. Za nim zaczynała się pograniczna „zona".

Im dalej na zachód, tym więcej widziały wojska i NKWD. Coraz bardziej podejrzliwie przyglądali się im ludzie. W końcu będące na skraju nerwowego wyczerpania Polki postanowiły ukryć się w lesie. To jednak okazało się niemożliwe.

– Nie wolno wchodzić, tam kwateruje wojsko – zawołał do nich z daleka jakiś mężczyzna w mundurze.

Na szczęście był to kolejarz, szedł na nocną zmianę. Zrozpaczone i wyczerpane kobiety usiadły i zaczęły płakać. Mężczyzna zatrzymał się.

– Co się stało? – zapytał.

Opowiedziały mu o wszystkim. Zobaczyły, że kolejarz też chyłkiem ociera łzę.

– Wielkiej nadziei na przejście granicy nie miejcie – ostrzegł je po wysłuchaniu historii ucieczki. – Pilnują, wszędzie pełno wojska, zanosi się na wojnę. Przenocujcie tu gdzieś w sianie, rano na stację kolejową będą szli robotnicy. Wmieszajcie się między nich, bilety można kupić w pociągu.

– Wcześniej się nie da? – spytała Władzia.

Mężczyzna wskazał na idące w las tory.

– Dwa kilometry stąd, tam, jest przystanek kolejowy. W nocy przyjeżdża pociąg, który zatrzymuje się na chwilę. Możecie iść, ale to wielkie ryzyko.

Pożegnali się, życząc sobie szczęśliwej drogi.

Robiło się już ciemno, a żadnego stogu siana ani innego miejsca, w którym można byłoby przenocować w pobliżu nie było. Co robić? Zrozpaczone kobiety podejmują desperacką decyzję: „Idziemy do przystanku przez las". Suną w stronę torów cicho jak koty, wchodzą na kolejowe podkłady, uważając, by nogi nie ześlizgnęły się na żwir. Ostrożnie stawiają stopy na kolejnych, drewnianych kłodach, ich oczy powoli przyzwyczajają się do ciemności. Kiedy Władzia i Stefa wyczuwają w końcu odległości między podkładami, zaczynają równo, miarowo, jak automaty iść, cały czas odmawiając modlitwę, aby nie myśleć o tym, co je spotka, kiedy zostaną zauważone. Teren był pilnowany przez wojsko, wartownicy mieli prawo strzelać do każdego bez ostrzeżenia. Słyszały nawoływanie się wart, szczęśliwie nie było żadnych psów.

Nie wiedziały, jak długo trwał marsz, kiedy w końcu po prawej stronie zauważyły budynek. Błyskawicznie przypadły do ściany, usiadły najniżej, jak się dało. Obok stacji przechodzili właśnie wartownicy, ale niczego nie zauważyli. Nagle usłyszały kroki.

– Kto tam? – zapytał męski głos.

– My – odpowiedziała cicho Władzia, nic innego nie przyszło jej do głowy.

Zapłonęła zapałka, płomień zbliżył się do ich twarzy. Po drugiej stronie ognia zobaczyły młodą, ale zmęczoną i zabiedzoną twarz. Mężczyzna miał na głowie starą czapkę z podwiniętym do góry daszkiem, a na sobie brudne i zniszczone robocze ubranie. A więc nie żołnierz.

– Kim jesteś? – zapytała Stefa.

– Maluję mieszkania. Tu bieda, pracy nie ma, jadę szukać dalej. Mój kolega, z którym pracowałem, poszedł do NKWD, dobrze mu się powodzi. Śmieje się teraz ze mnie i mówi, żebym zrobił to samo, ale ja nie chcę. Pewnie go spotkam, bo często jeździ na tej linii, może mi pomoże, bo nie mam pieniędzy na bilet.

Mężczyzna mówił szczerze, ewidentnie przez długi czas brakowało mu kogoś do rozmowy.

– A wy? – zapytał.

– Pracujemy w kołchozie koło Swierdłowska, jedziemy odwiedzić chorą matkę – Władzia wyrecytowała przygotowane wcześniej tłumaczenie.

Popatrzył na nie, chyba nie uwierzył, ale o nic więcej nie pytał.

– Mamy pieniądze, damy ci na bilet, tylko jedź z nami, bo nie znamy dobrze tej okolicy.

Nieznajomy zgodził się chętnie. Na pociąg nie czekali długo, potężny skład z hukiem wtoczył się na peron. Wskoczyli do wagonu błyskawicznie. Dopiero tu, w jasno oświetlonym przedziale, Władzia zobaczyła całą biedę i poniewierkę, jaką musiał przeżywać ich nowy znajomy. Wyglądał jak włóczęga. Mężczyzna wyczuł na sobie jej wzrok, wstał, odchylił poły płaszcza i pokazał wielki pędzel do malowania ścian.

– Zobacz, nie kłamię, naprawdę jestem malarzem! – powiedział poważnym głosem.

Napięcie opadło, kobiety wybuchnęły śmiechem, który jednak szybko zamarł, gdy do wagonu wszedł enkawudzista. Zamiast jednak żądać pokazania dokumentów, serdecznie przywitał się z ich towarzyszem podróży. To był właśnie ten kolega, o którym malarz opowiadał na stacji.

Pociąg sunął powoli, ale nieubłaganie zbliżała się chwila, kiedy zacznie się graniczna „zona".

– Uważajcie, będą sprawdzać dokumenty – ostrzegł je malarz.

Co robić? Władzia nie wahała się ani chwili.

– Stefa, idź do kierownika pociągu i powiedz mu, że damy mu wszystkie pieniądze, żeby tylko nas przewiózł parę stacji, najlepiej do Szepetówki.

Szepetówka była ostatnią dużą stacją przed dawną granicą sowiecko-polską. Dalej był Zdołbunów, w którym tory rozwidlały się, a ich południowa, „lwowska" odnoga szła na doskonale znane Władzi Dubno i Brody.

Stefa poszła do kierownika, wróciła po dłuższej chwili.

– Zgodził się! – wyszeptała. – Na najbliższej stacji mamy wysiąść i schować się na pomoście między wagonami. Kiedy da znak, mamy przejść do wagonu pocztowego, pierwszego za lokomotywą. Ale jak nas złapią, on o niczym nie wie – tłumaczyła.

To ostatnie było oczywiste.

Malarz wysiadał już na następnej stacji. Wyszły za nim i ruszyły w stronę lokomotywy. Ledwo Stefa zdążyła wejść na pomost, pociąg ruszył. Władzia niemal w biegu chwyciła drabinkę pomostu, kurczowo uczepiła się metalowych szczebli i tak, wisząc w powietrzu z workiem na plecach, przejechała do następnej stacji. Tam ukryły się w wagonie pocztowym.

– Kontrola przeszła, możecie już wracać na miejsca – usłyszały głos kierownika pociągu. Poszły do wagonu dla pasażerów, do Szepetówki było już blisko.

Na stacji czerwono od otoków NKWD, funkcjonariuszy jest chyba więcej niż pasażerów. Władzia i Stefa wychodzą ukryte w tłumie ludzi do poczekalni, gdzie dowiadują się, że o tej godzinie nie wolno jeszcze nikomu opuszczać dworca. Siadają w najdalszym kącie, ale enkawudziści jak sępy krążą po hali, żądając co chwila od kogoś pokazania paszportu. Płyną minuty, serca walą jak młoty, sparaliżowane strachem uciekinierki modlą się, żeby w końcu pozwolono im wyjść.

W końcu nadchodzi ten moment. Polki, ledwie żywe ze zmęczenia i strachu, przechodzą obojętnie obok enkawudzistów. Nikogo nie można pytać o drogę. Władzia i Stefa mijają budynek stacji, wchodzą w zarośla i ruszają wzdłuż torów na zachód.

* * *

Godziny marszu, potworne zmęczenie i jeszcze gorszy głód. Władzia i Stefa nie mają już żadnego jedzenia, jest dopiero maj, w lesie nie ma jeszcze ani jagód, ani żadnych innych owoców. W końcu głód staje się nie do zniesienia. Kiedy wychodzą torami z lasu na dużą polanę z ładnymi domami, zdesperowane postanawiają zapukać do tego, który stoi najbliżej. Do środka zaprasza je mężczyzna koło pięćdziesiątki. Tam, w dużej izbie, na ścianach wiszą portrety Lenina i Stalina. Czyżby gospodarz był ważnym komunistycznym aparatczykiem? Uciekinierki są już jednak tak wyczerpane, że nie mają siły ani o tym myśleć, ani nawet się bać. Kiedy gospodyni przynosi chleb, garnek mleka i dwa kubki, dosłownie rzucają się na jedzenie.

Gospodarz patrzy na nie z litością, w jego oczach widzą łzy. Słucha ich oficjalnej historii o chorej matce, ale widać, że nie wierzy. Kiedy Władzia i Stefa zaczynają się żegnać, wychodzi z nimi na podwórko, wyciąga rękę w stronę młodego lasu i mówi:

– Granica jest tam. Szczęśliwej drogi.

Polki z trudem powstrzymują płacz, nie mogą uwierzyć w to, co je spotkało. Mężczyzna przywrócił im nadzieję, że być może ich szalony plan się powiedzie.

Przeskoczyły szeroką drogę i znalazły się w młodym lesie. Drzewa rosnące równo w rzędach były tak niskie, że trzeba się było niemal czołgać. Drogą cały czas przejeżdżały wojskowe transporty. Bały się, że ktoś je w końcu zauważy, ale wtedy zaczął padać deszcz i nikt już nie wyglądał spod plandek ciężarówek. W końcu zobaczyły koniec lasku, ale płaska przestrzeń skończyła się gwałtownie. Stały na wysokim, stromym brzegu rzeki. To Horyń, po jego drugiej stronie są już dawne polskie ziemie, ale jak tam przejść? Robi się ciemno, rzeka jest głęboka, mostu pilnuje wartownik. Wtedy zobaczyły łódkę.

– Zaryzykuję, wszystko mi już jedno, może nas przeprawi albo przynajmniej wskaże jakieś miejsce do przenocowania – powiedziała Władzia i zaczęła schodzić w dół.

Kiedy łódka przybiła do brzegu, natychmiast podbiegła do młodego chłopaka, który z niej wysiadał.

– Pomóż, idziemy z daleka do chorej matki, jestem z siostrą, która też zachorowała – zaczęła prosić.

Zaskoczony i przestraszony chłopak patrzył na nią z niedowierzaniem.

– Nie wierzysz? Słuchaj, jak coś ci się nie podoba, idź zaraz do NKWD i donieś. Nam już jest wszystko jedno, ledwo żyjemy. Czekamy pod tymi drzewami, a ty rób, co chcesz.

Chłopak milczał, po chwili ruszył w górę.

– Widzisz tę małą chatkę nad brzegiem? – odezwał się nagle. – Tam mieszka moja ciotka. Idźcie i powiedzcie, że przysyła was Kola.

Władzia niemal biegiem ruszyła do Stefy, razem rzuciły się w stronę chatki i zaczęły walić w drzwi.

– Ciociu, proszę, otwórz, przysyła nas Kola! – zaczęła wołać Władzia.

Drzwi otworzyła przestraszona stara kobieta.

– Ciociu, nie bój się, jesteśmy głodne i zmęczone. Przyjmij nas na noc.

Kobieta zaprosiła je do izby, wskazała piec.

– Idźcie, tam ciepło.

Władzia jednym ruchem zrzuciła z siebie brudne i przemoczone ubranie, naga wskoczyła na piec i wybuchnęła gwałtownym płaczem.

Tej nocy długo rozmawiały, siedząc przy piecu na starym kożuchu i jedząc gorący barszcz. Płacząc, opowiedziały starej kobiecie całą historię ucieczki, babcia płakała razem z nimi. Była gotowa im pomóc, urodziła się tu, nad Horyniem i doskonale znała okolice. Do granicy było stąd kilka kilometrów. Nie trzeba było przeprawiać się przez rzekę, można było skręcić na północ, w stronę wsi Krywin, a potem na zachód w środę wsi Nietiszyn, która leżała już prawie na granicy. Kilkanaście kilometrów za nią było polskie miasteczko Ostróg. Babcia dokładnie opisała, jak dojść do granicy, była nawet gotowa sama podprowadzić uciekinierki kawałek bocznymi ścieżkami, które znała od dziecka. Bała się jednak o Kolę.

– To dobry chłopak, ale komsomolec. Namieszali mu w głowie. Nie wiadomo, co może zrobić – mówiła zmartwiona.

Kola przyszedł następnego dnia, chciał obejrzeć paszporty. Kiedy zobaczył dopisek w dokumencie Władzi, zmienił się na twarzy. Wyszedł bez słowa. Co teraz zrobi? Pójdzie zameldować do NKWD? Widząc strach w oczach Władzi i Stefy, babcia wyszła za Kolą. Kiedy wróciła, była wyraźnie zadowolona.

Państwo Pawłowscy – szczęśliwe małżeństwo w przededniu drugiej wojny światowej.

– Mówiłam, że to dobry chłopak – powiedziała od razu. – Rozmawiałam z nim, mówi, że nigdy was nie widział i o niczym nie wie.

Spędziły u niej dwa dni, myjąc się, czesząc, jedząc i czyszcząc ubrania z brudu oraz wszy. Było im dobrze, tu, w domu tej troskliwej kobiety, czuły się bezpieczne. Trzeba było jednak iść dalej. Babcia odprowadziła je w stronę Krywina.

* * *

Szły szybko. Chciały do wieczora być przy granicy i przejść ją, kiedy zrobi się ciemno. W końcu zobaczyły szeroki pas zaoranego pola. To tu! Na drugą stronę chciały przeskoczyć jak najbliżej samej strażnicy, żeby nie pozostawić śladów w świeżej, miękkiej ziemi. Wierzyły też, że właśnie tam patroli będzie najmniej. Szybko jednak przekonały się, że są w błędzie. Rozległo się gwałtowne szczekanie psów. Poczuły je! Władzia i Stefa jak szalone rzuciły się w stronę lasu. Szczekanie ucichło. Trudno, trzeba będzie spróbować w innym miejscu.

Znów ruszyły w stronę pasa zaoranej ziemi. Nagle Władzia poczuła na sobie czyjś wzrok. Odwróciła się. Przed nią stał żołnierz z karabinem. Nie mówił nic. Znów ruszyły przed siebie, on za nimi. Nagle Władzia instynktownie skręciła w stronę gęstych zarośli. Żołnierz wyprzedził je i stanął z bronią gotową do strzału.

– Dawaj! – powiedział krótko.

To był wyraźny rozkaz, żeby szły przed nim. Prowadził je do strażnicy.

W jasno oświetlonym pomieszczeniu siedział oficer w rozpiętym mundurze.

– Dokumenty! – rzucił.

Wyciągnęły paszporty. Przy dokumencie Władzi wzrok enkawudzisty zatrzymał się na dłużej.

– *Żena oficera żywszej Polszi!* – powiedział donośnym głosem.

Zbiegła się cała załoga.

– *Mołodiec!* – pochwalił żołnierza, który przyprowadził uciekinierki. – Dostajesz pochwałę i 300 rubli nagrody!

– Wyprowadzić! – skinął do innego strażnika.

Pod bronią przeszły przez plac do budynku obok strażnicy. Zamknięto je w małej, pustej celi z zakratowanym okienkiem przy suficie, nie było nawet na czym usiąść. Władzia i Stefa położyły się na betonowej podłodze i natychmiast zasnęły.

Świadomość wracała powoli. Jak długo już tu są? Co teraz? Czy to już koniec ucieczki? Stanęły pod oknem i zaczęły odmawiać różaniec. Po kilku godzinach strażnik kazał im wyjść na plac, na którym stało już dwóch młodych Polaków. Ich też złapano na granicy.

Wieczorem w asyście strażników cała czwórka ruszyła na stację kolejową. Tam zapakowano ich do wagonu i przewieziono do Szepetówki. Kolejny konwój zabrał polskich zbiegów do miejscowego więzienia. Tu było już tłoczno. Rosjanki, Cyganki, Ukrainki, Polki... Nagle Władzia zobaczyła dwie znajome twarze. Marysie z Polesia! Przecież były z nią w Kazachstanie! Co się stało? Okazało się, że kobiety też uciekły z zesłania, razem z dziećmi, z którymi je wywieziono. Wpadły na granicy, trafiły do więzienia, dzieci zabrało gdzieś NKWD... Nie wiedzą, co się z nimi stanie i czy jeszcze kiedyś je zobaczą...

Po kilku dniach zaczęły się przesłuchania, zawsze wieczorem lub w nocy. Uzbrojeni enkawudziści zabierali po kilka kobiet i prowadzili do budynku w centrum miasta. Pytania zawsze były te same – o rodzinę, męża, jego jednostkę, ucieczkę. W nocy szły z powrotem do celi. Raz trafił się konwojent, któremu żal było uwięzionych kobiet. Kiedy skręcali w stronę poczty, pozwalał im wrzucić listy, raz nawet kupił coś do jedzenia. Po kilku dniach pod więzienie w Szepetówce zajechały ciężarowe auta, które zabrały Władzię, Stefę i kilka dziesiątek innych kobiet z powrotem na stację kolejową. Przyjechał po nie pociąg więzienny, którym miały pojechać do odległego o prawie 200 kilometrów Kamieńca.

W więzieniu w Kamieńcu żadnych miejsc nie było. W odległej o 180 kilometrów Winnicy też nie. W końcu skład zawrócił na zachód, w stronę Płoskirowa. Na stacji enkawudziści uformowali konwój, więźniowie ruszyli wzdłuż drogi. Przy jej naprawie pracowała grupa mężczyzn. Kiedy Władzia i Stefa podeszły bliżej, okazało się, że mają na sobie zniszczone polskie mundury.

– Dzień dobry! – krzyknęły do nich.

Jeńcy przerwali pracę.

– Dzień dobry! – odkrzyknęli.

W ich oczach zobaczyły łzy.

Płoskirów to nie był już jakiś tam areszt. Potężne, grube mury, trzy masywne, żelazne bramy. Szybka procedura – kobiety na prawo, nazwisko, ćwiartka czarnego chleba, dobra tylko do tego, żeby ukryć w niej różaniec. Stamtąd do łaźni – kłębi się w niej tłum, ale jest gorąca woda, radość, piski, niektóre z tych kobiet nie brały prysznica od miesięcy. W tym czasie ubrania idą do nagrzanych pieców, żeby wytępić wszy. Po kąpieli szybko ubrać się i do cel, po trzydzieści w jednej. W małym pomieszczeniu smród okropny, nie ma toalety tylko jedno drewniane wiadro, mnóstwo much, małe okno zasłonięte deską tak, że w celi panuje półmrok. Odwszenie ubrań niewiele dało – robaki wyłaziły ze swoich kryjówek i rozpełzały się po więźniarkach. Najgorzej było w nocy, gdy wszystkie musiały położyć się na podłodze, jedna wciśnięta w drugą, ze stopami kobiet z kolejnego rzędu na wysokości piersi.

Był jeszcze maj, nie wiedziały dokładnie, jaka data. Władzia modliła się do Matki Bożej, przyłączało się do niej coraz więcej kobiet, nie tylko Polek. Kilka razy udało się uratować różaniec przed rewizją, więźniarki pomogły. Wkrótce zaczęły się przesłuchania. Czarny samochód, zwany „wroną", zabierał je do NKWD, gdzie rozpoczynał się korowód pytań o rodzinę i przede wszystkim o męża. Przesłuchujący zmieniali się: jedni patrzyli przeszywającym wzrokiem, próbując złapać więźniarkę na jakiejkolwiek nieścisłości – wtedy wszystko zaczynało się od nowa. Władzia szybko zorientowała się, że tępym enkawudzistom trzeba było zawsze odpowiadać w ten sam sposób, tymi samymi słowami.

Zdarzali się jednak współczujący funkcjonariusze.

– Kobieto, po co uciekałaś? Tam, w Kazachstanie, było was dużo, świat o was wiedział. A tu mogą zrobić z wami, co chcą, nikt o was nie usłyszy – powiedział jeden z nich.

Widząc w końcu normalnego człowieka, Władzia postanowiła zapytać o los męża.

– Powiedźcie mi, proszę, szczerze, gdzie on jest? Był w obozie w Kozielsku, w marcu dostałam od niego trzy listy i kartkę, potem kontakt się urwał.

Enkawudzista popatrzył na nią:

– Wierz mi, za darmo chleba nie je.

Miało to oznaczać, że porucznik Jan Pawłowski jest gdzieś na zesłaniu, pracuje jako jeniec lub więzień. Ale dlaczego w takim razie NKWD tak o niego wypytywało? Ta myśl nie dawała Władzi spokoju, ale nikt nie był w stanie odpowiedzieć jej na pytania. Prawdę o losach męża pozna dużo później i okaże się ona o wiele straszniejsza, niż mogła przypuszczać.

Skończył się maj, a przesłuchania wciąż trwały. W końcu nadeszło Boże Ciało, Władzia wiedziała już, jaki to dzień – 12 czerwca. Siedziały wtedy w celi z podwiniętymi nogami, więźniarki-Polki zaintonowały uroczystą pieśń. Po celi rozszedł się szloch. „Kiedy wreszcie skończy się to piekło?". Zaczęły się modlić. Kolejne dni mijały przerywane przesłuchaniami, krótkimi spacerami po placu i pisaniem grypsów na karteczkach, które spuszczało się na związanych nitkach do okien niższych cel. Odpowiedź przychodziła tą samą drogą. Tak wymieniając informacje, Władzia dowiadywała się, co dzieje się na świecie. Wiadomości nie były precyzyjne, ale jeden wątek wciąż się w nich powtarzał. Wojna była blisko.

Był wieczór 24 czerwca, kiedy nagle gmach więzienia w Płoskirowie zatrząsł się w posadach. Na korytarzach i dziedzińcu wybuchła panika, strażnicy biegali w popłochu. Chociaż trwało bombardowanie, kilka Polek, podtrzymywanych przez współwięźniarki, dosłownie przykleiło się do małego okienka. Widziały, jak jedna z bomb uderzyła w wieżę wartowniczą, jak umieszczone na wieży sąsiedniej cerkwi działa przeciwlotnicze strzelały do niemieckich samolotów, póki nie zostały zdmuchnięte przez kolejny wybuch. Polki były już oswojone z wojną, nie bały się huku i strzałów, ale zamknięte w celi Rosjanki szalały ze strachu. Nawet te, które donosiły wcześniej do strażników na modlące się kobiety, teraz przychodziły do Władzi, by dotknąć różańca.

Tymczasem w więzieniu życie zamarło. Skończyły się przesłuchania. Przerażeni strażnicy snuli się po korytarzach, widać było, że nie wiedzą, co ich czeka. W końcu nadeszła wiadomość, że front jest już blisko i więzienie zostanie ewakuowane. Władzia, podobnie jak inne kobiety, jeszcze raz została przewieziona do NKWD, żeby podpisać protokoły z przesłuchań. Wieczorem 3 lipca do cel niespodziewanie wpadli strażnicy, każąc zabierać rzeczy i wychodzić. Za bramą więzienia stał gęsty szpaler żołnierzy, czołg i kilka karabinów maszynowych. Kilkaset więźniarek i więźniów ruszyło w tym konwoju przez główną ulicę miasta w stronę drogi wylotowej. Za Płoskirowem Władzię i jej współtowarzyszki niedoli zaprowadzono na jakąś polanę. Co chcieli zrobić enkawudziści? Wymordować je wszystkie? Gdy zaczął się ostrzał i bombardowanie, żołnierze w panice zaczęli kryć się w zbożu i krzakach. Panował chaos. Teraz od tych przerażonych ludzi zależeć miało życie setek więźniów. Któryś z funkcjonariuszy zaczął wyczytywać paragrafy.

– Ci, którzy byli sądzeni na tej podstawie, mają wystąpić.

Ludzie zaczęli wychodzić z tłumu.

– Nie ruszajcie się, to numer za politykę! – wykrzyknęła jakaś doświadczona Rosjanka, która stała blisko Władzi.

Ta odruchowo cofnęła się. Wiedziała, że los ludzi, którzy wyszli z tłumu, jest już przesądzony. Wkrótce uformowano z nich kolumnę i zaprowadzono w stronę pobliskiego lasu – na rozstrzelanie.

Ale co z resztą? Władzia była pewna, że dalej ich nie poprowadzą. Droga z Płoskirowa była coraz bardziej zatłoczona uciekającymi w popłochu niedobitkami Armii Czerwonej. Miasto też było bombardowane. W końcu zastępca naczelnika więzienia, sam trzęsąc się ze strachu, wyszedł przed tłum więźniarek i krzyknął:

– Kobiety, daję wam wolność, wracajcie do domów!

Początkowo żadna się nie ruszyła, wszystkie stały jak zamarłe, nie wierząc w to, co słyszą. Czy to możliwe, że ten gad, prześladowca, naprawdę chce je uwolnić? Czy może to jakiś kolejny, perfidny podstęp? Kiedy jednak funkcjonariusz powtórzył kilka razy te same słowa i widać było po nim, że sam też chce jak najszybciej dać nogę z tego miejsca, kilka setek kobiet niemal biegiem ruszyło przed siebie.

* * *

Władzia i Stefa, znów razem, ponownie szły na zachód w towarzystwie kilku innych poznanych w więzieniu Polek. Wiedziały, że z Płoskirowa do Brodów jest prawie 200 kilometrów, a idą naprzeciw nadciągającego frontu. Ale teraz nic już nie mogło ich powstrzymać – nawet rozgrywające się na drodze ich tułaczki bitwy. Wygłodzone, dosłownie rzucały się na rosnące na polach jarzyny i zjadały je na surowo. Spotykani po drodze ludzie, wyniszczeni przez Sowietów Ukraińcy, też chętnie dzielili się wszystkim, co mieli. Idąc tak od wioski do wioski i żebrząc o jedzenie, powoli zbliżały się do linii frontu. Raz tylko napotkały jakiś sowiecki oddział, którego dowódca nie uwierzył, że zostały wypuszczone z więzienia. Nie wiadomo, co by kazał z nimi zrobić, gdyby nie miały ze sobą pokwitowań z więzienia za oddaną do depozytu biżuterię. W końcu pozwolił im iść dalej.

Paradoksalnie im bliżej było linii frontu, tym sytuacja się poprawiała. Gdy lokalne, sowieckie władze i milicja uciekły z miejscowości będących na kierunku natarcia Niemców, miejscowa ludność zaczęła rozbijać magazyny z żywnością. Jedna z kobiet, u których Władzia i jej towarzyszki schroniły się na noc, wróciła pewnego dnia z przestrzeloną ręką, ale uśmiechnięta, taszcząc ze sobą worki ryżu i cukru. Po opatrzeniu rany zarżnęła kurę i wyprawiła sobie oraz uciekinierkom prawdziwą ucztę.

Następnego dnia Władzia szła do sklepu, żeby kupić synkowi jakąś zabawkę. Zobaczyła wtedy żołnierza na pięknym koniu. Zagadnął do niej po rosyjsku, ale z jakimś dziwnym akcentem, pytając, czy nie zauważyła żadnych żołnierzy. Wtedy zorientowała się, że to Niemiec. Chociaż widziała daleko za jego plecami, jak, kryjąc się w zbożu, przemykał oddział sowieckich żołnierzy, przecząco pokiwała głową.

Tego samego dnia, wypoczęte i najedzone, całą grupą ruszyły znów na zachód. Nie zdążyły odejść daleko od wsi, gdy nagle usłyszały strzały i krzyki. To już było na pewno niemieckie wojsko. Polowali właśnie na tamten zagubiony sowiecki oddział. Widząc zmierzającą w ich stronę grupę kobiet, jeden z mężczyzn podbiegł do nich i po polsku, ze śląskim akcentem, pełen złości wykrzyczał:

– Do cholery jasnej, zwariowały baby, wojna, front, a one pchają się pod kule! Bez pytania można was rozstrzelać jako szpiegów! – darł się Ślązak.

Przestraszone postanowiły więc, że wracają do domu gościnnej gospodyni i w nim spróbują przeczekać przejście frontu. Wieczorem rozpętało się piekło. Siedziały skulone koło pieca, podtrzymując na duchu jedna drugą. Po całej nocy artyleryjskiej kanonady i bombardowań nad ranem wszystko ucichło. Polki wyszły przed dom i zobaczyły, że szosą przelewa się rzeka lśniących w słońcu niemieckich hełmów. Ukraińskie kobiety witały żołnierzy jak wyzwolicieli. Władzia wiedziała, że jej też otworzyli drogę do domu, nie czuła jednak żadnej wdzięczności. To była ta sama armia, która najechała i zniszczyła Polskę.

Kiedy szosa opustoszała, znów ruszyły na zachód. Mijały pola bitew z poskręcanym, dymiącym jeszcze żelastwem, setkami rozkładających się w letnim słońcu ciał, spalonymi chatami, porzuconymi czołgami i armatami. Chociaż widoki i odór wojny budziły grozę, więźniarki z zachwytem chłonęły piękno letniego dnia, cieszyły się widokiem lasu, trawy, drzew. Raz, kiedy tańczyły z radości na jakiejś polanie, zaalarmował je krzyk koleżanki, Feli. Wokół niej stało kilku niemieckich żołnierzy. Pod bronią zaprowadzili kobiety na sąsiednie wzgórze. Tam okazało się, że to był taki „niemiecki żarcik" – roześmiani żołnierze poprosili przerażone Polki, aby te pomogły im wypchnąć z piachu armatę. Kiedy wspólnie wytoczyli ją na drogę, Niemcy posłali im całusy i odjechali. Napięcie opadło, kobiety wybuchnęły śmiechem.

Często spotykały wcielonych do niemieckiej armii Ślązaków. Kiedy jeden z nich zażartował z niesionego przez Władzię tobołka, ta wygarnęła mu po polsku.

– To Polki!

Mężczyźni zaczęli je wypytywać, skąd wracają. Gdy Władzia ze Stefą pokazały mu na mapie swoją drogę z Kazachstanu do Płoskirowa, dowódca oddziału popatrzył na nie z szacunkiem i zasalutował.

– Chłopcy, nie wiadomo, czy dojdziemy tam, skąd te dzielne kobiety wracają – powiedział do swoich żołnierzy.

Czasem udało im się podjechać kawałek wojskową ciężarówką. Kiedy jednak podeszły do jakiejś miejscowości niedaleko Zasławia, groza wróciła. Miejscowa nauczycielka opowiedziała im z płaczem, jak zaraz po wejściu Niemcy zebrali wszystkich Żydów, kazali im kopać wielki dół, a potem wszystkich zamordowali. Nowe rządy też zaczęły się od masowych morderstw. Ludzie byli przerażeni. Chwile grozy przeżyła też sama Władzia, gdy na jej widok jeden z niemieckich żołnierzy zawołał nagle:

– *Jude*!

Czarnowłosa i czarnooka, ze spaloną słońcem skórą rzeczywiście mogła uchodzić za Żydówkę. Władzia zamarła, ale szybko odpowiedziała po niemiecku:

– Sam jesteś *Jude*, boś czarny jak ja – i pokazała różaniec na szyi.

Machnął ręką.

Weszły do Ostroga, całując polską ziemię. Tu się rozstały. Stefa Frola poszła w swoją stronę. Nie spotkały się już więcej. Władzia z poznaną w więzieniu w Płoskirowie Zosią ruszyły w stronę

Dubna. Podwiozła je wojskowa ciężarówka. Mama Jędrusia szła ulicami miasta, w którym spędziła pierwszych dziesięć lat życia. Spotkała szkolną koleżankę, która zaprosiła ją do domu. Pierwszy raz od lat siedziała przy nakrytym czystym obrusem stole. Milczała. Przeżycia ostatnich dwóch miesięcy powoli odchodziły w przeszłość. Znajomi załatwili jej przejazd wojskową ciężarówką do Brodów. Tam jednak rodziny nie było. Władzia dowiedziała się od znajomych, że rodzice z Jędrusiem i bratem Mieczysławem schronili się w Krukienicach, wsi między Samborem a Przymyślem, gdzie rodzina miała odziedziczony po dziadkach dom. Mieszkanie koło dworca było zbombardowane. Trzeba było jechać dalej.

Droga do Krukienic biegła przez Lwów. Pierwszeństwo miały transporty wojskowe. Kiedy naczelnik stacji usłyszał historię Władzi, w drodze wyjątku pozwolił jej i jej koleżance jechać wiozącym uzbrojenie składem. We Lwowie zatrzymały się u rodziny Zosi. Następnego dnia Władzia poszła do mieszkania brata Rudolfa, który mieszkał razem z rodziną wuja. Gdy ją zobaczyli, z radości przewrócili ją na podłogę, całowali, śmiali się. Rodziny wuja też nie oszczędziła wojna, córkę zamordowali Sowieci, syna – Niemcy.

Dalej na zachód cywilne pociągi już nie kursowały. Rudolf wyciągnął więc rower i pojechali na nim we dwójkę do odległych o siedemdzisiąt kilometrów Krukienic. Raz Władzia jechała na ramie, raz szli, prowadząc rower i opowiadając sobie o wojennych przeżyciach. Tak minęli Sądową Wisznię i Gródek Jagielloński. Podjechali w końcu do mostka, za którym był rodzinny dom. Rudolf miał iść pierwszy, żeby przygotować rodziców na spotkanie, ale kiedy Władzia zobaczyła matkę z Jędrusiem na rękach, jak szalona ruszyła przed siebie. Na jej widok mama omal nie zemdlała i wypuściła dziecko. Chwyciła je ciocia Kasia. Brat Mietek, kiedy tylko się zorientował, co się wydarzyło, wyskoczył z domu przez okno i natychmiast pobiegł witać siostrę. Śmiali się i płakali na przemian. W końcu zbiegła się cała wieś, wszyscy chcieli zobaczyć cudownie ocaloną z zesłania

Władzię. Najbardziej zdezorientowany był Jędruś. Nie poznał mamy. Pamiętał ją tylko ze zdjęć, elegancką, zadbaną. A tu przyjechała jakaś pani wyglądająca prawie jak Cyganka.

Ojciec wrócił wieczorem ze Lwowa. Płakał i powtarzał w kółko: „To cud, że Bóg ocalił cię z tego piekła". Przegadali całą noc. Nikt nie wiedział, co stało się z Jankiem w Kozielsku. O rodzinach innych oficerów też nie było informacji. Władzia nie spała tej nocy, siedziała przy łóżku śpiącego synka i patrzyła na niego cały czas. Na drugi dzień Jędruś dał się przytulić i pocałować. Władzia płakała ze szczęścia. To, co było jej marzeniem, celem jej ucieczki, w końcu się spełniło.

* * *

Kiedy na przełomie 1942 i 1943 roku zaczęła się rzeź wołyńsko-galicyjska, rodzina Millerów z Władzią i Jędrusiem wyruszyła na zachód. Tak dotarli do Rzeszowa, gdzie zostali już na zawsze. Wiosną 1943 roku otrzymali straszną wiadomość. W odkrytych przez Niemców w Katyniu pod Smoleńskiem masowych grobach znaleziono zwłoki polskich oficerów. O tym, że wśród nich mogą być również jeńcy z Kozielska, Władzia dowiedziała się dopiero po wojnie. Wciąż jednak liczyła na cud, o uznanie męża za zmarłego wystąpiła dopiero w 1957 roku. Wtedy do niej dotarło, że kiedy ona rozpoczynała swoją szaloną ucieczkę z Liniejewki, jej mąż już nie żył, zamordowany przez sowieckie NKWD na polecenie Stalina. Władysława Pawłowska, bohaterka jednej z najbardziej niezwykłych polskich ucieczek, zmarła w 1994 roku w Rzeszowie w wieku osiemdziesięciu czterech lat.

SŁYNNA UCIECZKA Z SOWIECKIEGO WIĘZIENIA DO ANTYKOMUNISTYCZNEJ PARTYZANTKI

Skrobów, 27.03.1945

Był koniec marca 1945 roku, zbliżały się święta Wielkanocne. Na błotnistym placu otoczonym ze wszystkich stron podwójnym, czterometrowym ogrodzeniem z drutu kolczastego zebrała się grupa młodych ludzi. Niemal wszyscy z nich byli akowcami – z Lubelszczyzny, Wileńszczyzny, Nowogródczyzny, Wołynia, Polesia i okolic Lwowa. Mijał już piąty miesiąc, od kiedy zostali zamknięci cztery kilometry na zachód od Lubartowa za drutami obozu NKWD w Skrobowie, nazwanym dla niepoznaki I Oficerskim Obozem Internowanych Głównego Zarządu Informacji Wojska Polskiego. W rzeczywistości byli więźniami sowieckich służb i Armii Czerwonej. Ich jedyną winą było to, że należeli do Armii Krajowej.

Niemal 1200 czerwonoarmistów uzbrojonych w broń maszynową pilnowało 513 więźniów. Sześciohektarowego terenu strzegły cztery wieże strażnicze z ciężkimi karabinami maszynowymi. Budynek, w którym mieszkali więźniowie, był dodatkowo otoczony podwójnym ogrodzeniem z drutu kolczastego, również o wysokości czterech metrów, a wejścia do niego pilnowała

Wybrany przez więźniów starszy obozu,
podpułkownik Edward Pisula – „Tama", zawodowy oficer kawalerii i były szef Kedywu Tarnopolskiego Okręgu AK był doświadczonym konspiratorem i dowódcą, ale nawet on oceniał szanse powodzenia akcji na najwyżej jeden procent.

sąsiadująca z magazynem broni strażnica. Cały teren obozu otoczony był rowami strzeleckimi obsadzanymi w nocy przez kompanię Armii Czerwonej stacjonującą w pobliskiej Kozłówce. Sowieci się bali. Tereny wokół Lubartowa były nasycone w czasie wojny oddziałami Armii Krajowej. Chociaż NKWD zaraz po zajęciu Lubelszczyzny przez Armię Czerwoną rozpoczęło brutalne polowanie na dowódców polskiej konspiracji, partyzantom z wielu oddziałów udało się ukryć i przetrwać. Sowieckie służby obawiały się, że może dojść do ataku AK na obóz i odbicia przetrzymywanych w nim więźniów.

Póki jednak sowiecki front stał w miejscu, takiej możliwości nie było. Na siedemdziesięciu ośmiu tysiącach kilometrów kwadratowych oddanych we władanie NKWD i komunistów Polski Lubelskiej stacjonowały ponad dwa miliony sowieckich żołnierzy – dwudziestu sześciu na jeden kilometr kwadratowy. Takiego nasycenia terenu wojskiem nie znała dotąd historia wojen. Ziemianki czerwonoarmistów dosłownie otaczały Skrobów ze wszystkich stron. To czyniło jakąkolwiek akcję odbicia więźniów niemożliwą. Akowcy wiedzieli, że są zdani tylko na siebie.

Pierwsze rozmowy o ucieczce zaczęły się pod koniec zimy. Gdy rozpoczęła się styczniowa ofensywa Armii Czerwonej, sowieccy żołnierze zaczęli opuszczać leśne kwatery. Tereny wokół obozu powoli pustoszały. Ustały też mrozy, topniał śnieg, zbliżała się wiosna. Wraz z pierwszymi powiewami ciepłego wiatru coraz częściej w głowach więźniów pojawiały się myśli o ucieczce.

Szczególnie aktywna w planowaniu akcji była grupa mieszkająca w największej, czterdziestoosobowej sali „internatu” przeznaczonej dla niższych rangą żołnierzy. Jej nieformalnym liderem stał się szeregowy Jan Jarocki. Nie był to jednak jego prawdziwy stopień ani nazwisko. W rzeczywistości nazywał się Piotr Mierzwiński i był porucznikiem z 30 Poleskiej Dywizji AK. W konspiracji nosił pseudonim „Wierny”.

Mierzwiński był żołnierzem praktycznie od dziecka. Już jako elew szkoły podoficerskiej dla małoletnich w Nisku nosił mundur Wojska Polskiego. Przed wojną służył w 4 Batalionie Pancernym w Brześciu nad Bugiem. Latem 1939 roku na stanie ewidencyjnym batalionu znajdowało się 46 czołgów rozpoznawczych TK-3, 9 samochodów pancernych wz. 1934, 2 ciągniki, 129 samochodów ciężarowych, 15 samochodów specjalnych, 17 samochodów osobowych i 47 motocykli. Mierzwiński trafił do samodzielnej kompani czołgów rozpoznawczych – jednego z piętnastu takich pododdziałów Wojska Polskiego wystawionych w mobilizacji alarmowej i walczących w wojnie obronnej 1939 roku w składzie wielkich jednostek piechoty. Każda z takich kompanii wyposażona była w trzynaście tankietek TK/TKS – dwuipółtonowych czołgów słabo uzbrojonych i opancerzonych, ale bardzo zwrotnych i ruchliwych. Przeznaczone one były przede wszystkim do działań rozpoznawczych, jednak z powodu braku innego sprzętu wspierały często ataki piechoty, a nawet prowadziły samodzielne akcje zaczepne.

Porucznik Mierzwiński, niewysoki, szczupły, pełen energii, walczył w kampanii wrześniowej do końca. Uniknął niewoli, zarówno niemieckiej, jak i sowieckiej, i szybko znalazł się w konspiracji Okręgu Polesie ZWZ-AK obejmującym położone na wschód od Bugu inspektoraty: Brześć, Kobryń, Pińsk i Prużana. Przed akcją „Burza" dowódca okręgu, ppłk Henryk Krajewski ps. „Trzaska", otrzymał rozkaz stworzenia na bazie podległych sobie oddziałów 30 Dywizji Piechoty Armii Krajowej noszącej miano Poleska od nazwy przedwojennej jednostki WP stacjonującej na tym terenie. Mierzwiński został dowódca jednego z pododdziałów liczącej ponad tysiąc partyzantów 30 DP AK, którą w konspiracji określano kryptonimem „Twierdza".

W lipcu 1944 operujące w pasie nadbużańskim oddziały „Twierdzy" stoczyły wiele walk i potyczek z Niemcami. Rozbiły transporty na trasie Wysokie Litewskie – Drohiczyn, pod Adamowem, Wilanowem, koło stacji kolejowej Nurzec, pod Boratyńcem Lackim i Boratyńcem Ruskim. Przez kilka dni walczyły wspólnie z oddziałami Armii Czerwonej.

4 sierpnia akowcy przeszli na zachodnią stronę Bugu po przęsłach mostu kolejowego obok stacji kolejowej Siemiatycze,

podejmując próbę marszu na odsiecz Powstaniu Warszawskiemu. Do tego jednak sowieci nie dopuścili. 18 sierpnia w okolicy Otwocka koło Warszawy Polacy zostali otoczeni i rozbrojeni przez oddziały NKWD oraz Armii Czerwonej. Porucznikowi Mierzwińskiemu udało się wówczas zataić swój stopień i nazwisko, dzięki czemu uniknął wywózki do ZSRR, co stało się losem oficerów takich jak major Stanisław Trondowski, dowódca 82 Pułku Piechoty 30 DP AK. Jako szeregowiec Jarocki porucznik Mierzwiński został wcielony do „ludowego" wojska, ale nie spędził w nim wiele czasu. Jesienią 1944 roku został aresztowany za przynależność do AK i wywieziony do obozu w Skrobowie. Taki był zresztą los większości jego kolegów.

* * *

Komunistyczne polowanie na akowców zaczęło się zaraz po upadku Powstania Warszawskiego. Dopóki stolica walczyła, a z całego wolnego świata nadchodziły głosy wsparcia i solidarności dla Polaków, Stalin nie odważył się na otwartą wojnę z Armią Krajową. NKWD aresztowało w tym czasie po cichu wielu dowódców polskiej konspiracji, ale szeregowych żołnierzy zostawiano w spokoju. Oficjalny ton komunistycznej propagandy był wówczas jeszcze łagodny. W rozkazie naczelnego dowódcy Ludowego Wojska Polskiego, generała Michała Roli-Żymierskiego, mowa była nawet o zaliczeniu lat służby, odznaczeń i stopni z konspiracji akowców wstępujących do LWP. I chociaż to wstępowanie nie było dobrowolne, żołnierze Polski Podziemnej mogli mieć nadzieję, że dokończą swoją walkę z niemieckim okupantem i staną na gruzach Berlina. W pewnym momencie w składzie formowanej już na terenie Polski 2 Armii LWP było więcej akowców niż członków z podlegającej komunistom Polskiej Partii Robotniczej Armii Ludowej. Tych drugich bowiem nowi władcy Polski Lubelskiej kierowali nie na front, ale do pracy w tworzonej właśnie „bezpiece".

Dla ludzi takich jak Piotr Mierzwiński wcielenie do kierowanej przez komunistów armii musiało być bolesnym doświadczeniem. Przez całą okupację akowcy wierzyli bowiem, że podlegające legalnemu rządowi RP w Londynie oddziały Armii Krajowej pozostaną samodzielnymi, chociaż współpracującym z LWP i Armią Czerwoną jednostkami. Taki był też sens przemianowywania przed akcją „Burza" oddziałów AK na jednostki Wojska Polskiego według nazw z 1939 roku, czego przykładem była właśnie 30 Dywizja Piechoty zwana Poleską. Złudzenia szybko się jednak rozwiały. Sowieci, zdecydowani już na włączenie całej Polski w strefę swoich wpływów przy pomocy NKWD i polskich komunistów, nie mieli zamiaru tolerować żadnego wojska podlegającego innej władzy. Rozpoczęło się masowe wcielanie akowców do armii sowieckiej – tych, którzy urodzili się na terenach zagarniętych przez Związek Radziecki 17 września 1939 roku, i „ludowej" – tych, którzy urodzili się na zachód od Bugu. Wielu akowców podawało wówczas fałszywe nazwiska i miejsca urodzenia, by uniknąć wcielenia do Armii Czerwonej.

Nie wszystkim się udało. Nawet wśród pilnujących obozu w Skrobowie czerwonoarmistów byli Polacy z Wołynia. Kiedy zorientowali się, że za drutami pilnowanego przez nich terenu przebywają nie esesmani – jak im wmawiano – ale polscy żołnierze, zaczęli wykonywać w ich stronę przyjazne gesty. Takich było jednak niewielu. Dla Sowietów akowcy byli wrogami gorszymi nawet od Niemców.

Po upadku Powstania Warszawskiego nastąpiła radykalna zmiana stosunku komunistycznych władz wobec żołnierzy Polski Podziemnej. Już 4 października 1944 roku, tuż po powrocie z Moskwy delegacji Polskiego Komitetu Wyzwolenia Narodowego – marionetkowego quasi-rządu Polski Lubelskiej, odbyła się narada pod kierownictwem szefa resortu bezpieczeństwa, Stanisława Radkiewicza. Przekazał on decyzję Stalina o zaostrzeniu walki z całą opozycją i strukturami Polski Podziemnej, nawet tymi o lewicowym charakterze. 30 października PKWN wydał dekret o ochronie państwa, na mocy którego za przynależność do konspiracji i posiadanie broni groziła kara śmierci. Był to wstęp do zaordynowanej przez Stalina ostatecznej rozprawy z Polską Podziemną i jej siłami zbrojnymi. Poprzedziły ją dwa wydarzenia, które miały odegrać rolę pretekstu do masowych aresztowań i tworzenia obozów takich jak Skrobów.

Pierwszym była dezercja całego 31 Pułku Piechoty 2 Armii LWP, do której doszło niedaleko Krasnegostawu na wieść o tym, że jednostka ma zostać wysłana na front japoński. Z 667 uciekinierów część stanowili akowcy, których wielu powróciło z powrotem do konspiracji. Dla komunistów był to bolesny cios, gdyż do dezercji doszło dokładnie w pierwszą rocznicę bitwy pod Lenino będącej w ich propagandzie bardzo ważnym symbolem „polsko-sowieckiego braterstwa broni". Drugim powodem była osobista obraza, jakiej doznał od akowców ówczesny zastępca naczelnego dowódcy LWP do spraw polityczno-wychowawczych, generał Aleksander Zawadzki.

Ten przedwojenny komunista, który czas wojny spędził w Związku Radzieckim, w ciągu zaledwie roku awansował ze starszego sierżanta na generała brygady dzięki swojemu zaangażowaniu w szerzenie w LWP komunistycznej propagandy i promowaniu kłamstwa katyńskiego, zgodnie z którym zbrodni na polskich oficerach pod Smoleńskiem mieli dokonać nie Sowieci, a Niemcy. 4 listopada Zawadzki z całą świtą wybrał się do dawnego niemieckiego obozu zagłady w Majdanku pod Lublinem, gdzie komuniści internowali 150 oficerów AK. Czy miał nadzieję na to, że przekona ich do współpracy z nowym rządem? Jeśli tak, to mocno się przeliczył. Oficerowie, pochodzący głównie ze wschodnich województw II RP, zaczęli zadawać dziesiątki niewygodnych pytań: o granicę na wschodzie, przynależność Lwowa, nowy ustrój Polski, losy Armii Krajowej. Gdy nie uzyskali satysfakcjonujących ich odpowiedzi, po prostu wygwizdali komunistę. Ten wściekły i roztrzęsiony opuścił zebranie. To, co wydarzyło się kilka dni później, mogło jawić się jako prywatna zemsta Zawadzkiego.

Już 6 listopada NKWD zaczęło aresztowania pierwszych akowców wcielonych do LWP. Wyciągano ich z obozów szkoleniowych, szkół oficerskich a nawet jednostek liniowych. Towarzyszyły temu podstępne zapewnienia, że młodzi żołnierze zostali skierowani na kursy, mają przejąć jakiś ważny obiekt, a nawet, że są delegowani na spotkanie z samym Stalinem! W rzeczywistości kiedy tylko opuścili jednostkę, byli rozbrajani i pod silną eskortą wywożeni ciężarówkami w jakieś miejsce odosobnienia. Stamtąd kolejnym transportem kierowano ich do przygotowanego już wcześniej na tę okazję obozu w Skrobowie. Do 11 listopada trafiło tam ponad 500 Polaków, w tym około 300 oficerów. Dla wielu nie było to miejsce nieznane.

Skrobów zdążyli poznać wcześniej żołnierze 27 Wołyńskiej Dywizji Piechoty AK, którzy stanowili liczną grupę wśród internowanych. Dywizja ta była największą polską jednostką partyzancką II wojny światowej – w szczytowym okresie służyło w niej siedem tysięcy ludzi. 27 DP AK powstała na bazie polskich jednostek samoobrony, które w czasie urządzonej przez Ukraińców rzezi wołyńskiej broniły polskich miejscowości przed atakami UPA. 27 Dywizja powstała w celu realizacji planu „Burza", a jej zadaniem było utworzenie na Wołyniu regionu wolnego od okupacji i taki obszar powstał, wywalczony zarówno w starciach z Niemcami, jak i Ukraińską Powstańczą Armią. Chodziło o to, aby Polacy mogli wystąpić wobec nadchodzących wojsk sowieckich w roli gospodarzy i w ten sposób zamanifestować swoje prawa do ziem wschodnich II RP. Gdy jednak nadszedł front, doszło do ciężkich walk o Kowel, w wyniku których 27 Dywizja, opuszczona przez sowieckich „sojuszników", znalazła się w niemieckim okrążeniu i musiała przebijać się z ciężkimi stratami na Lubelszczyznę.

Tu wyzwoliła kilka miejscowości, w tym Kock, Firlej i sam Lubartów. Pod koniec lipca 1944 roku jej dowódca, pułkownik Jan Kotowicz ps. „Twardy", został zaproszony na spotkanie z sowieckim generałem Bakanowem, które odbyło się właśnie na terenie dawnej szkoły zawodowej w Skrobowie. Tam przekazano mu żądanie, by „wołyniacy" złożyli broń. Nie było innego wyjścia. Operator dywizyjnej radiostacji zdążył jeszcze nadać do Londynu i do Warszawy krótką depeszę: „Sowieci nas rozbrajają. 27 DP". Los jednostki był przesądzony.

Teraz wielu żołnierzy tego oddziału stało znów na dziedzińcu Skrobowa i wspominało, jak osiem miesięcy wcześniej pod lufami NKWD płacząc składali w tym miejscu broń. To jeszcze bardziej umacniało wolę ucieczki. Zbliżały się święta wielkanocne, a z nimi nadzieja. Pozostawało wybrać termin i sposób przeprowadzenia akcji.

* * *

– Panowie, to musi być masowa ucieczka. W pojedynkę i w małych grupach nie mamy szans – powiedział „Wierny" w czasie kolejnego spotkania spiskowców w czterdziestoosobowej „podoficerskiej" sali.

Wiedział, co mówi. 4 grudnia miała miejsce pierwsza ucieczka ze Skrobowa, którą podjęło siedmiu internowanych – czterech z Lubelszczyzny i trzech z południowo-wschodnich Kresów. Zaplanowali ją Zbigniew Podczaski i Kazimierz Domin. Ich plan polegał na tym, by przeczołgać się rowem odpływowym wykopanym między latryną a ogrodzeniem i przechodzącym niedaleko od pilnowanej przez wartownika furtki do obozu. Rów miał około siedemdziesięciu centymetrów głębokości i przechodził pod podwójnym ogrodzeniem z drutu kolczastego, za którym znajdował się jeszcze poprzecinany zasiekami teren otoczony zewnętrznym, ale już niepilnowanym ogrodzeniem. Aby go pokonać, potrzebne były nożyce, które uciekinierzy skonstruowali domowym sposobem.

Ich planom sprzyjał fakt, że w grudniu szybko robiło się ciemno, powietrze z powodu padającego śniegu z deszczem było wilgotne i mgliste, a obóz nie miał elektryczności. Wartownicy ustawiali przy ogrodzeniu lampy karbidowe, jednak w jesiennej szarudze dawały one niewiele światła. Akcja rozpoczęła się około godziny szóstej wieczorem. Spiskowcy, symulując rozwolnienie, zaczęli po kolei wychodzić do latryny. Kiedy strażnik ich obserwował, wracali z powrotem do koszar, ale gdy przestał zwracać na nich uwagę, po kolei zalegali w rowie. Prawie godzinę zajęło im przeczołganie się rowem, poprzecinanie zasieków i pokonanie 150 metrów do zewnętrznego ogrodzenia. Punktem orientacyjnym był widoczny z obozu stóg z sianem, na który wszyscy mieli się kierować.

Udało się dojść do niego całej siódemce, jednak akowcy szybko znaleźli się w opresji. Ucieczka nastąpiła niedługo przed wieczornym apelem, prędko więc ją wykryto. Do tego zbiegowie znaleźli się na terenie dosłownie najeżonym ziemiankami z sowieckim wojskiem, musieli więc powoli i ostrożnie kluczyć między nimi, by nie zostać zauważonymi. Chociaż udało się im oddalić od obozu na około dwa kilometry, Kazimierz Domin i dwóch jego współtowarzyszy zostało schwytanych już po kilku godzinach przez nadciągającą obławę. Zbigniew Podczaski dotarł do Lublina, jednak niespełna miesiąc później został tam aresztowany przez NKWD z powodu zdrady jednego ze współtowarzyszy ze Skrobowa, Tadeusza Niezabitowskiego, któremu lekkomyślnie podał wcześniej swoje kontakty w tym mieście. Cała czwórka została skazana na kary ciężkiego więzienia. Los pozostałych trzech zbiegów pozostał nieznany.

Doświadczenia grudniowej ucieczki pokazały, że tylko duża i do tego uzbrojona grupa ma szansę przedrzeć się na wolność, a następnie dołączyć do jakiegoś operującego w okolicy oddziału partyzanckiego. Przez kilka miesięcy, które minęły od akcji zorganizowanej przez Podczaskiego i Domina, osadzeni w Skrobowie akowcy mieli też o wiele większą wiedzę o tym, co dzieje się na zewnątrz ich miejsca odosobnienia. O ile przez pierwsze tygodnie okoliczna ludność, której wmawiano, że w obozie siedzą esesmani, omijała to miejsce szerokim łukiem, sytuacja zmieniła się szybko, gdy poza ogrodzenie zaczęły docierać pierwsze grypsy od internowanych.

Nie było to szczególnie trudne. Szczytowa ściana głównego budynku, w którym mieszkali osadzeni, stykała się niemal z prowadzącą obok obozu drogą. Chociaż oddzielono ją potrójnym ogrodzeniem z drutu i zbitą z desek ślepą ścianą, dla doświadczonych konspiratorów nie były to przeszkody nie do pokonania. Grypsy szybko dotarły do zakonspirowanych na terenie wokół Lubartowa komórek AK. Dzięki nim wiele rodzin partyzantów z Lubelszczyzny dowiedziało się, że w Skrobowie więzieni są ich bliscy. Do obozu zaczęły napływać paczki, które bardzo poprawiły sytuację osadzonych karmionych dotąd resztkami z posiłków czerwonoarmistów lub obrzydliwymi wręcz wywarami w rodzaju zupy z koziej głowy, w której pływały oczy i zęby zwierzęcia. Paczki były też okazją do przemycania zaszyfrowanych wiadomości. Wynikało z nich jednoznacznie, że wiele oddziałów Armii Czerwonej i NKWD opuściło Lubelszczyznę, dzięki czemu ukryte dotąd głęboko oddziały podziemia zaczynają z powrotem przejmować władzę w terenie.

Jednak wyprowadzenie wszystkich osadzonych w Skrobowie Polaków było niemożliwe. Większość internowanych stanowili oficerowie, z których wielu nie widziało sensu ucieczki. Chociaż wybrany przez więźniów starszy obozu, podpułkownik Edward Pisula ps. „Tama", zawodowy oficer kawalerii i były szef Kedywu Tarnopolskiego Okręgu AK, był doświadczonym konspiratorem i dowódcą, nawet on, wtajemniczony przez „Wiernego", oceniał szanse powodzenia akcji na najwyżej jeden procent. Z pozostałymi starszymi rangą więźniami było jeszcze gorzej. Wielu z nich dorobiło się swoich stopni jeszcze w czasie wojny z bolszewikami i od tamtej pory nie powąchali prochu. Inni brali udział w wojnie obronnej 1939 roku, jednak czas okupacji spędzili poza konspiracją i dopiero po odejściu Niemców zgłosili się do tworzonego w Polsce Lubelskiej wojska. Co do kilku w ogóle nie było wiadomo, z jakiego powodu znaleźli się w Skrobowie, gdyż z AK nie mieli do czynienia.

Kilkudziesięciu młodych podchorążych, podoficerów i szeregowców z AK stanowiło jednak zwartą, dobrze wyszkoloną bojową grupę. Niemal cały czas wojny spędzili oni w konspiracji, narażając życie w walce z Niemcami. Dla nich ucieczka miała być kolejnym etapem walki o wolną Polskę. Nadzieje na rozpad sojuszu aliantów ze Stalinem po pokonaniu Hitlera były wciąż żywe. Chęć ucieczki podsycały też przekazywane w grypsach pogłoski o możliwym wywiezieniu akowców do Związku Radzieckiego, a nawet „drugim Katyniu", który kaci z NKWD i polskiej bezpieki mogli urządzić już w Polsce. Nie było w tym wiele przesady. Ludzie znikali bez śladu. Już w październiku 1944 roku kilkunastu oficerów AK, konspiratorów z długim stażem, w tym cichociemnych, których wcielono do 32 Pułku Piechoty 2 Armii LWP zostało aresztowanych i osadzonych w więzieniu w lubelskim zamku. Po szybkim procesie w grudniu dziesięciu z nich skazano na karę śmierci. Wyroki wykonano. O ile w ciągu całej okupacji niemieckiej Lubelski Okręg AK stracił trzydziestu siedmiu oficerów z kadry dowódczej, to w ciągu kilku miesięcy po zajęciu tych ziem przez Armię Czerwoną zginęło ich prawie stu.

O tym jednak zamknięci za drutami Skrobowa oficerowie wiedzieć nie mogli. Wielu żywiło nadzieję, że internowanie szybko się skończy, a jakakolwiek akcja może doprowadzić do tragedii. Młodzi akowcy byli jednak zdeterminowani. Nie mieli zamiaru nikogo wyprowadzać z obozu na siłę. Tym bardziej, że nie byłoby to wcale proste. Tylko podoficerowie i szeregowi mieli obowiązek pracy na terenie obozu, co powodowało, że uciekając w jej trakcie, mieli do pokonania dwa rzędy najeżonych drutem kolczastym ogrodzeń mniej. Przebywający w tym czasie w dwupiętrowym „internacie" w małych salach oficerowie, by się z niego wydostać, musieliby ominąć lub zdobyć silnie obsadzoną pilnującą wyjścia wartownię. Mimo to kilku starszych rangą wojskowych zgłosiło chęć udziału w ucieczce. Aby akcja się udała, potrzebny był doskonale skoordynowany, precyzyjny plan działania dla kilku działających niezależnie od siebie grup.

Absolutnie zdecydowanych na ucieczkę, bez względu na jej konsekwencje, było sześćdziesięciu gotowych na wszystko, młodych akowców. W czasie kolejnych zebrań nieformalny przywódca grupy, „Wierny", rozpoczął ustalanie szczegółów.

– Panowie, akcję będzie musiało rozpocząć jednocześnie kilka grup zatrudnionych w różnych częściach obozu – mówił, lekko się zacinając, Mierzwiński.

– Trzeba ją rozpocząć około jedenastej, ponieważ praca trwa tylko do południa. Wcześniej nie ma sensu, gdyż chodzi nam o to, by wyjść z obozu jak najbliżej zmierzchu. Naszym pierwszym celem jest rozbrojenie strażników, zajęcie koszar, zdobycie większej ilości broni i atak na bramę obozu. W tym czasie oficerowie muszą rozbić ściankę dzielącą ich pokoje od wartowni, rozbroić wartowników i dołączyć do nas. Naszym celem jest wyprowadzenie z obozu jak największej liczby ludzi. Czy są pytania?

– Kiedy zaczynamy? – odezwało się kilka głosów.

– Proponuję jeszcze przed świętami – odpowiedział „Wierny".

Kilku spiskowców było przeciwnych. Do Wielkanocy był tydzień, wielu chciało spędzić ją w obozie. Sprawy biegły jednak swoim rytmem.

Tuż przed Niedzielą Palmową, która wypadała 25 marca, jeden z oficerów z Lublina, u którego siostry mieszkał na kwaterze oficer ze sztabu generała Zawadzkiego, otrzymał od niej w paczce gryps z niepokojącą informacją. Przeczytał w nim, że wszyscy internowani w Skrobowie mieli zostać – po wcześniejszym przebraniu w mundury niemieckie – pod eskortą wyprowadzeni z obozu na stację kolejową i wywiezieni do Związku Radzieckiego. Nie było sensu dłużej czekać. W Niedzielę Palmową porucznik „Wierny" razem z podchorążymi Zdzisławem Jaroszem „Czarnym" i Jerzym Michalakiem „Świdą" poszli do majora Kazimierza Kaweckiego, oficera AK i godnego zaufania człowieka, by poinformować go o planowanej ucieczce. Mimo internowania młodzi akowcy wciąż uważali starszych rangą oficerów za swoich dowódców, których należy zawiadamiać o podejmowanych działaniach. Kawecki odesłał ich do starszego rangą podpułkownika Pisuli. Ten życzył im powodzenia, ale nie podjął dyskusji na

Ppor. Piotr Mierzwiński „Wierny", dowódca grupy zbiegłych z obozu w Skrobowie akowców.

Dzięki przemycanym do Skrobowa grypsom konspiratorzy wiedzieli, że 28-letni kapitan Marian Bernaciak „Orlik", nie został ujęty przez UB i razem z oddziałem trwa w kryjówkach i melinach na północ od Wieprza. Dotarcie do jego oddziału stało się celem uciekinierów.

temat ewentualnego dowodzenia akcją, którą uważał za skrajnie ryzykowną i stanowiącą zagrożenie dla życia kilkuset ludzi. Młodzi byli więc zdani na własne umiejętności i doświadczenie.

Rozpoczęło się nerwowe wyczekiwanie na najlepszy moment do rozpoczęcia akcji. Ten nadszedł wyjątkowo szybko. Już następnego dnia, w poniedziałek po Niedzieli Palmowej, komendanci sal podoficerskich dostali polecenie, by na wtorek wyznaczyć większy kontyngent ludzi do pracy. Rozpoczęły się roztopy, wszędzie były kałuże i błoto, a do Skrobowa miała przyjechać jakaś ważna inspekcja. Trzeba było więc przygotować alejki i wysypać plac piaskiem. Na ten moment młodzi akowcy tylko czekali. Przez całą noc trwało gorączkowe ustalanie składu grup, które następnego dnia wyjdą do pracy przy kopaniu i wożeniu piachu, obieraniu ziemniaków, rąbaniu drewna i sprzątaniu łaźni. Chodziło o to, by znaleźli się w nich wszyscy wtajemniczeni w plan ucieczki spiskowcy. Nie do końca się to udało. Na sześćdziesięciu ludzi, którzy mieli iść następnego dnia do pracy, piętnastu stanowili tacy, którzy nie wiedzieli o planowanej akcji. Kilkunastu wtajemniczonych musiało pozostać w internacie lub innych częściach obozu, licząc na to, że w ogólnym zamieszaniu im też uda się uciec.

W końcu nadszedł ten dzień. Rano na placu apelowym zameldowała się do pracy tak liczna grupa, jakiej dotąd komendant obozu, major NKWD Aleksander Kałasznikow, jeszcze nie widział. O tym brutalnym, chamskim pijaku krążyła fama, że wcześniej był komendantem jakiegoś łagru na syberyjskiej Workucie, gdzie nazywano go „krwawym Aloszą". Inni z kolei mówili, że zanim zmobilizowano go do NKWD, sam był więźniem gułagu. Kałasznikow mówił trochę po polsku, sam uważał się za pół-Polaka i nienawidził więźniów za to, że nie chcieli w nim rozpoznać bratniej duszy. Teraz stał i ze zdumieniem patrzył na liczniejszy, niż sam wyznaczył, kontyngent akowców, którzy sami zgłosili się do pracy.

„Wiernemu" i jego towarzyszom wydawało się przez chwilę, że czujny enkawudzista mający bogatą wiedzę o obozowym życiu wyczuje, iż coś się święci i cały plan spali na panewce. Ten jednak machnął ręką i poszedł do swoich zajęć. Spiskowcy odetchnęli: już za kilka godzin mogli rozpocząć planowaną od dawna akcję. Był Wielki Wtorek 27 marca 1945 roku – dzień, który major Kałasznikow, jego podkomendni i zwierzchnicy mieli zapamiętać na zawsze.

* * *

Poranek był słoneczny, chłodny i wilgotny. Sześćdziesięciu akowców, którzy zgłosili się do pracy, zostało podzielonych na cztery grupy. Nie było wyznaczonego dowódcy, każdy zespół miał działać samodzielnie po wcześniejszej krótkiej naradzie wysłanników, do której miało dojść tuż przed godziną jedenastą przy latrynie. Akcję rozpocząć miała grupa pracująca w kartoflarni.

Na zapleczu kuchni wokół wielkiej balii z wodą, do której mieli wrzucać obrane ziemniaki, usiadło na ławach piętnastu mężczyzn. Siedzący najbliżej okna obserwator miał informować o wszystkim, co dzieje się na placu. Około dziesiątej przekazał, że pluton wojska wymaszerował z obozu w stronę Lubartowa. To była dobra wiadomość – do pilnowania więźniów było kilkudziesięciu czerwonoarmistów mniej. Zła była taka, że zaraz po ich wymarszu major Kałasznikow nakazał wzmocnienie posterunków wartowniczych.

W samej kartoflarni poza spiskowcami był jeszcze szef kuchni, sierżant czerwonoarmista. W głębi kuchni siedział jeden strażnik, drugi pilnował wejścia do budynku. Zbliżał się umówiony termin rozpoczęcia akcji. Napięcie rosło. Nikt już nie miał głowy do obierania ziemniaków, więźniowie po prostu przecinali je na pół i wrzucali do balii. W końcu wstał kapral podchorąży Kazimierz Łukasik ps. „Samopał". Powiedział strażnikowi, że musi wyjść do latryny. Spiskowcy byli już uprzedzeni, że jeśli zaplanowana tam narada delegatów grup ustali, że trzeba zaczynać, „Samopał" w drodze powrotnej do kartoflarni zdejmie czapkę.

Obserwator wpatrywał się intensywnie w okno. Wszyscy zerkali na niego kątem oka. W pewnym momencie dwukrotnie lekko skinął głową. To był sygnał do rozpoczęcia akcji.

* * *

Kapral podchorąży Zdzisław Jarosz „Czarny" odkłada nóż i zaczyna zwijać z gazety skręta. Do kartoflarni wchodzi „Samopał", za nim wartownik. „Czarny" powoli wstaje i podchodzi do pieca, udając, że chce przypalić skręta od rozgrzanej blachy. Nie udaje się, podchodzi więc do wartownika i prosi o ogień. Gdy ten ma dłonie zajęte grzebaniem po kieszeniach płaszcza w poszukiwaniu zapałek, „Czarny" błyskawicznym ruchem uderza go w szczękę, a następnie łapie obiema rękami za wiszącą na piersi wartownika pepeszę. W tym czasie kilku akowców z kartoflarni wypada na zewnątrz z kapralem podchorążym Jerzym Michalakiem „Świdą" na czele. Michalak atakuje od tyłu pilnującego wejścia do kartoflarni strażnika, odbiera mu pepeszę, kieruje jej lufę w stronę wartowni budynku dla internowanych i przeciąga długą serią po jej oknach. To sygnał dla wszystkich grup, zarówno tych na zewnątrz, jak i wewnątrz budynków, by zaczynały akcję.

Tymczasem w kartoflarni rozgrywają się dramatyczne sceny. Krzyk wartownika alarmuje sierżanta – szefa kuchni, który chwyta siekierę i rusza w stronę wciąż szamoczącego się ze strażnikiem „Czarnego". Czerwonoarmista podnosi rękę do ciosu, gdy nagle zostaje pchnięty nożem. To kapral Eugeniusz Radoń „Finkarz", partyzant z wołyńskiej dywizji AK, ratuje życie koledze. Ranny cofa się, w tym czasie „Czarny" zabiera broń wartownikowi i wybiega na zewnątrz. Kapral Zdzisław Kieliszek zabiera rozbrojonemu żołnierzowi ładownicę z trzema magazynkami do pepeszy i rusza za resztą grupy.

Gdy wybiegają na plac, trwa już regularna strzelanina. Z ostrzelanej przez „Świdę" wartowni bije karabin maszynowy, z wież erkaemy i pepesze. Jednak wśród będących na placu czerwonoarmistów panuje chaos i przerażenie. Dziewiętnastoletni porucznik Jerzy Ślaski ps. „Nieczuja" bierze jeden z magazynków od zdobycznej pepeszy i mierzy z niego do biegnącego opodal żołnierza, krzycząc:

– *Ruki wwierch*! Rzuć karabin!

Ten, przekonany, że więzień celuje do niego z automatu, natychmiast wykonuje polecenie i ucieka. Trzecia sztuka broni jest już w rękach buntowników z kartoflarni.

Inne grupy też nie czekają na rozwój wydarzeń. Tą wysłaną do kopania i rozwożenia piachu dowodzi porucznik „Wierny". Akowcy mają łopaty, które w ich rękach stanowią groźną broń. Porucznik wali w głowę strażnika i odbiera mu pepeszę, po chwili to samo z drugim czerwonoarmistą robi kapral podchorąży Antoni Jabłoński „Jasieńczyk".

W grupie rąbiącej drewno po usłyszeniu pierwszych strzałów do akcji ruszył kapral podchorąży Janusz Patocki „Zawisza". Wartownik stał osłupiały, nie wiedząc, co się dzieje. W stronę drewutni biegła grupa więźniów – „Zawisza" rozpoznał w nich kolegów z kartoflarni i natychmiast rzucił się na plecy czerwonoarmisty, który już składał się do strzału. Po chwili szósta sztuka broni była w rękach buntowników. Siódmą zdobył sierżant Marian Gering ps. „Sławny" z grupy sprzątającej łaźnię. Tam akcja zaczęła się natychmiast po ostrzelaniu wartowni przez „Świdę". Kapral podchorąży Jan Kobylański ps. „Dziubak" wracał właśnie w eskorcie wartownika z wiadrem w ręku. Nie namyślając się, wcisnął je na głowę czerwonoarmisty, a przygotowanym wcześniej zaostrzonym gwoździem zaczął przecinać pas jego pepeszy. Broń chwycił nadbiegający z drewutni „Sławny".

Pierwsze zdobyczne automaty wystarczyły do sterroryzowania kolejnych żołnierzy Armii Czerwonej będących na placu. Po chwili broń była już w rękach sierżanta podchorążego Feliksa Tymoszuka „Longinusa" oraz kaprali podchorążych Zygmunta Brzozowskiego „Dęba", Kazimierza Henchena „Tygrysa" i Zbigniewa Manysia „Koli". Razem z „Jasieńczykiem" w piątkę walą seriami po oknach koszar, w których śpią wartownicy z nocnej zmiany i razem z drzwiami wpadają do budynku. Kilka serii w sufit budzi czerwonoarmistów. Stłoczeni na trzypiętrowych pryczach, boso i w samej bieliźnie, nie mają szans na stawienie oporu. Kilku z nich ucieka, ale w samych gaciach, bez butów i broni nie stanowią zagrożenia. Pozostałym akowcy każą wejść pod łóżka lub leżeć nieruchomo, a sami zaczynają wyrzucać na zewnątrz znajdującą się na stojakach broń i magazynki z amunicją. Nadbiegający z różnych stron koledzy przechwytują je natychmiast.

To krytyczny moment buntu. Część ludzi dzieli jeszcze broń między siebie, część ostrzeliwuje wartownię, by ułatwić ucieczkę znajdującym się w budynku oficerom, część biegnie już w stronę bramy prowadzona przez „Sławnego". Wkradający się w szeregi buntowników chaos widzi major Kałasznikow. Bierze ręczny karabin maszynowy i – stojąc na środku placu – bije z niego w stronę więźniów. Ranny w obie nogi pada plutonowy Kaczkowski. Kałasznikow dobija go kolbą erkaemu. Kule dosięgają jeszcze jednego więźnia, ale kolegom udaje się ewakuować go z pola ostrzału.

Moment zamieszania nie trwa na szczęście długo. Akcja akowców rozgrywa się w błyskawicznym tempie. Kiedy tylko zdobyczna broń zostaje podzielona, a ze strony „internatu" nie następuje żadna akcja, kilkudziesięciu akowców rusza w stronę głównej bramy.

– Bracia, nie strzelać, otwórzcie! – krzyczą w stronę stojących przy niej wartowników.

Ci, widząc tłum biegnących w ich stronę uzbrojonych więźniów, stoją jak zamarli. Ta chwila wystarczy, by ich dopaść i rozbroić. Po chwili brama zostaje otwarta. Wolność!

Akowcy wypadają na drogę, którą maszeruje jakaś kompania rekrutów z Kozłówki. Przerażeni młodzi żołnierze rozpierzchają się na wszystkie strony. W rowie za drogą leży kilka kobiet. Przywiozły właśnie paczki dla więźniów i chciały wejść do obozu, kiedy zaczęła się strzelanina. Na rozmowy nie ma jednak czasu – trzeba jak najszybciej wyjść poza pole ostrzału. Pociski świszczą nad głowami, strzelają nie tylko strażnicy z wieżyczek, ale także dwa karabiny maszynowe, które Kałasznikow kazał zainstalować na dachu i piętrze jednego z budynków. Na horyzoncie widać oddaloną o ponad trzy kilometry czarną smugę Lasów Kozłowieckich. Rozpoczyna się morderczy bieg.

Akowcy ruszają przez grząskie pole, którego pierwszy odcinek prowadzi lekko pod górę. Błotnista maź uniemożliwia jednak bieg, kilku traci w niej buty. Po każdej serii padają na rozmokłą ziemię, jednak mimo to dwóch dosięgają kule. Ranni w nogi upadają, mocno krwawią, ale napędzani adrenaliną podnoszą się i gonią towarzyszy. Trzeci, raniony jeszcze w obozie przez Kałasznikowa, jest w gorszym stanie – koledzy muszą nieść go na rozłożonym płaszczu. W końcu, nie bacząc na świszczące nad głowami kule, akowcy schodzą z pola i biegną gęsiego dwiema wąskimi, trawiastymi miedzami. Są na nich o wiele łatwiejszym celem dla strażników, ale ci na szczęście strzelają niecelnie.

Nagle sypią się kule z boku. Polną drogą wzdłuż pola, 400 metrów od uciekających, jedzie terenowy willys. Strzela z niego z erkaemu jakiś czerwonoarmista. „Longinus" ucisza go krótką serią. W końcu akowcy resztkami sił dopadają lasu. Tu, pod osłoną drzew i poza zasięgiem kul z obozowych wieżyczek, jak zabici walą się na mokrą ziemię.

* * *

Było ich czterdziestu ośmiu z sześćdziesięciu, którzy mieli rozpocząć bunt. Jeden zginął zabity przez Kałasznikowa w obozie, widzieli to wszyscy. Ale co się stało z pozostałymi jedenastoma? I dlaczego oficerom nie udało się rozbroić wartowników i uciec razem z nimi? Najprawdopodobniej strażnicy obozu zdążyli wyłapać część buntowników i zapobiec ucieczce pozostałych – domyślają się uciekinierzy. Tak też było w rzeczywistości. Jedenastu akowców zostało zatrzymanych przez straże. Kilku z nich zostało na polecenie Kałasznikowa zakutych w kajdanki i zamkniętych w areszcie. Innych czerwonoarmiści postawili pod ścianą i trzymali pod lufami karabinów. Z kolei zamkniętym w „internacie" oficerom nie udało się rozbić ścianki do wartowni, a próbę ucieczki inną drogą uniemożliwił im obozowy lekarz, stary enkawudzista, który stanął w drzwiach z bronią gotową do strzału. Tego jednak uciekinierzy wiedzieć nie mogli. Teraz ich zadaniem było opatrzyć rannych, wybrać dowódcę, podzielić się na drużyny, policzyć i rozdzielić broń oraz amunicję, a także określić cel i kierunek dalszego marszu. Nie byli już bowiem więźniami. Byli znów wojskiem.

Kiedy kapral „Samopał", mający największe doświadczenie medyczne, opatrywał rannych, kilku innych uciekinierów liczyło broń i amunicję. Zdobyty na czerwonoarmistach ze Skrobowa łup był imponujący: dwanaście pepesz, siedemnaście karabinów, dwie dziesięciostrzałowe karabiny powtarzalne, dwa erkaemy systemu Diegtiariowa. W sumie trzydzieści trzy sztuki broni na czterdziestu pięciu zdolnych do walki ludzi. Gorzej było z amunicją: o ile do pepesz było dwadzieścia pięć częściowo wystrzelanych magazynków podłużnych i dziewięć pełnych magazynków dyskowych po siedemdziesiąt jeden sztuk nabojów w każdym, to brakowało amunicji do karabinów. Część magazynków do erkaemów została więc rozładowana, a naboje podzielono między ludzi uzbrojonych w broń długą. W sumie mieli ponad tysiąc sztuk amunicji – wystarczająco dużo, by stawić opór obławie. Ta jednak nie nadchodziła. Dlaczego? Poza jednym willysem, który ruszył za nimi w pościg i został zatrzymany przez „Longinusa", nikt więcej z obozu nie nadciągał.

– Chyba Kałasznikow myśli, że to dopiero początek jakiejś większej akcji i dlatego kazał swoim ludziom zostać w Skrobowie. Może boi się, że teraz jakiś partyzancki oddział zaatakuje obóz z zewnątrz – zasugerował jeden ze zbiegów.

Tak też w istocie było. Jednak akowcy mieli pewność, że już niedługo wielka obława za nimi wyruszy i to z różnych stron. Czasu na długi odpoczynek nie było. Po złapaniu oddechu i opatrzeniu rannych trzeba było natychmiast ruszać, by jak najdalej odejść od obozu.

Z wyborem dowódcy nie było problemu. Jednogłośnie został nim wybrany „Wierny". Ten z kolei podzielił oddział na dwie drużyny – pierwszą miał dowodzić „Świda", drugą „Jasieńczyk", który miał do przekazania kolegom ważną informację. Niedawno dostał gryps od swojej dziewczyny, w którym informowała go, że dawny dowódca „Jasieńczyka", kapitan „Orlik", nie został ujęty przez UB i razem z oddziałem po przejściu do głębokiej konspiracji trwa w kryjówkach i melinach na północ od płynącego w okolicy Wieprza. Ludziom pochodzącym z Lubelszczyzny nie trzeba było tłumaczyć, kim jest „Orlik". Dwudziestoośmioletni Marian Bernaciak był w tych stronach legendą. Zmobilizowany w 1939 roku skromny urzędnik pocztowy walczył w okolicach Włodzimierza Wołyńskiego, gdzie dostał się do sowieckiej niewoli. Zbiegł jednak z transportu do obozu, unikając w ten sposób losu ofiar Katynia. Przedarł się w rodzinne strony. Prowadził księgarnię w Rykach i niewielką drukarnię w Dęblinie, od samego początku angażując się w działalność konspiracji ZWZ-AK. Miał wtedy pseudonim „Dymek". Został szefem Kedywu na rejon obydwu miast, prowadził szkołę podoficerską, a gdy gestapo zaczęło deptać mu po piętach, jesienią 1943 roku ulotnił się i założył oddział partyzancki, który w czasie akcji „Burza" przeprowadził dwadzieście akcji bojowych przeciwko Niemcom. Wtedy właśnie w oddziale „Orlika" walczył „Jasieńczyk". Uratowali ważny militarnie Dęblin i pobliskie składy amunicji w Stawach przed wysadzeniem w powietrze przez wycofujących się Niemców, a ludność przed wywózką.

Kulminacyjnym momentem było samodzielne zajęcie przez oddział Bernaciaka Ryk, z okolic których pochodził. Zdarzyło się to 26 lipca 1944 roku. Kiedy kilka dni później wybuchło Powstanie Warszawskie, „Orlik" i jego żołnierze podjęli decyzję o ruszeniu na pomoc walczącej stolicy. Ich marsz zatrzymały jednak w okolicach Garwolina wojska NKWD i Armii Czerwonej, które szczelnym pierścieniem otaczały już okolice Warszawy, by uniemożliwić podobne akcje. Aby uniknąć aresztowania przez Sowietów, „Orlik" rozwiązał oddział i zaszył się głęboko w rodzinnych okolicach na północ od Wieprza. Tam, wśród zaufanych i pewnych ludzi, trwał już ponad pół roku.

„Jasieńczyk" wziął na siebie zadanie doprowadzenia oddziału do „Orlika", jednak okolice Lubartowa znał słabo. Lepiej orientował się w nich pochodzący z Kozłówki kapral podchorąży Stanisław Mączka „Nałęcz". We dwóch mieli więc odegrać rolę przewodników. Plan był taki, by przedostać się za Wieprz, w rejon działania „Orlika". Była to odległość około czterdziestu pięciu kilometrów w linii prostej, jednak porucznik „Wierny" zdecydował, że nie skierują się od razu w tamtą stronę. Najpierw należało, dla zmylenia pościgu, zasymulować marsz na południe, w stronę Lublina, a dopiero później wykonać ostry zwrot na północny zachód, w stronę Wieprza. Teraz trzeba było jednak poderwać z ziemi półprzytomnych ze zmęczenia ludzi.

* * *

– Oddział baczność! Szykować się do wymarszu! – ostry, stanowczy ton porucznika „Wiernego" postawił wszystkich na nogi.

To już nie był kolega z obozu, ale zdecydowany na wykonanie każdego zadania żołnierz. Od razu zobaczyli w nim urodzonego dowódcę. Nawet najbardziej zmęczonych i rannych jego głos natychmiast mobilizował do działania.

Ruszyli. Przodem poszli „Jasieńczyk", „Nałęcz" i pochodzący z okolic Ryk Ryszard Piskorski „Zośka". Grupę ubezpieczali będący w najlepszej kondycji i najlepiej uzbrojeni żołnierze. Część oddziału przedstawiała jednak obraz nędzy i rozpaczy. Ubłoceni niemiłosiernie, kilku w jednym tylko bucie, wielu bez czapek i płaszczy, nie mieli w tym stanie szans dojść do wyznaczonego celu. Trzeba było po drodze zdobyć jakieś ubrania, obuwie, opatrunki, a przede wszystkim żywność. I zrobić to, zanim obława na dobre się rozpocznie.

– Panie poruczniku, ktoś jedzie.

Na znak „Wiernego" oddział rozproszył się wokół leśnej drogi. Jechała nią zaprzęgnięta w konia furmanka, którą prowadził około pięćdziesięcioletni mężczyzna. Zwiadowcy zatrzymali wóz. Chłop, widząc uzbrojonych ludzi, od razu zorientował się, z kim ma do czynienia. O wydarzeniach w Skrobowie było już w okolicy głośno, chociaż miejscowi uważali, że obóz rozbili partyzanci „Orlika".

– Nie bójcie się, ja też jestem w AK – powiedział woźnica. – Uważajcie, bo obława już weszła w las. Czego potrzebujecie?

„Wierny" poprosił o gotowane kartofle, kilka bochenków chleba i trzy pary butów. Zasugerował też, że idą w stronę Lublina. Gospodarz budził zaufanie, trzeba było jednak zachować ostrożność. Postanowili, że spotkają się za kilka godzin przy leśnej polanie. Gospodarz oprócz zamówionej żywności i butów miał też przywieźć ze sobą przewodnika, syna, który – jak zapewniał – też był akowcem.

Nie było jednak pewności, że nie ściągnie za sobą pościgu. „Wierny" nakazał więc żołnierzom zajęcie stanowisk bojowych niedaleko umówionej polany. Obawy okazały się jednak bezpodstawne. Chłop wrócił z synem i przywiózł nie tylko zamówione ziemniaki, chleb i buty, ale też garnek gotowanej kaszy gryczanej i duży kawał słoniny. Wygłodniali żołnierze nareszcie mogli się posilić. Kiedy jedli, gospodarz przekazał „Wiernemu" najnowsze informacje:

– Wojsko nasze i ruskie obstawiło las – mówił. – Milicjantów pełno wszędzie. Mówią, że jesteście bez broni i jutro was złapią.

„Wierny" postanowił wtajemniczyć go w prawdziwy cel marszu oddziału.

– Nie idziemy na Lublin. Chcemy przedostać się na drugą stronę Wieprza. Jak tam dojść? – spytał.

– Niedaleko płynie rzeka Minina, która uchodzi do Wieprza. Najłatwiej będzie wam iść wzdłuż niej. Żeby do niej dojść, musicie przejść przez naszą wieś, Nowodwór – odezwał się syn-przewodnik.

– Jest bezpiecznie? – spytał „Wierny".

– Poprowadzę was tak, że nikt nie zauważy – zapewnił młody akowiec.

Ryzyko, że obława wejdzie nocą do lasu, było niewielkie. NKWD, wojsko i milicja otoczyły wprawdzie kordonem Lasy Kozłowieckie, jednak prawdziwego pościgu należało spodziewać się dopiero o świcie. Dowódca postanowił więc, że po dotarciu do domu gospodarza odetchną w nim tylko chwilę, a przez resztę nocy będą maszerować na północ, by do wschodu słońca jak najbardziej oddalić się od Skrobowa. Gospodarz odjechał, jego syn ruszył razem ze zwiadowcami na czele grupy w stronę Nowodworu.

Doszli około dziesiątej wieczorem. Gospodarstwo akowców znajdowało się szczęśliwie na skraju wsi. Nareszcie można było usiąść w cieple, podsuszyć mokre ubrania i buty. Jednak dłuższe pozostanie w tym miejscu nie było bezpieczne. Kiedy uciekinierzy odpoczywali, wystawione warty zaalarmowały „Wiernego", że drogą przeszedł patrol MO. Milicjanci niczego nie zauważyli, jednak był to wyraźny sygnał, że trzeba się zbierać. Po północy oddział ruszył dalej prowadzony przez młodego akowca. Idąc drogą przez pola, omijając zagrody, znów doszli do lasu. Stan niesionego na płaszczu ciężko rannego kolegi pogarszał się jednak coraz bardziej. Było pewne, że nie przetrzyma forsownego marszu, a w razie napotkania obławy jego los będzie przesądzony. Dowódca poprosił więc przewodnika o jakieś bezpieczne lokum dla rannego. Znalazło się ono w położonej na skraju lasu kolonii Annobór, gdzie mieszkał znajomy młodego akowca.

Pozostałych czterdziestu siedmiu zbiegów ruszyło dalej. Przed świtem, ledwo żywi, doszli do samotnej zagrody otoczonej młodym lasem. Gospodarze przyjęli ich serdecznie, postawili na stole sagan kartofli ze słoniną, zmienili opatrunki rannym. Przewodnik pożegnał się, życząc szczęścia. Porucznik „Wierny" wystawił warty z będących w najlepszej kondycji żołnierzy, pozostali rozłożyli się w chacie i stodole, by przespać choćby dwie godziny. Po wschodzie słońca znów mieli wyruszyć w drogę. Następny dzień, Wielka Środa, miał zdecydować o ich życiu lub śmierci.

* * *

Budzi ich wystrzał z karabinu. To wartownik zaalarmował oddział, widząc nadjeżdżającego rowerem milicjanta. Niepotrzebnie spanikował – można było funkcjonariusza rozbroić i zostawić gdzieś w lesie, ale nerwy wyczerpanych uciekinierów były już napięte do ostatnich granic. Oddział błyskawicznie zbiera się i rusza lasem w stronę rzeczki, prowadzony przez „Jasieńczyka" i „Nałęcza". Po trzech godzinach marszu wzdłuż Mininy docierają na skraj starego, wysokiego boru. Dalej są już tylko młode zagajniki i olszyna.

Wiedzą już, że są ścigani przez wielką obławę. Od wschodu słychać warkot silników samochodów i motocykli, szczekanie psów i pojedyncze wystrzały. Pościg jest tuż-tuż, lada chwila obława wejdzie w las. W pewnym momencie zwiadowcy dostrzegają, że od strony położonej za lasem wsi biegnie dwóch mężczyzn. Zatrzymują jednego z nich. Chłop, sam najprawdopodobniej też mający na pieńku z komunistami, ostrzega ich przed dużym oddziałem, który właśnie zajął wieś.

– Są Sowieci i Polacy, jest szwadron ruskiej kawalerii – mówi zdyszany. – Wiedzą już, że idziecie w stronę Wieprza. Mosty na Wieprzu są zablokowane, łodzi pilnują milicjanci. Zepchną was tam i wybiorą jak ryby z sieci.

Gdy to mówi, nad las nadlatuje sowiecki samolot zwiadowczy. Kilku uciekinierów wpada w panikę.

– Taką grupą nie uciekniemy – woła jeden z nich. – Trzeba schować broń, zdobyć jakieś czyste ubrania i małymi grupkami wyrwać się stąd w stronę Lublina. To tylko trzydzieści kilometrów.

W oddziale zaczyna się kłótnia. Kilku popiera tę propozycję, większość protestuje.

– Pójdziecie na wprost obławy – ostrzega jakiś głos.

– Ale pojedynczo mamy szansę się przedrzeć – słyszy odpowiedź.

– Cisza! – krzyczy nagle „Wierny".

Wszyscy milkną.

– Kto chce, niech odchodzi. Ale natychmiast, bo za chwilę będzie za późno – mówi dowódca.

Z oddziału występuje dziewięciu mężczyzn. Zostawiają broń kolegom i – życząc powodzenia – ruszają w przeciwnym kierunku. Pozostałych trzydziestu ośmiu, w tym dwóch rannych, jest zdecydowanych iść dalej z „Wiernym" – do „Orlika".

Po kilku kilometrach marszu na północny zachód Minina gubi jednak koryto. Rzeka wylała po wiosennych roztopach i razem ze znajdującymi się w tej okolicy stawami tworzy teraz wielkie rozlewisko. Grunt jest coraz bardziej rozmokły: uciekinierzy najpierw zapadają się w wodzie po kostki, potem po kolana, wkrótce jednak woda sięga im już do pasa. Jedyną drogę stanowią niewielkie kępy trawy i chaszczy; przeskakując z jednych na drugie, akowcy powoli idą do przodu. Jednak i te niewielkie wysepki szybko znikają. Przed mężczyznami rozpościera się wielka, gładka tafla wody. Z tyłu coraz bliżej słychać jazgot tropiących ich psów. Czy to już koniec?

– Zająć stanowiska – rozkazuje „Wierny". – Będziemy walczyć.

– Poruczniku – prosi „Jasieńczyk – spróbuję jeszcze przejść. Może nie jest głęboko.

Dowódca się zgadza. Dwóch przewodników wchodzi w rozlewisko. Woda sięga im najpierw do pasa, potem do piersi, w końcu aż po szyję. Niższy od „Jasieńczyka" „Nałęcz" musi wysoko zadzierać nos, bo wodę ma już po usta. Wydaje się, że dalej przejść się już nie da, gdy nagle „Jasieńczyk" woła, że złapał twardy grunt. Reszta oddziału z zapartym tchem patrzy, jak idzie dalej, powoli, ale wyraźnie wyłaniając się z wody.

– Idziemy – decyduje „Wierny".

Akowcy po kolei, trzymając broń wysoko nad głowami, wchodzą w bajoro. Na ostatniej kępie zostaje jako ubezpieczenie jeden z żołnierzy z gotowym do strzału erkaemem. Ma przejść ostatni.

Zanurzonym po piersi mężczyznom wydaje się, że rozlewisko nie ma końca. Zimna woda wysysa siły, niektórzy są na granicy omdlenia. Jednak odgłosy obławy mówią im, że wycofać się już nie można. Z największym wysiłkiem pokonują kilkaset metrów przez bajoro, zanim wreszcie pojawia się niewielkie wzniesienie. Wychodzą z wody i jak zabici padają na mokrą trawę. Kilku, mimo całkowicie przemoczonych ubrań, natychmiast zasypia. Nie budzą ich nawet odgłosy gwałtownej strzelaniny, która nagle wybucha za rozlewiskiem. Słychać eksplozje granatów, nad lasem zapalają się świetlne rakiety. Czyżby obława dopadła uciekinierów, którzy odłączyli się od oddziału? Najprawdopodobniej tak właśnie było. Czterech z nich zaginęło bez śladu, być może zginęli właśnie wtedy. Trzech sowieci dopadli i zamordowali później. Z całej dziewiątki uratuje się i przeżyje tylko dwóch.

Nie było jednak czasu myśleć o losach kolegów. Po drugiej stronie rozlewiska słychać było już parskanie koni, rozmowy po rosyjsku, szczekanie psów. Kawaleria! Jeśli nawet piechota nie przejdzie przez wodę, to konie i psy dadzą radę. „Wierny" chce już stawiać na nogi nieprzytomnych ze zmęczenia ludzi, kiedy nagle odgłosy obławy zaczynają się oddalać. Odpuścili! Jest już wieczór, wkrótce zacznie zachodzić słońce i czerwonoarmiści w zapadającym zmierzchu najwyraźniej nie chcą pakować się w rozlewisko.

– I tak nie uciekną – zza wody słychać, jak przekonuje jeden z nich.

Na ten dzień ludzie z obławy mają już dość. Wielka Środa okazała się szczęśliwa dla zbiegów.

Większość oddziału leży wyczerpana na mokrej trawie. Do logicznego myślenia zdolnych jest tylko kilku ludzi. „Wierny" zbiera ich na naradę. „Jasieńczyk" i „Nałęcz" przekonują, że trzeba znów znaleźć koryto Mininy i iść wzdłuż niego do Wieprza, kierunek jest dobry. Ale jeśli będzie jakieś kolejne rozlewisko, będzie trzeba je obejść skrajem, ludzie nie dadzą już rady przejść takiego bajora drugi raz. „Wierny" zgadza się, ale ostrzega, że jeśli oddział natknie się na obławę, odwrotu nie będzie. Akowcy będą walczyć do ostatniego naboju.

Jest już ciemno, gdy dowódca znów musi postawić na nogi żołnierzy. Niektórzy błagają, by pozwolono im pospać choćby kilka minut. „Wierny" jest jednak nieugięty. Nakazuje wymarsz i grupa znów rusza przez podmokły teren w mroku rozświetlanym przyćmioną przez chmury pełnią księżyca. Przez kilka kilometrów brną w grząskim gruncie, aż w końcu pojawia się las, a w nim jakaś droga. Idą nią, kiedy nagle zaczyna się ujadanie psów. Nie szczekają jednak tak, jak te z obławy. To muszą być zwykłe, gospodarskie kundle. Po kilkuset metrach przez mrok zaczyna przebijać jakieś blade, żółtawe światło. Na leśnej polanie stoi samotny dom, w którego oknie pali się naftowa lampa.

* * *

Gospodarzami okazało się młode małżeństwo, niedługo po ślubie, które tu, w oddalonej od wsi kolonii w środku lasu, zaczynało samodzielne życie. Dom był już wysprzątany na święta, pachniało świeżo upieczonym chlebem. Dla zmordowanych zbiegów był to najpiękniejszy zapach na świecie. Gospodyni wyjęła jeszcze gorące bochenki z pieca i rozdała żołnierzom, a sama zajęła się zmienianiem opatrunków rannym. W tym czasie „Wierny" i „Jasieńczyk" rozmawiali z jej mężem, który, jak większość ludzi w tych stronach, miał bardzo dobre kontakty i rozeznanie w sytuacji.

– Do Wieprza macie stąd piętnaście kilometrów – mówił gospodarz. – Dojdziecie tam wzdłuż Mininy, która wpada do Wieprza między Łysobykami i Składowem. Ale Łysobyki omijajcie, bo pełno tam resortu i wojska. Do Składowa wszyscy nie dojdziecie, bo Wieprz ogromnie wylał i teraz to wyspa. Bezpieczna, bo łodzie „Orlik" kazał pochować, żeby nikt obcy się tam nie plątał.

Na wzmiankę o „Orliku" zareagował „Jasieńczyk":

– Byłem u niego w oddziale – powiedział.

Gospodarz wyraźnie się ożywił.

– Jakie nosisz nazwisko? – spytał.

– Jabłoński.

Potem spytał o imię ojca.

– Znam go! – ucieszył się.

Rozmowa nabrała tempa.

– Powinniście teraz przejść do człowieka, który ukryje was i zorganizuje przeprawę na drugi brzeg Wieprza. Mieszka siedem kilometrów stąd, ryzyka nie ma, bo obława przez te okolice już przeszła. To pewny człowiek. On jest z waszego stada – radził gospodarz. – Pokażę wam drogę.

Była jeszcze noc, gdy trzydziestu ośmiu zbiegów znów ruszyło w marsz. W Wielki Czwartek o świcie doszli do wskazanej zagrody. Jej gospodarz miał nie tylko dobre kontakty, ale był też zamożnym chłopem. W domu pełno było przygotowanych na Wielkanoc potraw. Żołnierze po raz pierwszy od dwóch dni mogli wreszcie najeść się do syta. Część z nich od razu poszła spać do stodoły. Ale nie wszyscy mogli długo odpoczywać. Gospodarz radził, by niewielka grupa jeszcze tego samego dnia wieczorem przedostała się do odległego o siedem kilometrów Składowa, do człowieka, który ma bezpośredni kontakt w „Orlikiem".

– Ale jak tam przejdą? Przecież mówili nam, że Składów oblany wodą ze wszystkich stron, a łodzi nie ma – dopytywał „Wierny".

– Są miejsca, gdzie woda jest tylko do pasa. A drogę wskażę – zapewnił gospodarz.

Do grupy kontaktowej, którą miał dowodzić „Jasieńczyk", „Wierny" przydzielił jeszcze trzech najlepiej orientujących się w tych okolicach akowców – „Nałęcza", „Zośkę" i „Dziubaka". Wyszli przed zachodem słońca – reszta oddziału miała czekać na ich powrót ukryta w strzeżonej przez warty posiadłości gospodarza. Droga okazała się trudniejsza, niż ktokolwiek przypuszczał. Wody w Wieprzu wciąż przybywało – to była prawdziwa wiosenna powódź – i tam, gdzie miała sięgać do pasa, sięgała miejscami aż po szyję. To były całe kilometry przedzierania się przez zimną, miejscami wartką rzekę, która wysysała siły z każdym kolejnym krokiem. W pewnym momencie „Dziubak" pozostał na jakiejś wystającej z wody kępie i – półprzytomny – powiedział kolegom, że dalej już nie idzie. Ci niemal siłą skłonili go do dalszego marszu. W końcu doszli do samotnego, oblanego ze wszystkich stron wodą gospodarstwa, zmordowani bardziej niż w czasie ucieczki przed obławą przez rozlewisko.

Gospodarz wyszedł naprzeciw nim uzbrojony w karabin. „Jasieńczyk" powiedział mu, kto ich przysyła. Mężczyzna odłożył broń i zaprosił do chaty. Tak, słyszał o ucieczce ze Skrobowa, ma kontakt z „Orlikiem", przywiezie tu człowieka od niego. Bez zbędnych słów położył na stole coś do jedzenia, wskazał zbiegom miejsce do spania, a sam poszedł wyciągać dobrze ukrytą łódź.

* * *

– Jestem „Tek", przybywam od „Orlika" – powitał ich o świcie w Wielki Piątek przywieziony łodzią przez gospodarza mężczyzna.

– Czego potrzebujecie? – zapytał.

– Musimy mieć łodzie do przewiezienia całej grupy, miejsca do jej zakwaterowania, amunicję do pepesz i karabinów, płaszcze, onuce, bieliznę, słoninę... – wyjaśniał „Jasieńczyk".

Lista była długa, ale „Tek" – Tadeusz Osiński, jeden z najstarszych stażem partyzantów „Orlika" – tylko skinął głową. Dobrze wiedział, że dla jego dowódcy umundurowanie i wyposażenie kolejnego plutonu wojska to żaden problem. Tym bardziej, że większość z nich miała już własną, zdobytą na czerwonoarmistach broń.

– Załatwimy to. Poczekacie tu na resztę oddziału, a my powiadomimy ich i zorganizujemy przeprawę. Ubrania, amunicja i reszta będą czekały na was w Blizocinie, wsi naprzeciwko Składowa, po północnej stronie Wieprza – zdecydował „Tek" i odpłynął.

Wieczorem tego samego dnia do zagrody, w której kwaterował „Wierny" z resztą oddziału, przyszedł posłaniec z informacją, że łodzie przypłynęły i czekają. Po zmroku trzydziestu czterech ludzi wyruszyło w stronę Składowa. Przy łodziach czekał już na nich „Tek" i komendant placówki AK w Blizocinie

„Lutnia". Małymi grupami płynęli w księżycową noc na samotną wyspę z gospodarstwem, gdzie czekał „Jasieńczyk" z trzyosobowym patrolem. Stamtąd następnej nocy mieli zostać wszyscy przeprawieni do Blizocina.

Było już po północy, zaczynała się Wielka Sobota, kiedy oddział zebrał się w komplecie na wieprzańskiej wyspie. Było chłodno, bezwietrznie i spokojnie, wydawało się, że nic tu już zbiegom nie grozi. Jednak „Wierny", urodzony żołnierz, kazał wystawić warty. Intuicja go nie zawiodła. Rano, kiedy większość oddziału jeszcze spała, przybiegł do niego wartownik z informacją, że w stronę gospodarstwa płynie jakiś żołnierz na koniu. Kim był? Czy zwiadowcą z obławy, która wciąż trwała? Jeśli tak, to czy za nim nadciągną jakieś większe siły? „Wierny" wraz z dwoma podchorążymi z odbezpieczoną bronią wyszedł na brzeg. Cała trójka była już ubrana w mundury ze stopniami na pagonach, na głowach mieli czapki z orzełkami. Półtorej doby, które spędzili u gospodarza „ze swojego stada", nie było tylko odpoczynkiem. Kiedy żołnierze wrócili do sił, „Wierny" kazał im doprowadzić do porządku swoje mundury, ponaszywać regulaminowe stopnie, tym bardziej, że zbliżały się święta. Teraz już naprawdę wyglądali jak wojsko i jako wojsko mieli zamiar przyjąć tajemniczego kawalerzystę.

Ociekający wodą żołnierz zsiadł z konia i widząc przed sobą podoficera, stanął na baczność.

– Szeregowy Lach melduje, że ma do przekazania ważny meldunek – zaczął.

„Wierny" skinął głową i kazał mu iść za sobą do chaty. Tam odebrano żołnierzowi broń i kazano zdjąć ociekający wodą mundur. Dopiero wtedy goniec zorientował się, z kim ma do czynienia. „Wierny" zapewnił go jednak, że nic mu nie grozi, jeśli powie wszystko, co wie o obławie.

– Wysłali mnie do innego oddziału z meldunkiem – zaczął Lach z kresowym akcentem.

Akowcy z Wołynia natychmiast zorientowali się, że to ich krajan. Był Polakiem, jego losy były bardzo podobne do ich własnych.

Przetrwał banderowskie rzezie w jednej z baz polskiej samoobrony, ale kiedy na Wołyń weszła Armia Czerwona, wcielono go do sowieckiego wojska. Brał udział w obławie, był gońcem, który miał przekazywać informacje między oddziałami. Kiedy dotarł do Wieprza, zgubił się. Rozpytywał okolicznych gospodarzy, czy nie widzieli jakiegoś wojska, a kiedy w końcu jakiś gaduła powiedział mu o płynącym do Składowa oddziale, bez namysłu skierował konia w rozlewisko i postanowił gonić opisany oddział wpław, nie wiedząc, że płynie prosto do kryjówki poszukiwanych zbiegów ze Skrobowa. Kiedy jednak zobaczył, że ma do czynienia z polskimi żołnierzami, a kilku z nich to jego krajanie z Wołynia, nie namyślał się ani chwili.

– Zostaję z wami – oświadczył.

– Dobrze – zgodził się „Wierny".

– Będziesz miał odtąd pseudonim „Pościgowiec".

Wszyscy wybuchnęli śmiechem. Nie zaczęły się jeszcze święta, a oddział już powiększył się o jednego człowieka. Potraktowano to jako dobry znak.

„Pościgowiec" był cennym nabytkiem, bo oprócz precyzyjnych informacji o obławie przywiózł też ze sobą karabin i cały worek amunicji. Z jego słów wynikało, że ścigające zbiegów oddziały mają słabą orientację w terenie, a ich dowódcy są przekonani, że większość uciekinierów już zabito. Brało się to stąd, że kilku ludzi, którzy odłączyli się od oddziału w Wielką Środę, rzeczywiście złapano i rozstrzelano na miejscu. Zapewne przekazywane między oddziałami informacje nie były zbyt precyzyjne i wielu żołnierzy było przekonanych, że obława zakończyła się sukcesem i ukryć mogli się jeszcze tylko pojedynczy akowcy.

O zmierzchu znów przypłynęły łodzie. Przez całą Wielką Noc trwała przeprawa oddziału do Blizocina. Tam zbiegowie ze Skrobowa zostali przyjęci jak bohaterowie. Każdy gospodarz chciał gościć przynajmniej jednego z nich. Na akowców czekały łóżka z czystą pościelą, honorowe miejsca przy stołach i najlepsze kąski na talerzach. Młodzież z zapartym tchem słuchała opowieści o buncie w Skrobowie i brawurowej ucieczce, starsi patrzyli z szacunkiem i podziwem. Święta wielkanocne we wsi odciętej od świata ogromnym rozlewiskiem Wieprza były dla ściganych jeszcze niedawno bezlitośnie ludzi jak jakiś piękny sen. Wszystko tu wydawało się niemal nierealne.

W Blizocinie czekały też na akowców płaszcze, ubrania i wyposażenie, o które prosił wcześniej „Jasieńczyk". Adiutant „Orlika", Wacław Kuchnio ps. „Spokojny", który organizował tę dostawę, nie zapomniał też o księdzu, którego przywiózł łodzią, by „skrobowiacy" mogli wyspowiadać się na Wielkanoc i przyjąć komunię.

Święta minęły szybko. Trzeba było decydować, co dalej. W międzyczasie do oddziału dołączył kolega, którego rannego zostawili pod opieką gospodarzy niedaleko Nowodworu. Szybko wyzdrowiał i był gotów służyć w oddziale „Wiernego". Teraz, z „Pościgowcem", było ich czterdziestu, ale pięciu akowców zdecydowało, że dla nich wojna już się skończyła. Nikt nie miał żalu o to, że chcą odejść. Walka z opanowującą Polskę komuną mogła wydawać się beznadziejna, ale niektórzy woleli zginąć w walce niż żyć w kraju pod kolejną obcą okupacją. Ci, którzy postanowili wrócić do rodzin, dostali od konspiracji cywilne ubrania, fałszywe dokumenty i pieniądze. Pozostałych trzydziestu pięciu na początku kwietnia 1945 roku wyruszyło na spotkanie z „Orlikiem", by oddać się pod jego rozkazy.

* * *

Major Bernaciak, wysoki, szczupły, opanowany, urodzony dowódca, rozmawiał prawie z każdym z uciekinierów. Pytał o akowską historię, o oficerów, pod którymi służyli, i tych, którzy zostali w Skrobowie. Szybko podjął decyzję. „Skrobowiacy" zostali zorganizowani w pierwszy pluton oddziału piechoty 15 Pułku Piechoty AK, który „Orlik" niedługo wcześniej postanowił reaktywować. Dowódcą został „Wierny". Pluton złożony z ludzi nieznanych w okolicy, a więc takich, którym nie groziło zidentyfikowanie i rozpoznanie przez komunistycznych szpicli,

Dzisiejszy numer zawiera 12 stron **Wydanie D** Cena 2 z

TRYBUNA ROBOTNICZA

Nr. 177 — (489) Katowice-Kraków-Wrocław - Częstochowa-Rzeszów-Kielce, niedziela, 30 czerwca 1946.

Polska ma dzi
swój wielki dz

— jeden z tych wielkich dni
szary trud naszych dni pov
wzwcza blask wielkiej epoki, j
żywamy.

Mieliśmy wielki dzień wy
Polski spod jarzma okupanta,

Przeżywaliśmy dzień pełen
zatknięcia sztandaru polskiego
rach Berlina.

Nadszedł triumfalny dzień
lacji odwiecznego wroga, hitle
Niemiec.

Był wielki dzień uchwały
skiej przyznającej nam gra
Odrą, Nisą i Bałtykiem.

Zapisał się w naszej pami
ryczny dzień uchwalenia prz
wą Radę Narodową reformy r
narodowienia przemysłu, stwa
podstawę dla pokojowego
Polski.

Wszystkie te wielkie dni b
czywistnieniem najgorętszych
całego narodu, realizowanych
tylko przez przodowników wa
wą Polskę.

Każdy, komu dotąd nie by
świadomym aktem woli i czy
udział w wielkim dziele o
Polki, ma możność zapisania s
jach naszych przełomowych
udział w głosowaniu ludowym

Na każdym z nas spoczywa
działalność za to, jak wypadnie
ki egzamin naszej dojrzałośc
wej i politycznej.

Z grymasem nienawiści c
miec, by naród polski okazał s
i wewnętrz rozbitym.

Z otwartymi paszczami ocze
dzynarodowa wspólnota rea
perializmu na potwierdzenie,
jej do Polski jest otwarta,
będzie w dalszym ciągu Polsk
atować i używać jej do swoic

Patrzą na nas oczy tych, k
neli za Polskę czy ofiara ich
na marne.

Patrza na nas nasze dzieci,
dyś zapytają: Czy spełniliście
bowiązek wobec nas i nas
szłości?

By wróg niemiecki nie od
umfu —

By Polska była naprawdę
silna i szczęśliwa —

By miliony ofiar najlepszy
nów nie poszły na marne —

By dzieci nasze z wdzięczno
mą o nas wspominały —

Pójdziemy dziś wszyscy do
borczej i powiemy dobitnie

ZEF ŁUKA
ły Narodowej Polaków we Francji

igracja polska we Francji głosuje, wypowiadając się trzy razy „TAK"

polska we Francji, doceniła głosowania ludowego, ma utrwalić zdobycze narodowe, osiągnięte w Manifestu Lipcowego PKW Jedności Narodowej, przy wraz z krajem do głosowania.

z Polski na obczyznę nebezrobociem i terrorem olicji, emigranci zmuszeliście Ojczyznę w poszukiwaniu i pracy.

spędziła polska emigrafrancuskiej. Jednakże Pofrancji, jako cudzoziemcy, owani przez reakcję franwypędzani z Francji w ysu za dopominanie się o ecia i pracy.

Francji wykonywali naj-, pracowali w najgorkach, dostawali wynagrood Francuzów. Nigdy ani zapomnieli oni o Polsce, znotą do niej i nigdy nie byli ideałom wolności. Toteż bardzo boleśnie odrzuciła polska cios, zadany hitleryzm. Polacy we Francji udział w walkach ch, zgłaszali się do wojska walczyli w partyzantce, zali sabotaż w produkcji. W walkach byli zawsze mieniąc, że wszędzie tam, walka przeciw faszyzmowi i demokrację, jest walka o Polskę, o wyzwolenie.

polska rozumiała dobrze, przyczyną naszej klęski nawoli i wyniszczenia milionych synów Ojczyzny, była cyjna w Polsce, rządy obnagnaterii i karteli miech, odwiecznych wrogów.

obecną uznała emigrację za najwłaściwszą dla ntowania swego uparcia dla Rządu Jedności Narodowej w yrazem tego poparcia udział emigracji polskiej Francji w głosowaniu. Ten symboliczny akt, emigracja polska będzie TRZY RAZY stanie się wyrazem moparcia Polaków we narodu polskiego.

lska straszyła naród polski pisaną propagandą oraz nymi środkami, że na zasila, która miałaby mi- rządy w nowej Polsce.

W rzeczywistości JEST na zachodzie potężna siła. Ta siła idzie już do naszego kraju: powracają do Polski najlepsi synowie narodu polskiego, GÓRNICY, którzy choć zdają sobie sprawę z tego, że czekają ich gorsze warunki pracy, wracają, bo, jak oświadczyli „WALCZYĆ O POLSKĘ MOŻNA WSZĘDZIE, LECZ BUDOWAĆ JĄ MOŻNA W POLSCE". Wracają do kraju, by stanąć do warsztatów pracy, wydobywać węgiel i dać swój wkład do odbudowy kraju. Oni nie chcą czekać, aż w Polsce będzie dobrze, lecz sami chcą swą pracą i trudem przyspieszyć podniesienie się naszej gospodarki narodowej, rozumiejąc, że tylko zjednoczonymi siłami całego narodu można zbudować życie szczęśliwsze dla wszystkich.

Pod przewodnictwem Rady Narodowej Polaków we Francji odbyły się wiece przedwyborcze do głosowania ludowego. Wzięły w nich udział PPR i PPS, SD, Organizacja Pomocy Ojczyźnie i Organizacja Kobiet im. Marii Konopnickiej. Jakkolwiek głosowanie to, które odbędzie się we Francji, nie wpłynie bezpośrednio na wynik głosowania w kraju, to jednak będzie ono miało wielkie znaczenie moralne. Dziesiątki tysięcy głosów wyślemy do kraju z odpowiedzią „tak" na wszystkie pytania referendum. Tym samym damy wyraz solidarności klasy pracującej we Francji z narodem w Polsce.

Emigracja polska wraca do kraju zorganizowana. Pierwszy kontyngent 5 tys. górników już ruszył, za nim pójdą następne. Wśród Polaków we Francji toczą się spory komu ma przypaść szczęście szybszego powrotu do kraju.

Ta siła, którą reprezentuje powracająca do ojczyzny emigracja francuska, dopomoże swym braciom w Polsce przełamać trudności, zaprowadzić jedność i zgodę narodu polskiego i pójść ku lepszej i szczęśliwszej przyszłości dla nas i dla przyszłych pokoleń.

Polacy we Francji apelują:

Głosujcie trzy razy „tak"

Codziennie napływają do naszej redakcji listy od Polaków z Francji, skierowane bądź to do krewnych i znajomych w Polsce, bądź bezpośrednio do redakcji. Listy te wykazują, że nasi rodacy we Francji zdają sobie lepiej może niż niektórzy obałamuceni Polacy w kraju sprawę z wagi i znaczenia referendum ludowego. Widzą oni bowiem, jak wszelkie objawy jedności narodowej podnoszą powagę Polski zagranicą, a jak szkodzi Polsce rozbijanie jedności narodowej.

Nie możemy wszystkich listów opublikować. Ograniczamy się do dwóch próbek, pochodzących od polskich robotników we Francji.

St. Pierre de Corp. dn. 6. 6. 1946 r.

Drogi stary Kolego!

Zapewne zdziwi Cię mój list, bo przecież tyle lat nie słyszeliśmy już o sobie. Po wyjeździe z Rosolina przebywałem cały czas we Francji. Teraz sądzę, że się niedługo zobaczymy.

My tu wszyscy we Francji chcielibyśmy tak najszybciej wrócić i zdążyć na referendum ludowe, które ma poprzez Rząd Jedności Narodowej i utrwalić demokrację w Polsce. Niestety nie zdążymy. Ale chcielibyśmy jakoś poprzeć tę słuszną drogę demokratyczną w Polsce. Ponieważ nie możemy sami głosować, staramy się, by każdy z nas upewnił się, że ktoś w kraju odda głos za trzema pytaniami referendum. Pamiętaj więc, jak będziesz głosował, że masz głosować nie tylko za siebie, ale i za mnie i powiedz dlatego na wszystkie pytania „tak".

Lulek Wawrzyniec.

Escautpont, dnia 25. 5. 46 r.

Drogi Józefie!

Zasyłam Wam pozdrowienia od całej rodziny i proszę, abyście nam już nie odpisywali, bo w najbliższym czasie wyjeżdżamy do Polski. Bardzo nas obchodzi głosowanie ludowe w kraju, na które chcielibyśmy zdążyć. Nie wyobrażacie sobie, jak wielkie znaczenie dla nas tu we Francji ma wynik głosowania ludowego, bo wiemy, że od niego zależy utrwalenie demokracji w Polsce i zjednanie Polski w innych krajach. Chciałbym, abyście moje słowa dostały do ręki młodzieży w Polsce. Jeżeli możesz, to postaraj się opublikować ten list do młodzieży, który załączam.

Do młodzieży w kraju!

Jako drużynowy harcerzy apeluję do Was, abyście w referendum, które się wnet odbędzie w Polsce, głosowali trzy razy „tak". Bo od tego zależeć będzie, czy w Polsce znowu będzie tak, jak przed rokiem 1939, czy też Polska będzie demokratyczna, wolna i silna. Złączcie się wszyscy w jeden blok młodzieży demokratycznej, który stanie u boku Rządu Jedności Narodowej. Pamiętajcie o tym, że jesteście przyszłością Polski i że to nakłada na Was wielkie obowiązki.

Bronisław Cupał.

Bandyta „Orlik" zabity

W ciągu 20 dni ujęto 525 — zabito 107 bandytów

Akcja organów Bezpieczeństwa zwalczania wszelkiego rodzaju objawów bandytyzmu w Polsce daje ostatnio bardzo zadawalające wyniki.

Istotnym osiągnięciem w walce organów Bezpieczeństwa o normalizację stosunków w kraju jest w ostatnim okresie likwidacja groźnego bandyty „ORLIKA".

24 czerwca br. organy Bezpieczeństwa idąc wraz z grupą saperów 1-ej Dywizji im. Tadeusza Kościuszki po tropie tego niebezpiecznego bandyty dotarły do wsi Piotrówek w gm. Trojany (pow. garwoliński). W tej wsi „Orlik" zatrzymał się ze swoim sztabem dla podkucia koni. Funkcjonariusze bezpieczeństwa zdołali otoczyć „Orlika" wraz z jego sztabem i wezwali ich do poddania się. Bandyci odpowiedzieli na to ogniem, raniąc jednego z żołnierzy. W wyniku strzelaniny zostało dwóch bandytów zabitych; jednym z zabitych jest Bernaciak Marian, wódz bandy WiN-owskiej, znany pod pseudonimem „Orlik".

Postrach

„Orlik" był od wielu miesięcy postrachem okolicy.

Jeszcze jesienią ub. r. „Orlik" zorganizował bandę leśną około 300-tu ludzi. Banda ta rekrutująca się w pierwszym rzędzie z elementów kryminalnych i dezerterów W. P., była przez szereg miesięcy na skutek nieustannych napadów rabunkowych postrachem ludności kilku powiatów woj. warszawskiego i lubelskiego.

„Orlik" winien jest, że...

Banda „Orlika" może się „poszczycić" zabójstwem licznych spokojnych obywateli. Między innymi zostali przez tę bandę zamordowani: wójt gm. Trojany — Ożga Wacław, kolejarze z Dębicy — Ledwo Józef, Flis i Jakubiak Jan, mieszkaniec wsi Mała Kłoda — Gaja Stanisław i wielu innych. Nie dalej jak kilka dni temu z rozkazu „Orlika" został zabity przewodniczący Obwodowej Komisji Głosowania Ludowego, kierownik szkoły powszechnej w Trojanowie — ob. Stępiak Stanisław.

Poczet zamordowanych

W ostatnim okresie banda „Orlika" dokonała następujących napadów: na spółdzielnię w Żelechowie, rabując towary na 9.000 zł., na Spółdzielnię Rolniczo - Handlową w Trojanowie, na spółdzielnię w Kłoszowie, przy czym 2 przypadkowych świadków zostało zabitych, na mieszkańca z W. Korzeckiej Karola Mikołaja, którego ciężko pobito i obrabowano, na pociąg, gdzie zrabowano 12 worków mąki, na spółdzielnię w Stężycy, na pociąg osobowy na stacji Życzyn, przy czym zabity został porucznik W. P.

Przy zabitym „Orliku" znaleziono wyroki śmierci na 9-ciu działaczy demokratycznych powiatu garwolińskiego, plany napadu na posterunki i okoliczne spółdzielnie oraz fałszywe dowody osobiste. Charakterystycznym momentem jest również fakt, iż znaleziono przy „Orliku" ulotkę nawołującą do trzykrotnego „nie" w głosowaniu ludowym.

Prowadzona przez organy bezpieczeństwa energiczna akcja zmierzająca do całkowitej likwidacji wszelkich band na terenie kraju odnosi również na innych terenach pożądane.

Akcja oczyszczająca U. B.

Tak na przykład: dn. 5. 6. przeprowadzono w rejonie Sieniawy (woj. rzeszowskie) operację przeciwko bandom NSZ „Mewy" i „Gromu", w wyniku tych operacji został zabity dowódca bandy Edward Makar, który posługiwał się pseud. „Czarny", oraz ujęto 27 bandytów.

Dnia 6 czerwca zlikwidowano w pow. jarosławskim bandę „Makarego" przy czym ujęto 12 bandytów, a 2-ch zabito w walce. Skonfiskowano 1 moździerz, 2 RKM, 10 mn, 7 koni.

W rejonie Międzyrzecza (woj. poznańskie) ujęto dn. 13 czerwca 30 uzbrojonych członków band „Toma" i „Kosika".

Tegoż samego dnia w wyniku pościgu zarządzonego za bandą, która usiłowała dokonać napadu na posterunek M. O. we Włoszczakowie (woj. poznańskie) ujęto 13-tu bandytów z bronią w ręku.

23 czerwca została w okolicach Sanoka zlikwidowana groźna banda NSZ „Zubryda".

Bilans końcowy

Ogółem w wyniku przeprowadzonych operacyj przez organy Bezpieczeństwa na terenie całego kraju w okresie od 1 — 20 czerwca br. ujęto 525 bandytów, aresztowano 42 osoby, współpracujące z bandami. Ilość zabitych w walce bandytów wynosi w tym samym okresie — 107 a ilość rannych w walce bandytów 37. Skonfiskowano również kilkaset sztuk broni rozmaitego rodzaju oraz znaczne ilości amunicji.

TRIOLET

Kochankowie z AVIGNON

...ło partyzantka, Julia Noel, pracuje jako stenotypistka ...yce. Po wybuchu wojny w ciałach konspiracyjnych ...wiei. Tu porozumiewa się z chłopami w sprawie ...z nich politycznie zaangażowanych Francuzów, ...owraca do Lyonu. Zgodnie z poleceniem dr. Arnolda ...do Avignonu, by ocalić zagrożonych partyzantów ...okochała partyzanta Celestyna, który jednak nie da... ...uczeniem. W drodze powrotnej z Avignonu Julia za... ...się w Walencji.

W sąsiedztwie nikt nie siedział, nikt się ...esował. Julia nie chciała właśnie zwracać na ...ę. Siedzący za nią młodzieniec, może student, ...ę. Dwie bileterki stały oparte o ścianę. Trzej ...padli z hałasem, lecz w tej ciszy kościelnej ...ię stukot. Jak dobrze, ciepło... Chłopcy zajęli pierwszym rzędzie, przed samym ekranem. Tu...zy można zapomnieć o domu w górach, o bru...ch, jęczmiennej kawie i o tych wstrętnych szc...h, wałęsających się po ulicach... Julię ogarnę... Drzemała już, nagle... Co się stało... Julia za...rzeczuciu niebezpieczeństwa. Z ekranu płynęły Z początku niejasne, później coraz wyraźniej...reszcie zamieniły się w melodię. Głos Edyty ...zarował:

Był duży, uroku miał tyle
I ciepła ziemią pachniał miłę...

...ulii topniało: może to z powodu ciepła na sali. ...się do oczu. Przykre jest uczucie, gdy krew ...mrożonych członków. Tak na przykład dzie...je się z odmrożonymi uszami: dopóki są białe, nie czuje się ich, a gdy wracają do życia — sprawiają ból i ma się wrażenie, że rozpalone igły wbijają się w ciało... Boże, jak ją serce bolało, jak bardzo samotną się czuła w kinie — tak jakby ją żywcem zamknięto w trumnie. Święci kochankowie z Avignonu, módlcie się za nią!

Kronika szła już w oświetlonej sali. Może obawiano się, że Julia będzie demonstrowała na widok wzorowych żołnierzy, którzy w ładnych białych bluzach naprawiali druty telegraficzne w czasie strasznej zamieci śnieżnej, a niewidoczni dla widza źli Rosjanie — strzelali do nich. Po kronice zachwyt budził dramat — tak kiepski, że można było drzemać spokojnie... i nie myśleć o niczym. Omal nie spóźniła się na pociąg!...

— Julio, co ci jest? Może jesteś chora?
— Chora, dlaczego?
— Bardzo źle wyglądasz. Czy stało się coś złego? Niepowodzenie?

Ciotka Alina pomogła jej zdjąć płaszcz, José obejmował jej kolana, burzliwie okazując swoją radość.

— Julia przy...
— Powiedz, p...
— Wszystko. ...
teraz podróżowa...
sisz mnie! Czy b...
— Daj Julii sp...
Ciotka Alina ...
— Dziecko m...
przeciwko twoim ...
lecz jestem już stara... nie wytrzymam... Gdybym mogła podróżować z tobą, ale tak wyczekiwać ciągle!... Kiedy słyszę kroki na schodach, zdaje mi się, że to policja przychodzi po ciebie. Czekam wciąż i zadręczają mnie myśli, że nie wrócisz, że „wpadłaś". Czy nie mogłabyś chociaż na jakiś czas przerwać tej pracy, odpocząć? Pomyśl o José! Co się z nim stanie, gdy ciebie nie będzie!

Julia umyła ręce, zęby. Frędzle z koralików, zwisające u lampy, zasłaniały światło; nie widziała siebie w lustrze. Uczesała się na ślepo.

— Nie mogę teraz przerywać — pracy — brak ludzi...

Wszyscy niby zgadzają się z nami, lecz gdy jest praca... José, czyś zadowolony z konika? Czy dobrze spędziliście święta? Jak przyrządziłaś królika? Nie denerwuj się, ciotuniu, jestem ostrożna... Muszę wrócić do redakcji, skończą się więc już te podróże.

— Ty tylko tak mówisz... Spójrz na siebie! Jesteś blada jak śmierć! Zachorujesz jeszcze...
— Co ty też mówisz, czuję się doskonale... Jakże się cieszę, że jestem w domu!
— Julio! — woła José — Julio, chodź prędziutko!

— Źle pani wygląda, panno Noel. Nie chciałaby pani odpocząć kilka dni? — powiedział naczelny redaktor dyktując jej list.

Wszyscy w redakcji byli ogromnie uprzejmi w stosunku do Julii.

— Dziękuję, czuję się doskonale. Nie lubię Lyonu.
— I ja także — powiedział redaktor wzdychając.

Tęsknota za Paryżem, powodująca od początku wygnania niechęć Julii do innych miast, pogłębiała się jeszcze bardziej w Lyonie — mieście ciężkim, zamkniętym ...

...owa alkowami w alkowach tamtych alków — jedne bardziej ponure od drugich. W Lyonie ludzie mogą żyć jedynie w ciasnocie bez miary.

Czyż można lubić klimat Lyonu, mgły, błoto? W Paryżu nie zwraca się uwagi na pogodę. Wyjść na spacer w Paryżu, to znaczy wyjść na spotkanie wspaniałej, nieoczekiwanej bajce... Przechadzać się ulicami Lyonu... — to człapanie po błocie obok koszar, gdzie powiewa chorągiew ze swastyką, a na chodniku kręci się uzbrojona po zęby warta w niemieckich szarych płaszczach i kaskach... (C. d. n.)

...pleśniarka...

„Trybuna Robotnicza" 30 czerwca 1946 roku poinformowała o śmierci „bandyty" Orlika.

miał wykonywać najtrudniejsze zadania. „Orlik" polecił wyposażyć „skrobowiaków" w najlepszą broń i przydzielił im dwóch doświadczonych oraz doskonale orientujących się w terenie przewodników – „Lisa" i „Krakusa". Kryjówką dla żołnierzy oddziału „Orlika" stały się położne nad Wieprzem wsie Bobrowniki i Sędowice, gdzie lokowano ich w małych grupach w gospodarstwach zaufanych akowców.

Okazja do walki ze znienawidzoną komuną pojawiła się szybko. Już 13 kwietnia 1945 roku oddziały majora „Orlika" zaatakowały w Woli Zadybskiej trzy grupy operacyjne Korpusu Bezpieczeństwa Wewnętrznego. Rozbrojono trzydziestu żołnierzy, zlikwidowano jednego ubeka. 24 kwietnia w brawurowej akcji z udziałem „skrobowiaków" rozbity został Powiatowy Urząd Bezpieczeństwa Publicznego w Puławach, z którego uwolniono 107 więźniów – przetrzymywanych w strasznych warunkach i torturowanych żołnierzy podziemia oraz członków ich rodzin. Wcześniej specjalnie do tej akcji „skrobowiacy" zdobyli w Żyrzynie dwie ciężarówki Armii Czerwonej, których załogi rozbroili. W czasie ataku na ubeckie kazamaty zginął „Longinus", ten sam, którego celna seria uratowała kolegów w czasie ucieczki ze Skrobowa. Akowcy zlikwidowali pięciu ubeków, dwóch milicjantów i jednego sowieckiego oficera, wielu ranili.

Do największej jednak bitwy z bezpieką doszło 24 maja niedaleko Kazimierza Dolnego. Działo się to w momencie, gdy „Orlik" postanowił opuścić bezpieczne dotąd okolice Bobrownik i Sędowic nad Wieprzem na wieść o nadciągającej tam specjalnej grupie operacyjnej resortu bezpieczeństwa. Liczący wówczas 150 żołnierzy oddział, z taborami z bronią i amunicją, wśród których były nawet granatniki przeciwpancerne, rozpoczął marsz na południe, w okolice Nałęczowa. W okolicy wsi Las Stocki na skutek donosu jakiegoś szpicla oddział został jednak zaatakowany przez kilka silnych grup operacyjnych puławskiego UB, które od czasu rozbicia więzienia zawzięcie polowało na partyzantów „Orlika". Ubeków wspomagał wydzielony oddział sowieckiego NKWD.

Po odparciu ataku z zaskoczenia do kontrataku przystąpiły plutony dowodzone przez „skrobowiaków": „Wiernego" i „Świdę". Udało im się zniszczyć dwa transportery i tankietkę przeciwnika. Walka w zalesionym wąwozie była jednak niebywale zażarta. Przełom nastąpił, gdy „Orlik" i „Spokojny" w towarzystwie dwóch „skrobowiaków", „Nieczui" i „Czarnego", natknęli się w lesie na grupę ludzi w mundurach z podwiniętym rękawem – znak rozpoznawczy przeciwnika.

– Hasło! – zapytał „Spokojny".

Kiedy akowcy usłyszeli „Leningrad", bez namysłu jednocześnie pociągnęli za spusty. Pod gradem kul zginęło całe dowództwo bezpieki. Pozbawione dowodzenia oddziały UB poszły w rozsypkę. Polowanie na nie trwało do wieczora. W Lesie Stockim zginęło siedemdziesięciu dwóch funkcjonariuszy resortu.

27 lipca wzruszający moment po walce przeżył „Wierny". Tego dnia oddział „Orlika" uwolnił pod Bąkowcem 120 więźniów z transportu UB. Był wśród nich podpułkownik Henryk Krajewski „Trzaska", dawny dowódca „Wiernego" z 30 Poleskiej Dywizji Piechoty AK.

Latem 1945 roku „Orlik", ścigany przez oddziały liczące już łącznie kilkanaście tysięcy żołnierzy, milicjantów i funkcjonariuszy UB, podzielił partyzantów na mniejsze grupy. W tym samym roku jego oddział wszedł też w skład Zrzeszenia „Wolność i Niepodległość", a major Bernaciak objął dowództwo grup partyzanckich w inspektoracie WiN „Puławy". Zginął 24 czerwca 1946 roku koło wsi Piotrkówek. Dwukrotnie ranny, w czasie nieudanej próby wyjścia z okrążenia popełnił samobójstwo. Jego oddział przetrwał do marca 1947 roku.

Do końca służyło w nim wielu uciekinierów ze Skrobowa. Pięciu poległo w czasie wcześniejszych walk, kilkunastu było rannych. Różne były później koleje ich losu. Porucznikowi „Wiernemu" udało się wydostać za granicę i dotrzeć do Anglii, gdzie zmarł w 1981 roku. Niektórzy ukryli się i przetrwali czas największych prześladowań, wielu przeszło przez komunistyczne więzienia. Kiedy powstawała ta książka, żyło już tylko kilku bohaterów tej jednej z najbardziej niezwykłych ucieczek Polaków.

BIBLIOGRAFIA

Bem Marek, *Sobibór: exodus 14 października 1943*, Narodowe Centrum Kultury, Muzeum Pojezierza Łęczyńsko-Włodawskiego, Warszawa–Włodawa 2013.

Beniowski Maurycy August, *Dziennik podróży i zdarzeń hrabiego M.A. Beniowskiego na Syberyi, w Azyi i Afryce*, S. Szczepanowski i A. Potocki, Kraków 1898.

Beniowski Maurycy August, *Pamiętniki Beniowskiego: Syberya, Daleki Wschód, Madagaskar*, Gebethner i Wolff, Kraków 1909.

Bialowitz Philip, *Bunt w Sobiborze: opowieść o przetrwaniu w Polsce okupowanej przez Niemców. Philip Bialowitz opowiada swojemu synowi Josephowi*, Wydawnictwo „Nasza Księgarnia", Warszawa 2008.

Blatt Thomas Toivi, *Ucieczka z Sobiboru*, Świat Książki, Warszawa 2010.

Blatt Thomas Toivi, *Z popiołów Sobiboru (skąd nie było powrotu): historia przetrwania*, Muzeum Pojezierza Łęczyńsko-Włodawskiego, Włodawa 2002.

Czarnecka Daria, *Największa zagadka Polskiego Państwa Podziemnego: Stanisław Gustaw Jaster – człowiek, który zniknął*, Wydawnictwo Naukowe PWN, Warszawa 2016.

Datner Szymon, *Ucieczki z niewoli niemieckiej 1939–1945*, „Książka i Wiedza", Warszawa 1966.

Giertych Jędrzej, *Uciekinier: polski oficer, którego nie potrafili zatrzymać Niemcy*, Wydawnictwo Penelopa, Warszawa 2010.

I Oficerski Obóz Internowanych Głównego Zarządu Informacji Wojska Polskiego w Skrobowie we wspomnieniach byłych więźniów w 65. rocznicę ucieczki z obozu 27 marca 1945 r. i jego likwidacji 21 kwietnia 1945 r., Gmina Lubartów 2010.

Kajdański Edward, *Maurycy Beniowski na Pacyfiku: odkrywca czy blagier*, Narodowe Muzeum Morskie, Gdańsk 2015.

Kokoszka Karolina, *Omówienie ucieczki dziesięciu polskich oficerów z fortu Wysoka Skała (niem.* Hohenstein*) w Srebrnej Górze (niem.* Silberberg*) w nocy z 5 na 6 maja 1940 roku*, praca magisterska pod kierunkiem Tomasza Przerwy, Uniwersytet Wrocławski 2017.

Orłowski Leon, *Maurycy August Beniowski*, „Wiedza Powszechna", Warszawa 1961.

Ossendowski Ferdynand Antoni, *Przez kraj ludzi, zwierząt i bogów: (konno przez Azję Centralną)*, Wydawnictwo LTW, Łomianki 2007.

Pawłowska Władysława, *Ucieczka z Sybiru. Z miłości do dziecka*, Libra PL, Rzeszów 2012.

Pawłowska Władysława, *Wspomnienia żony oficera wojska polskiego zamordowanego w Kołymie*, Ośrodek Karta, Sygnatura: AW II/2012.

Piechowski Kazimierz, *Byłem numerem... historie z Auschwitz*, Wydawnictwo Sióstr Loretanek, Warszawa 2003.

Piotrowski Rufin, *Pamiętniki z pobytu na Syberii Rufina Piotrowskiego: w jednym woluminie tomy I, II i III*, Gopher u.r.p. Andrzej Famielec, Warszawa 2014.

Piotrowski Rufin, *Ucieczka z Syberyi przez niego samego opowiedziana*, Krakowskie Towarzystwo Oświaty Ludowej, Kraków 1902.

Podruczny Grzegorz, Tomasz Przerwa, *Twierdza Srebrna Góra*, Bellona, Warszawa 2010.

Rojek Wojciech, *Odyseja skarbu Rzeczypospolitej. Losy złota Banku Polskiego 1939–1950*, Wydawnictwo Literackie, Kraków 2000.

Roszko Janusz, *Awanturnik nieśmiertelny*, Wydawnictwo „Śląsk", Katowice 1989.

Szeremeta Bronisław, *Ucieczka polskiego żołnierza ze stalinowskiego łagru zagłady 1939–40 r.*, maszynopis, Wrocław 1996.

Ślaski Jerzy, *Skrobów. Dzieje obozu NKWD dla żołnierzy AK 1944–1945*, Instytut Wydawniczy PAX, Warszawa 1990.

Andrzej Fedorowicz – dziennikarz-freelancer. Pasjonat historii, techniki, wyjątkowych biografii i podróży. Historyczne dziennikarstwo śledcze to jego ulubione zajęcie. Publikował w czasopismach takich jak „Super Express", „Focus", „Polityka", „Newsweek Historia", „Uważam Rze Historia", „Wsieci Historii" i „Forbes". Autor m.in. przewodnika po Wyspach Kanaryjskich oraz książek *25 polskich wynalazców i odkrywców którzy zmienili świat* (Wydawnictwo Fronda) i *Wybranki Fortuny. Niezwykłe Polki, które podbiły świat* (razem z żoną Ireną Fedorowicz).